ANDRÉ GIDE

L'ÉVOLUTION DE SA PENSÉE RELIGIEUSE

CATHARINE H. SAVAGE

ANDRÉ GIDE

L'ÉVOLUTION DE SA PENSÉE RELIGIEUSE

A. G. NIZET
3 bis, Place de la Sorbonne
PARIS Ve
1962

I

INTRODUCTION

Dans le domaine de la littérature française moderne, il n'y a pas eu de nom qui se soit prêté à tant de discussions que celui d'André Gide. Cet écrivain, qui s'était plaint à maintes reprises pendant sa jeunesse de l'indifférence avec laquelle on accueillait ses écrits, a fini par occuper l'attention de tout le public cultivé français et enfin mondial. L'opinion lui a été souvent favorable mais aussi souvent très défavorable. Gide a pu dire lui-même que c'étaient ses détracteurs les plus acharnés qui avaient rendu son nom célèbre. Ses critiques l'ont fréquemment jugé d'après leur prévention littéraire ou confessionnelle. D'ailleurs, l'énorme diversité de son œuvre a invité à des interprétations contradictoires. On discerne toutefois certaines réactions de la critique et du public qui sont restées constantes. Pour de nombreux lecteurs, il représentait un libérateur quasi messianique, exprimant les courants les plus libéraux et humains de la pensée moderne. Pour d'autres, il incarnait le démon de l'anarchie — de l'anarchie morale, politique, et religieuse.

Cet écrivain autour de qui se sont développées tant de controverses se voulait uniquement artiste. A diverses occasions, il a affirmé que les seules considérations esthétiques gouvernaient son œuvre, et par moments il paraissait se réfugier derrière ce mur impénétrable. La haute qualité de son style, ses liens avec le groupe de la *Nouvelle Revue française,* et le rôle qu'il a joué dans la prise de conscience du classicisme moderne, semblent justifier la prétention. Ses ouvrages romanesques et dramatiques et surtout sa critique littéraire révèlent que toute sa vie se déroulait sous le signe de l'esthétique. Néanmoins, derrière ces préoccupations formelles, on découvre une foule de dilemmes moraux et religieux qui hantent Gide et qui sont comme les pôles sur lesquels pivote son œuvre. Ces dilemmes sont autant de faces d'un dialogue intime qui se poursuivit pendant toute sa vie et qui, si l'auteur ne consentit jamais à l'extérioriser dans un seul ouvrage, s'est exprimé partiellement dans chaque écrit.

Les questions religieuses se trouvent parmi les préoccupations intimes et idéologiques que Gide a tenu à mettre en valeur dans son œuvre et à cause desquelles s'est développé tant de désaccord dans le monde des lettres. Subordonnés peut-être aux questions morales, les problèmes religieux n'en ont pas moins joué un rôle prééminent dans la pensée et dans l'art d'André Gide. Ils paraissent dans la plupart de ses écrits romanesques et, dans certains ouvrages, représentent le cœur même du développement. Ils remplissent le *Journal*, témoin monumental de sa vie intérieure et extérieure pendant soixante ans. Ils sont la raison d'être d'une grande partie de sa *Correspondance* et de plusieurs courts écrits. On ne saurait donc trop souligner l'importance de ces problèmes dans la production littéraire et dans la carrière de Gide.

A la différence de beaucoup d'auteurs contemporains qui se sont occupés de la question religieuse, l'attitude de Gide n'est pas unipolaire. Il s'intéresse à presque tout aspect — pour ne pas dire tout — de la pensée chrétienne et à chaque forme qu'elle a revêtue au cours des siècles. S'il a paru s'approcher par moments d'un point de vue bouddhique [1], c'est seulement par hasard, car il n'a jamais été attiré par la philosophie ou la théologie orientales, comme ses dévanciers dans la littérature tels que Vigny et Leconte de Lisle. Mais dans les bornes du christianisme, Gide s'est passionnément intéressé aux diverses manifestations et interprétations de l'enseignement chrétien, et il les a mises à l'épreuve dans sa vie et dans son œuvre. On lit cet aveu significatif :

> Je ne pense pas qu'il y ait façon d'envisager la question morale et religieuse ni de se comporter en face d'elle, qu'à certain moment de ma vie je n'aie connue et faite mienne. Au vrai, j'aurais voulu les concilier toutes, et les points de vue les plus divers, ne parvenant à rien exclure et prêt à confier au Christ la solution du litige entre Dionysos et Apollon. [2]

1. Henri MASSIS. *Jugements II*. Paris : Plon-Nourrit, 1924, p. 63.
2. André GIDE. *Si le grain ne meurt*. Paris : Gallimard, c. 1955, pp. 355-56.

Il n'en est pas moins vrai qu'on peut découvrir dans ces préoccupations religieuses un fil de développement continu et logique. Presque chaque fois que Gide reprend des questions de croyance, il y a un acheminement vers une nouvelle perspective. Il est vrai qu'il revient souvent aux mêmes aspects du problème, mais toujours avec une optique différente qui éclaire davantage le sujet en même temps qu'elle révèle les développements de la pensée de l'auteur. Profitant continuellement des fausses solutions ainsi écartées et de la largeur de vues acquise, il avance vers une solution qui sera sinon définitive tout au moins assez nette pour être qualifiée de caractéristique.

Nous nous proposons de suivre et d'analyser cette évolution de sa pensée religieuse, en nous appuyant sur son œuvre romanesque et dramatique et en nous servant de ses aveux directs dans les essais, le *Journal*, la correspondance publiée, et d'autres textes. Dans les nombreux ouvrages analytiques où il est question de Gide, le développement de sa pensée religieuse occupe trop souvent peu de place. Dans certains ouvrages critiques, l'étude de ce développement a été entièrement faussée par la prévention confessionnelle de l'auteur. Une seule thèse publiée a été consacrée exclusivement à cette question que nous nous proposons de reprendre [3]. Cette thèse n'est ni assez complète ni assez méthodique pour nous satisfaire ; elle s'arrête d'ailleurs à l'examen de la pensée de Gide avant 1935. Les nombreux livres de témoignages et les textes importants de Gide qui sont sortis depuis la publication de cette thèse justifient, à notre avis, un nouvel examen de la question.

Cet examen que nous ferons exigera forcément un élément de synthèse de notre part. Il faut reconnaître toutefois qu'à divers moments, la pensée gidienne répugne à la synthèse et reste ambiguë, grâce aux conclusions contradictoires de ses livres et au dialogue perpétuel de son esprit. Il n'était rien moins qu'un penseur systématique et ne songeait que rarement à ériger ses conceptions personnelles en dogmes. Il ne prétendit jamais être ni théologien ni philosophe ; mais sa connaissance intime des perplexités créées par le problème de la foi et des questions doctrinales de son époque lui donnait le droit d'en parler et d'en faire un élément essentiel de son œuvre. Si le manque de système,

3. Elsie PELL. *André Gide : L'évolution de sa Pensée religieuse.* Grenoble : Saint-Bruno, 1936. (Thèse à la Faculté des Lettres de Grenoble.)

voire quelquefois de logique, chez Gide inquiète certains et rend difficile la tâche du critique, cette lacune constitue en même temps une des beautés de son œuvre et une des sources de son humanité compréhensive.

Dans notre étude de l'évolution de la pensée religieuse chez Gide, il nous faudra écarter les questions qui appartiennent principalement au domaine moral, n'en retenant que celles qui éclairent les questions de croyance. Il est vrai que les deux domaines empiètent assez souvent l'un sur l'autre, et le lecteur rencontrera des moments capitaux où le dilemme moral et le dilemme religieux sont très étroitement liés. Pour comprendre ces heures de crise nous aurons à considérer certains aspects du problème moral chez Gide. Ailleurs, nous nous bornerons à l'analyse des questions de foi et de philosophie religieuse, en laissant de côté les sujets purement éthiques.

La position d'André Gide dans les lettres françaises est unique. Son influence personnelle et littéraire et la portée de ses idées ont été immenses. Il est très représentatif de plusieurs générations de la France littéraire ; ses angoisses, ses espoirs, ses efforts ont souvent été ceux d'un grand nombre de ses amis, et plus tard, de ses lecteurs. Lorsqu'il était en butte aux attaques que nous avons signalées, c'était fréquemment comme introducteur ou représentant d'une tendance très répandue. Il témoignait constamment pour son époque. Cependant, cet homme, si en vue et comme le porte-parole de courants plus grands que lui, occupait dans la vie une situation assez particulière. Il est essentiel dans notre étude de souligner en particulier qu'il naquit dans une famille de la bourgeoisie protestante. Toute sa vie et toute sa pensée, jusqu'à ses ouvrages romanesques, ont été marqués par cette origine protestante. Il a été harcelé plus qu'un autre par le besoin de comprendre sa foi, de la comparer à d'autres, de la justifier. Lorsqu'il s'est séparé de la communion protestante, il n'a pas quitté pour cela tous les modes calvinistes de penser. Ayant fortement subi l'influence de la Bible, il lui a donné un rôle dans sa vie qui fait contraste avec sa place chez les catholiques et qui reste remarquable même pour un protestant. Il a été obsédé par des problèmes qui trouvent leur origine dans la morale puritaine — problèmes qui sont assez particuliers aux protestants. Nous aurons à sonder ailleurs tout le rayonnement de cette influence protestante chez Gide. Ici nous tenterons seulement une esquisse des principales traditions religieuses dont a hérité cet homme à la fois si particulier et si représentatif de son époque.

Il est utile d'essayer de définir le caractère des protestants français tel qu'il a émergé du développement historique du calvinisme, et d'esquisser rapidement leur doctrine. Le protestant semble se distinguer par quelque chose de plus que son credo doctrinaire. Il a le sentiment d'appartenir à une très petite minorité. D'une part, il peut se sentir persécuté — ou bien, aujourd'hui, sentir qu'on le croit différent, inférieur. D'autre part, il s'estime supérieur à son entourage catholique. Il a l'impression d'hériter d'une tradition précieuse, créée au prix du sang même de ses ancêtres, et dont il est très fier. Les catholiques estiment que les protestants sont en dehors du christianisme, mais ces derniers considèrent qu'ils en font partie, qu'ils soutiennent, au nom de Dieu, des principes extrêmement importants. Ils se rappellent que les fidèles de Rome ont longtemps persécuté leur culte. Un des biographes de Gide écrit :

> Le protestantisme méridional a gardé une tradition de non-conformisme, le goût du petit troupeau et des vertus d'une élite, la fierté de ses temples modestes et pauvres qu'il oppose volontiers à la pompe romaine, une notion austère du culte qui n'est pas sans analogies avec le jansénisme.[4]

L'église réformée n'accepte nullement la licence de la pensée, mais elle tient à la liberté de conscience, de sorte que tout en adhérant à un culte établi et à un ensemble de dogmes, le protestant ne prend pour juge que lui-même. Seul, avec sa Bible, il croit connaître la volonté de Dieu. Il prise l'indépendance de l'individu et tient à la liberté religieuse. Sa morale est particulièrement austère, grâce aux bases calvinistes de sa foi et à la longue tradition sévèrement maintenue. Il dit aimer la vérité par-dessus tout et détester toutes les compromissions, même celles faites au nom d'une cause juste. Le calviniste français est souvent membre de la bourgeoisie mais croit fermement à une certaine justice sociale et a tendance à voter à gauche ; il se fait presque automatiquement le défenseur de toutes les minorités. Le Huguenot se distingue ainsi de ses correligionnaires dans les pays protestants aussi bien que de ses compatriotes catholiques. On peut parler d'un « climat

4. Jean Delay. *La Jeunesse d'André Gide*. 2 v. Paris : Gallimard [1956], I, p. 58.

protestant » français, qui n'existe dans nul autre pays et qui comprend tous ceux nés dans la tradition huguenote en France, qu'ils soient croyants ou non [5].

Le dogme est à base calviniste, avec une forte insistance sur la morale, l'appel de la grâce, le salut, et pardessus tout, la gloire de Dieu. Le protestant se considère comme bénéficiaire d'une grâce divine imméritée et pour laquelle il doit témoigner dans sa vie. La morale est particulièrement étroite en matière sexuelle : les aberrations de la chair sont considérées comme un signe de corruption essentielle. Quoi que ce soit qui rappelle ou l' « idolâtrie » des disciples de Rome (le culte des saints, l'adoration de l'Eucharistie) ou bien leur doctrine d'œuvres est défendu par le calvinisme, ce qui revient à dire que leurs pratiques religieuses sont d'un caractère froid et austère. Le « culte » du dimanche consiste en hymnes, en prières en commun, et en sermons ; rien n'y rappelle l'idée du sacrifice qui fait le poids des rites catholiques. Peu de liturgie ; deux sacrements seulement, dont la Cène qui d'ailleurs n'est pas pratiquée très fréquemment ; l'importance donnée à la lecture des Ecritures et à la méditation personnelle ; et beaucoup d'exhortations relatives à la morale et à la gloire divine — tels sont les traits du culte réformé dans la France actuelle. Il n'y entre que peu d'éléments évangéliques, à la différence du protestantisme américain, et l'on ne perd jamais de vue les dogmes essentiels, tout en s'intéressent aux questions sociales et politiques.

Ce calvinisme fait évidemment un contraste frappant avec la tradition romaine. A part les distinctions de dogme fondamental, qui sont celles qui existent entre presque toute secte réformée et le catholicisme, on observe en France des points de divergence assez particuliers entre les adhérents de l'église huguenote et le reste du pays. Nous avons souligné le caractère indépendant, fier, et austère du calviniste moderne. Or, le catholique français, malgré les traditions gallicanes, connaît une sorte de modestie en face de l'Eglise ; en matière de dogme, il veut bien s'en remettre aux doctes ; et il se soumet à la discipline spirituelle pour mieux se trouver, pour atteindre à une certaine liberté. Il reconnaît aussi les droits de l'Eglise dans certains domaines qui, pour le protestant, sont hors du champ ecclésiastique. Sa morale est moins austère ; il connaît un sens plus pro-

5. Burdette C. Poland. *French Protestantism and the French Revolution*. Princeton : Princeton University Press, 1957, pp. 5-7.

fond du pardon après le péché, grâce au sacrement de l'absolution et au soutien qu'il puise dans l'Eucharistie. Les beautés de son culte l'empêchent de songer au Dieu jaloux de gloire de la tradition calviniste. Enfin, ainsi que l'exprime André Siegfried..

> Le catholicisme français comporte une persistance pré-chrétienne très forte, se reflétant dans le respect populaire, demeuré très vif, de certains jours, de certains lieux considérés comme sacrés... Mais il comporte surtout l'appartenance à une société spirituelle s'exprimant dans l'Eglise... et dont les bienfaits se confèrent par le sacrement, transmis par le prêtre qu'habilite l'ordination, selon un rituel qui ponctue la vie comme une sorte de mystique protocole. [6]

Il faut considérer brièvement maintenant l'atmosphère religieuse en France au moment où Gide faisait ses débuts. Après le triomphe du naturalisme dans les lettres et du positivisme dans les sciences morales et sociales aussi bien que naturelles, vers la fin du siècle une réaction se produisit en faveur du catholicisme. Elle eut deux sources : d'une part, une vague de septicisme à l'égard de la raison et du progrès de l'homme, et la croyance que la société avait besoin d'institutions stables et conservatrices comme l'Eglise ; et d'autre part, une renaissance de mysticisme esthétique dans des cœurs desséchés par le rationalisme et assoiffés de l'au-delà. Parmi les hommes de lettres, Bourget, Bazin, Lemaître, Brunetière, et Barrès représentent la première de ces tendances ; Villiers de l'Isle-Adam, Barbey d'Aurevilly, J.-K. Huysmans et Paul Verlaine sont parmi les représentants de la seconde. L'esthétisme fin-de-siècle disparut après le début du vingtième siècle (sauf quelques exceptions), mais le conservatisme social qui consiste à identifier l'ordre chrétien avec le seul ordre social acceptable a duré jusqu'à nos jours.

Gide put ensuite être témoin de plusieurs nouveaux développements dans le catholicisme français et surtout d'une renaissance de la littérature catholique. On distingue au vingtième siècle plusieurs courants de pensée catholique en France. D'abord, il y a eu le modernisme, une tentative pour intégrer dans le cadre catholique certaines conceptions scientifiques modernes, et pour assouplir suffisam-

6. André LATREILLE et André SIEGFRIED. *Les Forces religieuses et la Vie politique*. Paris : Armand Colin, 1951, p. 207.

ment la pensée catholique pour permettre des interprétations métaphoriques et rationnelles du dogme. Condamnés par le pape, ces efforts furent aussi le sujet des attaques des philosophes néo-thomistes, notamment de Jacques Maritain. Deuxièmement, l'union de christianisme, de patriotisme, et d'ordre social qu'avaient souhaitée Bourget, Barrès, et d'autres, est devenue grâce à son nouvel interprète, Charles Maurras, un programme très militant de nationalisme chrétien, qui s'est exprimé dans l'Action française. Troisièmement, le mouvement néo-thomiste a rendu au dogme son importance primordiale et a protesté contre toute compromission sentimentale, rationnelle, ou sociale de la vraie foi, héritée du Moyen Age. La philosophie et la théologie ont été rapprochées, grâce au retour aux bases thomistes. Quatrièmement, il y a eu un retour à la foi tout court, à celle d'un Paul Claudel, qui ne s'explique ni par l'esthétisme ni par le nationalisme, ni par le moralisme, encore que ces éléments puissent y jouer un rôle.

C'est en partie parmi l'élite intellectuelle que les mouvements de renouvellement catholique sont nés, et beaucoup de grands écrivains de la première moitié du vingtième siècle en ont été les porte-parole et les témoins. Pour la première fois depuis le dix-septième siècle, on a tâché de créer une littérature vraiment religieuse, qui obéisse à une haute esthétique mais qui, sans tomber dans le didacticisme, présente les réalités vivantes de la foi — cela grâce à la conception proprement catholique de l'art et de la vie intégrés sous l'autorité de la croix, comme au Moyen Age. Le père Calvet l'a reconnu lorsqu'il a écrit,

> Il fallait renoncer aux vieilles timidités qui ont longtemps paralysé les catholiques... il fallait oser penser, oser juger, réviser les jugements de la pensée laïque et refaire entièrement la table des valeurs... Il ne s'agissait plus de s'inspirer d'une vague philosophie, découlât-elle de l'Evangile ; le temps était venu de s'appuyer sur le catholicisme pur, intégralement accepté et vécu. On allait donc tout droit à la théologie... on prendrait ses conclusions comme un point de départ et on chercherait à les intégrer dans l'art et dans la vie. [7]

On a rendu à l'art son caractère proprement sacré, que de nombreux esthéticiens sont d'accord pour lui reconnaître et qu'André Malraux a bien mis en valeur dans ses

7. J. Calvet. *Le Renouveau catholique dans la Littérature contemporaine.* Paris : Lanore, c. 1927, p. 411.

études psycho-esthétiques. La poésie semble être le genre littéraire qui se prête le mieux au mysticisme religieux, à cause du symbolisme sur lequel elle est fondée ; pour quelques-uns, le symbolisme sur lequel s'appuient la religion et la poésie est le même. L'art représente chez un Paul Claudel, par exemple, la création divine elle-même. L'univers n'est qu'un vaste livre que le poète déchiffre, à la manière des poètes symbolistes, de Baudelaire surtout, mais avec le sentiment de participer à l'œuvre divine ; l'univers symbolise Dieu.

La poésie n'est pourtant pas le seul genre littéraire qui ait été doué d'un éclat nouveau par la renaissance catholique. Le théatre, qui avait vu de très hautes expressions du sentiment religieux au dix-septième siècle, malgré les interdictions de l'Eglise, et le roman se sont prêtés à l'expression de toute la gamme de colères, d'espoirs, de croyances, et d'exhortations qui sont l'apanage des écrivains catholiques au vingtième siècle.

Quelques-uns d'entre ces écrivains avec qui Gide est entré en rapports feront l'objet d'un examen à part dans notre cinquième chapitre. Mais il faut mentionner brièvement ici les noms principaux dans la phalange catholique. Ernest Psichari — petit-fils de Renan et converti au catholicisme — et Charles Péguy sont les deux représentants les plus remarquables du retour à la foi conçue comme une solution aux problèmes politiques et sociaux. Leur foi n'était nullement une « attitude » pratique sans profondeur, comme celle de certains écrivains. C'était quelque chose de vivant, de spontané. Ils y voyaient pourtant le salut de la France du point de vue politique aussi bien que du point de vue spirituel. Leur sainte était Jeanne d'Arc, représentante de la France authentique, pieuse, indépendante. Le vers célèbre de l'*Eve* de Péguy : « Heureux ceux qui sont morts pour la terre charnelle » et son pèlerinage à Chartres indiquent la réalité de son christianisme.

Paul Claudel, moins paysan et moins angoissé que Péguy, est le plus grand représentant du vingtième siècle du retour à la foi et de l'union parfaite de la religion et de l'art. Nous aurons à examiner plus tard sa carrière et sa croyance. Un autre converti célèbre est le philosophe thomiste Jacques Maritain. Né protestant, ramené au bercail romain en 1908 sous l'influence de Léon Bloy, c'est un des esprits les plus profonds du siècle. Francis Jammes, Max Jacob, Jean Cocteau se sont tous convertis avant la première guerre mondiale sous l'influence de Claudel ou de Maritain. Si quelques-unes de ces conversions ont été par la suite décevantes, elles n'en sont pas moins significatives. Jacques Rivière et Charles-Louis Philippe ont subi l'influence de Claudel et se sont approchés de très près de l'Eglise ; Alain-Fournier a vécu lui aussi un drame de doute et de rapprochement qui n'était pas fini lors de sa mort. Après la guerre, Jacques Copeau, Charles Du Bos, et Henri Ghéon, tous les trois de l'entourage de Gide, se sont convertis, et celui-ci a été témoin d'encore d'autres conversions dans le monde des lettres.

Il faut mentionner encore quelques écrivains renommés de notre ère chez qui le catholicisme a motivé, semble-t-il, presque tout l'œuvre. Léon Bloy, qui appartient par son âge au dix-neuvième siècle mais par son esprit au vingtième, représente et annonce la réaction mystique au naturalisme. Que Georges Bernanos, Gabriel Marcel, Daniel-Rops, et François Mauriac représentent chacun un aspect différent du catholicisme, il n'y a pas de doute. On peut condamner le sensualisme et le Jansénisme de Mauriac ; le pessimisme et le satanisme (on serait tenté de dire : le manichéisme) de Bernanos semblent excessivement noirs et peu chrétiens ; Daniel-Rops tâche de faire de l'apologétique dans ses romans et d'établir une histoire du Christ et du christianisme sans heurter l'orthodoxie ; Marcel fait de la philosophie chrétienne sur une base existentielle. Ce sont pourtant eux, si divergents parfois, qui, avec les autres écrivains catholiques que nous avons mentionnés et avec des douzaines de littérateurs de second ordre, représentent aux yeux du public le catholicisme français moderne et qui sont responsables du nouveau rôle qu'il joue dans la pensée et dans la littérature. Leur divergence de vues symbolise en quelque sorte la survivance de la tradition gallicane et l'indépendance de l'Eglise française à l'égard de Rome, malgré le rapprochement ultramontain qui s'est opéré au vingtième siècle. La diversité et l'individualisme surgissent chez les Français au cœur même de la foi. En dernier lieu, il faut noter que la critique catholique au vingtième siècle occupe une place bien plus honorable que pendant les deux siècles précédents.

En face de tous ces cénacles et phalanges catholiques, André Gide n'est pas seul. C'est bien le seul écrivain protestant de son groupe, hors Jean Schlumberger, son collaborateur à la *Nouvelle Revue française*. Mais dans sa propre génération, il y a Paul Valéry, aussi irrespectueux que possible envers toute métaphysique, et Marcel Proust, de l'œuvre de qui, selon le mot de Mauriac, « Dieu est terriblement absent ». Il y a tout un groupe d'écrivains de premier et de second ordre pour qui il n'est plus question de christianisme, que ce soit celui de Rome ou celui des Huguenots. Gide parle souvent de l'absence de sens religieux chez son ami intime Roger Martin du Gard, l'auteur des *Thibault*. Il y a ensuite la jeune génération athée à laquelle Gide s'est beaucoup intéressé : celle de Malraux et de Sartre, qui s'est opposée avec véhémence à la religion chrétienne. Il ne faudrait pourtant pas que le lecteur perde de vue le fait que Gide s'est beaucoup plu dans la compagnie des catholiques et n'a jamais tenté d'imposer sur la littérature moderne un coloris protestant. Ce fait ressortira suffisamment au fur et à mesure que nous suivrons sa carrière.

Il ne nous reste dans ce chapitre liminaire qu'à expliquer la méthode que nous emploierons pour étudier la pensée religieuse de l'auteur de l'*Immoraliste*. Nous espérons réunir les méthodes biographiques et topicales, pour suivre une analyse chronologique du développement de sa pensée. Sa vie se divise assez facilement en plusieurs périodes qui se caractérisent par une attitude ou un ensemble d'attitudes envers le problème religieux, et dont chacune représente une étape dans son évolution. Nous ferons nôtre ce schéma logique et chronologique. Notre deuxième chapitre sera consacré à une étude de l'enfance, de la formation, et de l'évolution spirituelle de Gide jusqu'à son premier livre, *Les Cahiers d'André Walter*. A partir du troisième chapitre, chaque chapitre, comprenant une certaine période chronologique, présentera des remarques d'un ordre général sur l'époque, des détails biographiques et bibliographiques, les grands traits de sa pensée religieuse à l'époque, et ses rapports avec la position prise dans les années précédentes, suivis de l'origine et de l'évaluation détaillée de cette pensée, avec une étude des ouvrages de Gide ou d'autres qui sont relatifs à notre analyse. S'il y a une crise au bout de la période que nous considérons (comme souvent chez Gide), nous en ferons de même une analyse et une évaluation très approfondies. Nous espérons ainsi dégager le plus nettement possible le mouvement de la pensée religieuse chez Gide, en faisant appel à tous les faits biographiques et à tous les textes qui peuvent l'éclairer.

II

ANDRE GIDE ET ANDRE WALTER

Dans ce chapitre nous voulons donner une esquisse de la vie d'André Gide, en appuyant surtout sur ces expériences spirituelles, jusqu'au moment où il s'embarque sur une carrière littéraire. Nous nous baserons sur deux textes capitaux : ses mémoires (*Si le grain ne meurt*) et son premier ouvrage, *Les Cahiers d'André Walter*, dont nous ferons une analyse des aspects religieux. Il n'entre nullement dans nos desseins de faire une étude complète ni des origines d'André Gide ni de sa jeunesse — ce travail ayant été fait par d'autres, notamment dans la longue psychobiographie par le docteur Jean Delay. [1] Nous devrons pourtant reprendre une partie des renseignements biographiques pour mieux permettre à notre lecteur de comprendre la formation religieuse de Gide et sa situation adolescente, dont découle en quelque sorte toute son évolution subséquente dans le domaine de la foi. Gide a luimême insisté particulièrement sur le rôle de son hérédité et sur celui de toute son éducation dans son développement artistique et intellectuel. [2]

Le 2 décembre 1929, Gide demande dans son *Journal*, « Est-ce ma faute à moi si votre Dieu prit si grand soin de me faire naître entre deux étoiles, fruit de deux sangs, de deux provinces, et de deux confessions ? » [3] Les deux

1. Delay, *op. cit.* Pour des renseignements biographiques, nous renvoyons le lecteur à cet ouvrage, ainsi qu'à *Si le grain ne meurt* et à R.-G. Nobécourt. *Les Nourritures normandes d'André Gide.* Paris : Editions Médicis [1949]. Nous avons trouvé dans ces ouvrages la plupart des renseignements cités ci-dessous.
2. *Si le grain ne meurt*, p. 21.
3. André Gide. *Journal, 1889-1939.* Paris : Gallimard, Bibliothèque de la Pléiade, 1948, p. 959.

étoiles auxquelles il fait allusion sont les signes du zodiaque, du Scorpion et du Sagittaire, car il naquit le 22 novembre, 1869. Les deux sangs sont le sang normand et bourgeois de sa mère et le sang paysan et méridional de son père ; les deux provinces symbolisent pour Gide le caractère renfermé et celtique de sa mère et la gaîeté latine de son père. Quant aux « deux confessions », ce sont la foi protestante dont il a hérité par ces deux parents et la foi catholique qui était à l'origine celle de la famille maternelle.

La lignée maternelle, les Rondeaux, retrace ses origines jusqu'aux années 1600, quand parmi les nombreux Rondeaux qui habitaient la Normandie, un nommé Nicolas, agriculteur et bon catholique, s'engagea dans le commerce vers 1640 et plus tard s'établit à Rouen. C'est le début des traditions bourgeoises et catholiques de la famille. Trois générations plus tard, Charles-Marin-François Rondeaux naquit en 1753 ; ce sera l'arrière-grand-père d'André Gide. C'est avec lui que se rompit la lignée catholique. Il épousa en seconde noces en 1781 Marie-Anne Dufou, une fille de la bourgeoisie protestante. Leurs trois enfants furent élevés dans le culte catholique, mais un d'eux, Edouard, épousa à son tour une protestante, Julie-Judith Pouchet (1798-1873), la grand-mère de Gide. Edouard Rondeaux étant plutôt voltairien, sa femme éleva leurs enfants dans la foi protestante. On a pu donc écrire :

> La tradition catholique, du côté des ascendances maternelles, fut délaissée, reprise, combattue... et c'est davantage un protestantisme militant, sinon triomphant, qui enveloppa le jeune Gide à Rouen comme à Uzès. [4]

Mme Edouard Rondeaux était un des personnages les plus en vue de l'église réformée à Rouen. Elle avait une grande vénération pour sa Bible et une foi ferme, dont fait preuve le fait qu'elle se mit en colère un jour contre un protestant « libéral » qui nia la divinité du Christ.

Avant la naissance de Gide, l'unité familiale fut ébranlée par la conversion de son oncle Henri, un des cinq enfants des Edouard Rondeaux. Ayant surpris un jour un autel à la Vierge dans l'armoire de son fils, Mme Rondeaux tomba à terre évanouie. Henri reçut le baptême en 1849, épousa une catholique, et établit une maison extrêmement bien-

4. NOBÉCOURT, *op. cit.*, p. 5.

pensante. Le courant catholique reparut donc dans la famille maternelle de Gide, et il a raison d'en parler comme d'une part importante de son héritage, surtout puisque tout jeune il passa beaucoup de temps chez les Henri Rondeaux.

Lors de cette crise confessionnelle, la mère de Gide, Juliette, avait quatorze ans, étant née en 1835. Elle était assez âgée pour savoir que sa mère incriminait le curé de Bolbec comme étant responsable du revirement de son fils et qu'elle traîtait la religion catholique de superstitieuse. Ce drame la marqua sans doute. Elle grandit pénétrée d'une foi sévère et profonde, qui ne laissait que peu de place aux pensées profanes et aux sentiments ordinaires de la vie. Son protestantisme était particulièrement austère à côté de celui de sa compagne écossaise, Anna Shackleton. M. Delay relève le contraste entre la foi huguenote des deux jeunes filles :

> [Juliette] apportait dans l'observance des règles puritaines et dans les exercices du culte un esprit formaliste et méthodique. Anna, tout aussi vertueuse et chrétienne, l'était à sa façon qui était moins étroite. L'une retirait surtout du christianisme ce qu'il comporte d'interdictions et de prohibitions, l'autre ce qu'il apporte d'amour et de grâce. [5]

Ce côté négatif de la foi de Juliette Rondeaux sera encore plus clair lorsque nous la verrons devenue Madame Paul Gide.

Faisant contraste avec les deux confessions de la famille maternelle de Gide, la famille de son père présente une tradition ininterrompue de foi huguenote. Lorsqu'il parle de l'héritage calviniste qu'il a reçu, c'est à ses ancêtres du Midi qu'il songe plus qu'aux quelques protestants de la lignée normande. Le caractère indépendant et austère du protestantisme français se voit tout aussi bien chez les « tutoyeurs de Dieu » dans la région cévenole que dans la famille rouennaise d'Edouard Rondeaux. Il est vrai que le caractère de Paul Gide lui-même n'est pas si conforme aux modèles donnés par les paysans huguenots dès le dix-septième siècle, et nous avons vu que pour André Gide, son père représente plutôt le caractère serein et souriant de l'esprit latin. Les autres membres de la famille d'Uzès res-

5. DELAY, *op. cit.*, I, p. 51.

taient plus fidèles à leur caractère traditionnel tel qu'on l'a vu dans notre chapitre liminaire.

L'arrière-grand-père de l'auteur de *Si le grain ne meurt* fut Théophile Gide, notaire à Uzès, et protestant comme ses ancêtres depuis la Réforme. Le biographe de Charles Gide écrit à propos de l'aïeul Théophile, « C'était un de ces Huguenots grand, anguleux, aussi solide que les granits cévenols, l'aspect grave, l'humeur plutôt sombre — on avait supporté de longues persécutions et la pitié en avait gardé une ardeur austère. » [6] C'était un calviniste strict qui alliait pourtant au dogmatisme moral le libéralisme intellectuel : ce qui, dans un certain sens, sera le fait de son arrière-petit-fils. Théophile avait un fils Tancrède (1800-1867) qui fut président du tribunal à Uzès. Gide nous donne un portrait de son grand-père qu'il a composé d'après des renseignements fournis par sa mère :

> Elle m'en parlait comme d'un Huguenot austère, ... scrupuleux à l'excès, inflexible, et poussant la confiance en Dieu jusqu'au sublime. ... Il s'occupait alors presque uniquement de bonnes œuvres et de l'instruction morale et religieuse des élèves de l'Ecole du dimanche. ... Lorsqu'il tombait malade, ce qui du reste était peu fréquent, il prétendait ne recourir qu'à la prière ; il considérait l'invention du médecin comme indiscrète, voire impie... [7]

Dans un passage éloquent, Gide caractérise la foi des calvinistes cévenols telle qu'il la retrouva dans sa jeunesse, pendant une visite qu'il rendit à une famille de la région. Sans le connaître, on l'accueillit pour la nuit. On soupa.

> La mère posa la soupe fumante sur la table ... et le vieux dit le bénédicité. ... Alors il alla chercher la grosse Bible que j'avais entrevue... L'aïeul ouvrit le livre saint, et lut avec solennité un chapitre des évangiles, puis un psaume. Après quoi chacun se mit à genoux devant sa chaise, lui seul excepté... Il prononça une courte prière d'action de grâces, très digne, très simple, et sans requêtes, où je me souviens qu'il remercia Dieu de m'avoir indiqué sa porte, et cela d'un tel ton que tout mon cœur s'associait à ses paroles. Pour achever, il récita « Notre Père. » [8]

Dans le même passage, parlant des « derniers représentants de cette génération des tutoyeurs de Dieu », Gide écrit,

6. *Ibid.*, I, pp. 55-56.
7. *Si le grain ne meurt*. p. 40.
8. *Ibid.*, pp. 41-44 .

Ceux de la génération de mon grand-père gardaient encore le souvenir des persécutions qui avaient martelé leurs aïeux, ou du moins certaine tradition de résistance... Chacun d'eux entendait distinctement le Christ lui dire... « Vous êtes le sel de la terre ; or, si le sel perd sa saveur, avec quoi la lui rendra-t-on ? »

Lorsque le pasteur Roberty eut l'idée d'un mariage possible entre Juliette Rondeaux et le jeune agrégé en droit, Paul Gide, lui et son ami le pasteur Rognon n'eurent pas de mal à faciliter l'amitié des deux jeunes gens. Juliette s'enthousiasma pour le jeune juriste, déjà professeur de droit romain, et pour le climat moral où il avait été élevé. Ils s'épousèrent le 23 février 1863 et s'installèrent à Paris.

Leur fils unique ne naquit que six ans plus tard. Son père était déjà surmené et n'avait que peu de temps pour consacrer aux jeux avec le petit André. Gide se rappelle pourtant des occasions où ils s'amusèrent ensemble, et la rareté de ces moments les lui rendit peut-être d'autant plus précieux. Les pages de ses mémoires où il nous confie ses premières images de son père nous font comprendre que Paul Gide, « vir probus » et fils de Huguenots, représentait pour son fils la joie et l'amour. C'était lui qui l'initia aux délices de la littérature en lui lisant, entre autres ouvrages, l'*Odysée*, des scènes de Molière, la farce de *Pathelin*, et *Télémaque*. Le reste du temps André vécut entre trois femmes : sa mère; Anna Shackleton toujours dévouée; et sa tante Claire Démarest, personne bourgeoise et puritaine par excellence. Sa mère était devenue plus sévère surtout au sujet de son enfant qui était désormais l'objet principal de ses soins et qui devait se conformer à tous les idéaux huguenots des Rondeaux et des Gide. La religion protestante était pour elle le code où elle puisait des préceptes et des exemples sur lesquels André devait se modeler. Le docteur Delay fait de Mme Gide un portrait poussé qui contribuera à la compréhension de notre étude :

La morale était le principal souci de Juliette Gide et elle y subordonnait tous les autres. Celle qui lui avait été enseignée et qu'elle avait ardemment adoptée, en la rendant de plus en plus étroite, était la doctrine, calviniste ou janséniste, du moi haïssable. Pour elle, le devoir était de contrarier la nature au prix d'un constant effort, et c'est dans cet esprit qu'elle éleva son fils. ... Mme Gide pratiquait strictement un culte austère... s'entourait volontiers de pasteurs, et ne manqua pas de choisir dans leur parenté les précepteurs et les camarades chargés de surveiller ou de distraire son fils. [9]

Dans son autobiographie, Gide a parlé à plusieurs reprises de la noirceur de son enfance. Nous ne prétendons pas entrer dans ce sujet pour déterminer quelle part d'exagération artistique il y a dans cette vue. Il suffit de dire que sa sensibilité, de même que sa sensualité, se réveillèrent très tôt, comme chez son devancier le petit Henri Beyle, mais que ses facultés intellectuelles restèrent pendant longtemps comme endormies. Ses premières années paraissent avoir été assez malheureuses, car il n'avait pas de camarades et sa vie ne lui offrait que peu de distractions. Son éducation était fort irrégulière, et il restait peu à l'école, grâce à des maladies réelles et à des accès nerveux feints, grâce aussi au désarroi qui suivit la mort prématurée de son père en 1880.

Il faudra que nous suivions les péripéties de cette éducation interrompue, à laquelle Gide ne s'intéressa que peu pendant longtemps mais qui le prépara petit à petit à sa vocation littéraire. Il passa d'abord plusieurs années à l'Ecole Alsacienne, pendant lesquelles il fut renvoyé une fois et doubla une année ; il resta aussi quelque temps en pension chez les Vedel, des protestants. Après la mort de son père, il alla avec sa mère passer l'hiver à Rouen, où il eut un précepteur particulier. L'année suivante, on s'installa à Montpellier, où les élèves du lycée taquinèrent André sur sa religion protestante — lui qui n'avait pas su l'existence d'autres cultes que le sien, tant sa mère l'avait protégé. C'était la même année qu'elle lui dit en réponse à sa question sur ce que voulait dire « athée », « Cela veut dire, un vilain sot ».

Les maladies nerveuses et la tension sensuelle qui l'avaient harcelé plus tôt à Paris reprirent force à Montpellier. Après plusieurs mois de voyages et des tentatives malheureuses pour garder André à l'école, Mme Gide mit son fils en pension en automne de 1883 à Passy chez un M. Richard ; il demeura deux ans et demi sous la douce férule de cet homme qui avait voulu être pasteur. Il s'y plut à lire Victor Hugo, à se promener, et à prendre des leçons de piano. A partir de janvier 1886, Mme Gide mit

9. DELAY, *op. cit.*, I, p. 88.

son fils à la pension Keller, dirigée également par un fidèle du culte calviniste. En 1887, il commença à prendre des leçons de piano avec Marc de la Nux, pour qui il garda toujours la plus grande révérence. En octobre 1887 il retourna à l'Ecole Alsacienne en rhétorique, ayant rattrapé un peu à la pension Keller tout ce qu'il avait négligé au cours des séjours ailleurs. Il y fit la connaissance de Pierre Louis (plus tard Louÿs) et commença à lire certains des grands auteurs allemands : Heine et Gœthe. Gide fut reçu au baccalauréat de rhétorique en 1888 et fit sa philosophie l'année suivante au lycée Henri IV. Il y rencontra les premières étoiles de sa constellation de philosophes : notamment Schopenhauer. Après avoir été reçu à la deuxième partie du baccalauréat, Gide voulut se consacrer exclusivement à la littérature. Sa première formation était terminée, et il allait entrer dans ces années d'apprentissage qui seraient, pour lui comme pour tant d'autres, essentielles dans sa carrière.

A partir de sa treizième année, Gide commença à sortir de l'apathie et des ténèbres qu'il considère comme ayant été l'essence de sa vie jusque-là. Dans sa première enfance, nous ne constatons la présence d'aucune dévotion religieuse, malgré l'enseignement confessionnel et la foi familiale. S'il avait pendant cette période une notion de Dieu, c'était probablement celle d'un pouvoir surnaturel assez méchant, qui administrait avec rigueur une loi incompréhensible. Mais à la puberté, il prit enfin connaissance de l'optique chrétienne sur la vie, et sa notion de Dieu s'élargit. Il faut que nous revenions en arrière pour voir le développement psychique qui a permis une floraison spirituelle au seuil de l'adolescence. Annonçant un réveil spirituel, plusieurs crises affectives qu'il appelle des *schaudern* avaient ponctué son enfance. A propos de la mort d'un petit cousin, il avait eu un accès de larmes tout à fait hors de proportion avec l'événement, puisqu'il connaissait à peine le défunt. Quelques années plus tard, assis un jour à table, il eut soudain le sentiment suffoquant de ne pas être « pareil aux autres. » Tout au long de son adolescence, le sentiment de son élection crût en lui, jusqu'à devenir la notion d'une élection religieuse. Il perdait petit à petit la crainte d'être inférieur, jusqu'à sentir se développer en lui l'idée de sa supériorité. Il est inutile d'entrer dans les détails de ce sentiment d'élection, provenu peut-être de sa situation de fils unique, entouré de femmes, et élevé dans la religion calviniste. Ce qui nous intéresse est la forme mystique qu'il a revêtue. M. Beigbeder dit au sujet de cette espèce de « comédie » qui prit un tour mystique, « Le sentiment de ne pas être comme les autres, le jeu esthétique, se dilatent jusqu'à la mission morale. ... A cette idée de grandeur, la religion sert de coquille. » [10]

La mort de son père n'avait probablement pas été sans influence sur la nervosité et sur le développement intellectuel de l'enfant. Cependant l'événement essentiel de sa jeunesse — celui qui ébranla le plus son âme en formation — ne fut pas cette séparation d'avec son père mais plutôt l'union spirituelle qui s'opèrait insensiblement entre lui et sa cousine germaine Madeleine Rondeaux. Fille du frère de Mme Gide, Edouard Rondeaux, Madeleine était l'aînée de cinq enfants, et elle avait deux ans de plus que son cousin André. Gide s'est plu à décrire dans son autobiographie et dans *La Porte étroite* les premières vacances qu'il passa à Rouen, où habitaient Madeleine et sa famille en hiver, et à La Roque-Baignard, propriété qu'on affectionnait en été. Madeleine était une jeune fille timide et grave ; si André jouait plus volontiers avec les autres enfants, plus gais, c'était elle qu'il respectait, voire révérait.

Or, le drame domestique qu'il a transposé dans *La Porte étroite* éclata en réalité dans la famille d'Edouard Rondeaux pendant l'hiver 1882-1883. Madeleine découvrit alors ce dont tout le quartier jasait déjà : que sa mère avait pris un amant et que son père restait tout à fait illusionné à son sujet. Peu après le ménage fut rompu, et la mère créole de Madeleine partit avec son plus jeune enfant. Pour une jeune fille sérieuse, sensible, et élevée dans la religion calviniste du genre que nous avons décrit précédemment, la découverte de la culpabilité de sa mère fut une blessure profonde. Pour André Gide, qui surprit un jour sa cousine chez elle, agenouillée et en pleurs (comme Jérôme surprend Alissa dans *La Porte étroite*), ce drame n'eut pas moins d'importance. Dans ses mémoires, il y fait allusion comme à l' « orient de sa vie » :

Je sentais que dans ce petit être que déjà je chérissais, habitait

10. M. Beigbeder. *André Gide*. Paris : Editions universitaires, 1954, pp. 27-28.

un chagrin tel que je n'aurais pas trop de tout mon amour, toute ma vie, pour l'en guérir. ... Je découvris soudain un nouvel orient à ma vie. [11]

Gide était arrivé à l'âge où souvent on commence à saisir le sérieux de la vie et à en être touché. Son affection pour cette cousine, qui portait en elle désormais la responsabilité de la faute maternelle, devint de l'amour — un amour mystique, alimenté par la révérence et l'adoration, au-delà de tout ce qui était « noir » ou charnel. Madeleine allait s'efforcer dorénavant de protéger son père, de se charger de ses frères et de ses sœurs, et d'expier devant Dieu la faute ; elle choisirait le chemin difficile et chercherait à entrer par la porte étroite. Elle avait toujours été d'une nature religieuse ; cette tendance devint soudain un impératif. Gide, moins âgé mais aussi capable qu'elle de dévouement et de sacrifice, croyait-il, tâcherait de la soutenir et de l'accompagner dans sa mission. Il ne serait pourtant pas uniquement le soutien de Madeleine. Elle serait le sien, l'éveillant enfin à la conscience de bien et du mal et représentant pour lui l'élévation à un plan supérieur. [12] Ainsi qu'un critique gidien l'exprime,

Il l'aimait, ou plus exactement l'adorait, comme l'ange dont le radieux passage l'arrachait aux ténèbres de son enfance et le menait vers Dieu, non plus vers le Dieu de sévérité et de terreur qui juge et qui condamne, mais vers le Dieu d'amour et de charité. ... Cette ascension était bien une sublimation mystique. Le sentiment religieux d'André Gide s'éveilla en même temps que son amour pour Madeleine, et leurs fluctuations demeurèrent, tout au long de sa vie, parallèles. Elle représentait vraiment pour lui l'ange gardien qui veillait sur son salut. ... Il s'efforça de s'en rendre digne. [13]

C'est ainsi qu'aux environs de sa quatorzième année il découvrit non seulement le grand amour de sa vie, mais aussi sa première orientation religieuse. Pour la première fois, la notion de choix personnel, moral et religieux, lui parut, en plus de celle du rôle de l'individu dans le drame du salut. Résumant le choc bouleversant de la rue Lecat, lorsque Gide surprit sa cousine en pleurs, M. Delay écrit,

11. *Si le grain ne meurt*, pp. 119-24.
12. André Gide. *Et nunc manet in te*. Neuchâtel et Paris : Ides et Calendes, 1947, pp. 16-18.
13. Delay. *op. cit.*, I, pp. 363-64.

> Cet enthousiasme... est vécu et exprimé comme un transport mystique. Pour la première fois apparaissent ici le nom de Dieu et le mot prière, qui sont si étrangement absents de l'enfance, pourtant d'éducation chrétienne, que décrit *Si le grain ne meurt*. Il semble que pour la première fois se trouvent intimement vécus le caractère sacré de l'opposition entre le monde du plaisir et celui du péché... et le monde de la souffrance et de la vertu qu'incarne Madeleine, le caractère religieux du choix entre la voie facile et la voie étroite. Ce qu'André Gide, enfant protestant, savait déjà il le sent alors, il l'éprouve, il le vit avec une force jusqu'alors inconnue. [14]

A partir de ce moment, la vie de Gide témoigne d'une compréhension qui allait en s'augmentant de la signification de la doctrine chrétienne que toute sa formation avait contribué à lui faire connaître. Il semble que son esprit eût brusquement mûri et qu'il fût capable de voir sous les dessus les plus innocents le mystère de la vie humaine, interprété en termes chrétiens. Bien plus : sa pensée prit une tournure nettement romantique, et il commença à considérer son destin comme tout à fait spécial. Le vol d'un serin, qui vint se poser sur sa casquette, lui parut un signe céleste d'une vocation mystérieuse. Il portait dans ses amitiés, surtout celle avec François de Witt, à La Roque, une ardeur mystique qui frisait l'enthousiasme religieux.

Tout l'entourage du jeune homme ne pouvait qu'encourager son penchant religieux. Sa fréquentation des pasteurs et d'autres fidèles du culte réformé le poussa dans cette voie. En été de 1885, Mme Gide invita à venir à La Roque le pasteur Allégret, qui devait avoir de l'ascendant sur Gide. Aux pensions Richard et Keller, l'air de sainteté qui dominait certains coins de la maison et le dévouement méthodique de M. Keller aussi bien que la religion onctueuse de M. Richard l'encouragèrent. Sa mère, quoique loin d'être assez passionnée et idéaliste pour être mystique, surveillait son éducation religieuse et s'enquérait constamment (jusqu'à sa mort) de la dévotion personnelle de son fils. Une correspondance régulière s'établit entre Madeleine et André à partir de 1885. La mort de l'amie adorée, Anna Shackleton, en 1884, causa un grand désarroi dans le cœur d'André, qui la considérait comme « une admirable figure chrétienne. »

Les crises adolescentes ne sont guère rares, de même

14. *Ibid.*, I, p. 301.

que des périodes de mysticisme religieux chez les jeunes gens sensibles et intelligents. Il faudra essayer de définir ce qui caractérise la première croyance adolescente chez Gide et ce qui en prolonge les effets si tard dans sa vie. La crise commence à treize ans ; elle connaîtra des hauts et des bas, mais ne finira à proprement parler que vers l'âge de vingt-trois ans ; et, à vrai dire, toute la vie de Gide en restera marquée.

Les rapports entre l'amour sensuel ou l'amour entre les sexes et le sentiment religieux sont bien connus. A l'éveil de la puberté, les deux impulsions se confondent souvent, toutes les deux étant l'expression du besoin de sortir de soi. D'ordinaire, au fur et à mesure que l'enfant grandit, il vient à séparer les deux domaines et fréquemment à rejeter l'amour de Dieu, qui semble incompatible avec l'orientation sexuelle que prend son intérêt. Chez Gide, l'amour humain pour sa cousine ne prit pas cette orientation sensuelle. Par conséquent, il n'y eut aucun conflit entre l'amour humain et l'amour divin. Les deux sentiments s'alimentaient l'un l'autre, et ils allaient en s'épurant. Gide continua jusqu'à l'âge de vingt ans — pour ne pas dire plus tard — à identifier l'impulsion vers l'amour de Madeleine avec celle vers l'amour de Dieu, et l'acte de séparation qui annonce d'habitude la maturité ne fut accompli que sur le tard — si tant est qu'il se soit jamais produit. Cette situation pouvait sembler souhaitable à certains ; en réalité elle fut la source de nombreuses angoisses et, à la longue, du malheur conjugal.

Encore un fait qu'il ne faut pas perdre de vue pour comprendre l'enthousiasme religieux du jeune Gide : toute sa vie spirituelle était située dans le cadre du culte protestant. Même s'il avait voulu s'y soustraire, il ne l'aurait pas pu, étant entouré de fidèles de l'église huguenote. D'ailleurs, Madeleine était aussi imbue de la pensée calviniste que lui, et chez elle le sentiment de devoir filial se confondait avec sa loyauté au culte familial. Nous verrons de près plus tard toute l'étendue de cette influence protestante dans les crises religieuses adolescentes d'André.

Au cœur de ses méditations spirituelles, on trouve désormais le pôle autour duquel révolue toute la pensée calviniste : le devoir. Même la charité chrétienne, qu'il pratiquait avec Madeleine, et qu'il confondait avec son amour humain, était impensable sans la conception de devoir qui l'animait, et dont Gide avait hérité dès sa première enfance. L'amour rendait la perfection morale nécessaire. La vie devint ainsi pour le jeune calviniste un effort continuel vers quelque chose de meilleur, suivant le précepte évangélique. Comme son Alissa, Gide pensait, « Si bienheureux qu'il soit, je ne puis souhaiter un état sans progrès. Je me figure la joie céleste non comme une confusion en Dieu mais comme un rapprochement infini, continu... » [15] Comme Jérôme du même roman, il aurait pu se dire :

> Je voyais cette porte étroite, par laquelle il fallait s'efforcer d'entrer. Je me la représentais dans le rêve où je me plongeais, comme une sorte de laminoir, où je m'introduisais avec effort, avec un effort extraordinaire où se mêlait pourtant un avant-goût de la félicité du ciel. [16]

Cette hantise de la nécessité constante d'effort et d'amélioration, partagée par André et par Madeleine, donna un caractère fort particulier aux élans religieux du futur écrivain. L'exemple de sa mère ne pouvait que renforcer cette tendance. Nous avons vu que c'était une femme qui faisait tout par un sentiment de devoir — devoir conjugal, religieux, même bourgeois. « Le regard de Juliette Gide, » écrit Delay, « était aussi sévère que celui d'un pasteur... » [17] Même son amour pour son fils était privé de spontanéité et de joie par l'idée de devoir maternel. Depuis longtemps elle répétait à André qu' « avant de vivre sous la grâce, il était bon d'avoir vécu sous la loi. » [18] La notion de devoir devint une véritable obsession chez André, obsession qui resta enracinée en lui toute sa vie, de sorte qu'il put dire plus tard, « Je ne suis qu'un petit garçon qui s'amuse — doublé d'un pasteur protestant qui l'ennuie. » [19]

Tous ces traits rendent la période religieuse de Gide adolescent très différente des crises que d'autres — tel Rousseau — ont subies. Le développement de sa croyance à partir de 1883 est conforme à la voie choisie alors. Au fur et à mesure que nous nous approchons de l'année de

15. André GIDE. *La Porte étroite.* Paris : Mercure de France, 1956, p. 189.
16. *Ibid.*, p. 29.
17. DELAY, *op. cit.*, I, p. 254.
18. *Si le grain ne meurt*, p. 16.
19. *Journal*, p. 250.

sa première communion, 1886, les traits caractéristiques de sa foi, qui surgit au premier plan de ses intérêts, se dégagent encore mieux. Gide a lui-même raconté comment il se prépara pour l'événement capital. Il avait seize ans. Avec son ami François de Witt — le « Lionel » de *Si le grain ne meurt* — il lisait Bossuet, Fénelon, Pascal. Cette même année il lut Amiel, dont il dit, » ... Je ne laissais pas d'être sensible au charme ambigu de cette préciosité morale... » [20] Sa correspondance avec sa cousine, leurs lectures en commun, et sa pensée continuellement orientée vers elle le gardaient dans un état d'exaltation religieuse. C'est alors qu'il commença à aller à Paris chez le pasteur Couve pour des leçons de catéchumène. On apprenait les articles de la foi, on lisait la Bible, on en discutait. Gide s'ennuyait dans l'aridité de cette matière historique et dogmatique. Ce qu'il cherchait cependant n'était pas uniquement la « loi » mais plutôt la loi rendue sensible à l'âme, dans une élévation spirituelle. M. Couve était un homme digne mais froid et orthodoxe, et ainsi que l'avoue Gide bien plus tard,

> Rien ne rébutait plus ma frémissante inquiétude que son imperturbabilité. ... Quelle déconvenue ! Car j'avançais vers les mystères saints comme on s'approchait d'Eleusis. Avec quel tremblement j'interrogeais ! Et pour toute réponse j'apprenais quel était le nombre des prophètes et l'itinéraire des voyages de Saint-Paul. [21]

Cette instruction académique, révélant le caractère foncièrement anti-mystique de la foi réformée, rebuta le catéchumène. Il dut se replier sur lui-même pour alimenter son âme avide d'extase. « Rien de plus déprimant pour une nature tendre », dit un critique de Gide, « que d'être forcé de refréner tout élan généreux, et d'être obligé de se replier sur soi, quand on voudrait s'offrir sans réserves ». [22] Il est possible même que de lointaines répercussions de la déception aient paru plus tard, lorsqu'il a été assiégé par le doute intellectuel. Son esprit ne connaissait alors que de secs arguments, sans mystère. « Aux questions angoissées », écrit Emile Gouiran, « Gide n'obtenait que des réponses

20. *Si le grain ne meurt*, p. 186.
21. *Ibid.*, pp. 209-10.
22. Pell, *op. cit.*, p. 36.

érudites... Or... aux heures vides, cette érudition engage dans le désespoir ou le scepticisme l'être affolé ». [23]

Déçu, le jeune Huguenot se demanda si sa place n'était pas plutôt parmi les catholiques, dont le culte plus mystique fournirait une nourriture spirituelle à son âme trop enthousiaste. Il quêtait dans la religion, à son insu, des joies d'un ordre esthétique ; le calvinisme ne voit dans la beauté des manifestations religieuses qu'un sensualisme dangereux. Cependant, ayant appris quelque chose sur l'Eglise romaine dans un pamphlet fade prêté par M. Couve lui-même, Gide perdit son intérêt pour le dogme catholique, dogme qui choquait peut-être sa raison. A l'époque où il écrivait *Les Cahiers d'André Walter*, cet intérêt pour un culte ou du moins pour une dévotion personnelle qui insiste davantage sur les sacrements et sur l'approche mystique de Dieu renaquit chez Gide, et ainsi que nous le verrons, de nombreux passages des *Cahiers* en font preuve. Il voulait même faire un court séjour chez les Chartreux en Dauphiné et n'y manqua que par crainte de « déflorer » des joies mystiques. Pourtant il s'en voulait toujours de s'abandonner à cette adoration voluptueuse, avec un sentiment très marqué de malaise au milieu des rites romains.

La première communion fut elle-même quelque peu décevante, puisque Gide n'y trouva pas cette émotion surnaturelle qu'il avait espéré — et qu'on lui faisait croire — y goûter. Toutefois sa ferveur ne retomba pas. Il continua son habitude de lire avec soin la Bible. Deux passages sont révélateurs de cette découverte capitale :

> Je commençai de lire la Bible mieux que je n'avais fait jusqu'alors. Je lus la Bible avidement, gloutonnement, mais avec méthode. Je commençai par le commencement, puis lus à la suite, mais entamant par plusieurs côtés à la foi. Chaque soir dans la chambre de ma mère et près d'elle je lisais ainsi un chapitre ou plusieurs dans les livres historiques... ou dans les poétiques... ou dans les prophètes. Ainsi faisant, je connus bientôt de part en part toute l'Ecriture... j'entrais dans le texte de l'ancienne alliance avec une vénération pieuse, mais l'émotion que j'y puisais n'était sans doute point d'ordre uniquement religieux.
>
> Ah ! je trouvais enfin la raison, l'occupation, l'épuisement sans fin de l'amour. Le sentiment que j'éprouvais ici m'expliquait en le

23. Emile Gouiran. *André Gide ; essai de psychologie littéraire.* Paris : J. Crès, 1934, p. 125.

renforçant le sentiment que j'éprouvais pour Emmanuèle [Madeleine] ; il n'en différait point : on eût dit qu'il l'approfondissait simplement... [24]

Bien plus, il commença à lire les Ecritures partout, en tramway, devant ses camarades même, se réjouissant du martyre qu'il subissait lorsqu'on se moquait de lui. Il suivait un régime quasi monastique : réveil matinal, bains froids, lectures sacrées, prières ; il dormait sur une planche et se réveillait la nuit pour s'agenouiller. Il suivit cette vie volontairement ascétique jusqu'à l'époque où il composa *Les Cahiers d'André Walter,* en 1889. Ces prières de minuit et ces mortifications du corps ne sont guère acceptables aux protestants, qui approuvent la discipline de l'âme mais se méfient de l'ascétisme comme malsain. C'est la revanche de l'adolescent contre l'enseignement du pasteur Couve, encore qu'il ne faille pas mettre sur le compte de la seule formation huguenote tout le désordre mystique chez le jeune Gide. C'est le retour au concret, au corporel, voire à l'artistique. C'est aussi l'essor de la dévotion personnelle, de la sensibilité individuelle qui s'épanouit dans les dévotions en particulier, et qui invite, comme le lecteur verra incessemment, aux élans un peu trop affirmatifs de la personnalité. Négligeant l'exégèse, pour lequel il n'aura jamais d'enthousiasme, il puise dans les Ecritures ce qui convient à sa sensibilité, et, il faut le dire, à ses goûts littéraires.

Faisons une mise au point de l'état spirituel de Gide après la première communion, environ trois ans après son premier réveil spirituel. Remarquons tout d'abord l'union persistante entre l'amour pour Madeleine et l'amour pour le Dieu des Evangiles. Il n'y a aucun élément de conflit entre ces deux élans. Dans *La porte étroite,* Alissa estime qu'il faut supprimer l'amour humain pour mériter l'amour divin. [25] Son créateur ne connaît pas ce conflit déchirant, peut-être parce qu'aucun élément charnel n'entre dans son amour pour Madeleine (ou Emmanuèle, « Dieu avec nous, ») à la différence de l'amour entre Jérôme et Alissa. Cette conception des liens d'amour entre Dieu et l'homme est subordonnée à la notion calviniste du devoir, mais elle est néanmoins essentielle ; et dans *Les Cahiers d'André*

24. *Si le grain ne meurt,* pp. 210-11.
25. *La Porte étroite,* pp. 147, 175.

Walter, le narrateur dira, « Les âmes pieuses sont les âmes aimantes. La religion est de l'amour ».[26]

Mentionnons aussi le fait que Gide a trouvé un plaisir qui n'est pas purement religieux dans la lecture des Ecritures. C'est que déjà il est très sensible aux beautés littéraires, ce qui lui permet de goûter les classiques du dix-septième siècle et de lire en même temps que Pascal, les écrivains païens traduits par Léconte de Lisle. C'était sans doute l'aspect esthétique du catholicisme qui l'attirait, et voilà précisément pourquoi la présentation froide et doctrinaire que lui en donna le pasteur fit retomber son intérêt. Il peut y avoir même une attirance quasi esthétique dans la personne du Christ — comme effectivement Gide l'éprouva plus tard. A cette époque, pourtant, c'était probablement le côté littéraire qui faisait pour Gide la beauté des Evangiles, de Fénelon, et de Pascal. La possibilité d'une confusion entre la joie religieuse et le plaisir esthétique aura d'importantes suites pour Gide au moment où il se lancera sur sa carrière littéraire et, à vrai dire, pendant toute sa vie. M. Delay résume les résultats de cette confusion psychologique :

> Les ferveurs et les exaltations qu'il... cherchait, sinon dans la religion du moins dans la religiosité, ne paraissent pas très différentes de celles qu'il recherchait dans la musique... On a souvent remarqué à propos du langage poétique de Gide l'emploi de métaphores empruntées au langage sacré, et on n'a pas manqué de lui reprocher ce vocabulaire, l'accusant de ne rencontrer Dieu qu'aux confins de l'état second. Entre l'état religieux et l'état qui consiste... à « se laisser vaincre par le lyrisme, » il a toujours fait, plus ou moins involontairement, une confusion poétique... [27]

Il faut faire remarquer aussi pourtant que Gide adolescent a un sentiment de loyauté envers le culte protestant, si froid que celui-ci puisse être. Il n'a pas pu connaître les « tutoyeurs de Dieu » à Uzès, tous les protestants normands de l'entourage de sa mère, et les nombreux pasteurs à Paris sans les respecter, et sans reconnaître qu'ils étaient les gardiens de cet héritage précieux dont nous avons esquissé le développement. D'ailleurs, malgré les ébauches qu'on constate chez lui d'une rebellion contre l'autorité maternelle,

26. André GIDE. *Les Cahiers et les Poésies d'André Walter*. 14me éd. Paris : Gallimard, c. 1952, p. 112.
27. DELAY, *op. cit.*, I, pp. 552-53.

l'ascendant de sa mère sur lui était très grand, ce qu'il a lui-même avoué. [28] Sa mère a empreint son âme de la notion des devoirs envers le culte. Quelque tenté qu'il semble être plus tard par le catholicisme, Gide n'oubliera pas le caractère essentiellement huguenot de sa foi adolescente.

Il est nécessaire maintenant d'aborder le sujet des aspects moraux de cette foi. Nous avons vu le rôle que jouait chez lui l'idée du devoir. Tous les préceptes maternels et familiaux, tout l'enseignement calviniste, au culte et chez les pasteurs, ont contribué à graver dans l'esprit de l'adolescent cette notion. L'exemple de sa cousine Madeleine l'a renforcée. Comme nous l'avons fait remarquer au cours du premier chapitre, le péché par excellence selon la morale puritaine est le péché de la chair. Faisant écho aux enseignements de Saint-Paul (et incidemment à ceux de Pascal), le puritanisme affirme que la chair est vile. Des transgressions contre la loi chrétienne de la charité sont vénielles auprès de l'autre, grâce à Calvin qui justifie les richesses. Cette situation provient aussi peut-être du fait que l'obéissance à la loi morale la plus fondamentale — à l'interdiction du meurtre, par exemple — est sous-entendue, tandis que les lois qui règlent la conduite sexuelle sont beaucoup plus difficiles à imposer. Or, au moment de la puberté, le Sphinx que rencontre l'adolescent est précisément l'existence de la chair. La rencontre des impulsions sexuelles et des interdictions placées sur elles bouleverse l'enfant sensible et timide et très souvent brise l'unité de la personnalité et la ferveur religieuse.

Le cas de Gide est un peu spécial. Sa sensualité s'étant éveillée très tôt et ayant attiré la punition, il s'en est libéré d'une façon provisoire, et au moment des premiers élans amoureux et religieux de l'adolescence, il n'était pas encore en proie aux tentations et aux conflits moraux. Son instinct refoulé n'attendait pourtant que le moment de se manifester de nouveau. Cela n'est pas arrivé auprès de Madeleine. Ce n'est qu'un peu plus tard que sa sensualité a jailli de nouveau. Mais au lieu de se tourner vers un objet extérieur, c'est en lui-même qu'elle s'est concentrée. L'obsession des « mauvaises habitudes » éveille en lui — maintenant en pleine adolescence, au milieu de la ferveur reli-

28. *Si le grain ne meurt*, pp. 162-63.

gieuse — un conflit déchirant. Le docteur Delay en dit ceci dans son étude sur Gide :

> Le sentiment de culpabilité engendré par la poussée des instincts fut d'autant plus intense que la condamnait plus rigoureusement une conscience morale formée par une éducation puritaine. ... La pureté des mœurs [était] tenue pour l'impératif le plus catégorique. ... Pour un enfant chrétien, toutes les tentations de la chair... viennent du démon, et il n'est pas étonnant qu'une âme formée dans cette croyance soit angoissée par la sexualité. [29]

Il se peut même que Gide ait fait appel à la religion pour s'aider à refouler ses instincts et pour se justifier de ne pas tourner vers sa cousine ses désirs sensuels. Sans vouloir souscrire aux explications qui mettent tout le développement spirituel de Gide au compte de son instinct anormal, nous estimons assez juste l'interprétation du critique Beigbeder :

> Contre elle [la chair] il appelle à la secousse cette religion, qui n'avait guère fait jusque-là que l'effleurer... à laquelle du moins il n'avait emprunté que ses attitudes morales... Il se lance dans le mysticisme. ... Croit-il ? Fait-il comme ? La seconde hypothèse, à ses yeux mêmes, est la plus probable. ... C'est en partie... pour être comme une autre — Emmanuèle — que, par mimétisme innocent, sentimental, il prend la foi. Il s'agit de mettre quelque chose entre eux, sans nuire à l'amour ; bien au contraire, de justifier ce désir qu'il n'a pas d'elle... [30]

Préfigurant la conception du diable qu'il ne formulera consciemment que bien plus tard, il vient à penser que l'esprit du mal l'habite, le possède. Il se croit d'abord réprouvé, bientôt damné. C'est un état d'esprit quasi intolérable. Plusieurs inconvénients de la doctrine calviniste sautent aux yeux du lecteur de Gide à ce stade dans notre étude. La hantise de la damnation découle du dogme calviniste sur la grâce et sur la prédestination. Ni la confession ni l'absolution ne viennent adoucir le sentiment de péché ; ce sentiment continue à ronger la conscience et jusqu'à son être même. La réprobation est d'autant plus puissante qu'elle vient non seulement de la famille et de la société (comme c'était le cas lors de la punition dans sa

29. DELAY, *op. cit.*, I, pp. 254-60.
30. BEIGBEDER, *op. cit.*, pp. 33-35.

première enfance) mais de l'adolescent lui-même et en fin du compte de Dieu. La doctrine calviniste favorise ainsi l'union psychologique de la morale et de la foi. Disons plus : elle l'exige. Gide est marqué dès sa jeunesse par cette exigence. C'est pourquoi nous ne pouvons séparer sa croyance à cette époque du drame moral qui la régit, et c'est pourquoi Gide ne pourra plus tard comprendre le point de vue de certains catholiques pour qui la question morale est tout à fait secondaire.[31]

La foi réformée contribue certains autres éléments distinctifs au dilemme moral et psychologique de Gide. Nous pourrons en voir quelques-uns maintenant et tâcher en même temps de juger en gros le rôle du calvinisme dans sa pensée à l'époque. C'est un sujet qui ne s'épuisera pas de sitôt, et on le rencontre à chaque pas dans l'étude de Gide. Le culte réformé invite au subjectivisme dans la foi — tel que nous l'avons entrevu chez le futur écrivain — parce qu'elle enlève à l'esprit tout le poids de la tradition, tout l'appui du dogme, les rapports avec le corps de l'église militante, et l'intercession des saints.

> Le protestantisme, écrit Louis Bouyer, justifie constamment sa tendance plus ou moins radicale à l'intériorisation de la religion par la nécessité d'enlever à l'homme tout appui humain ou toute illusion d'un appui humain. Il faut aboutir, pense-t-on, au seul à seul du croyant et de la grâce pour que l'homme enfin se repose sur Dieu et rien d'autre que Dieu.[32]

En plus, le protestantisme favorise les conflits moraux parce qu'il exige des examens de conscience et un développement de la faculté critique, qui rompt l'unité spirituelle et divise le moi. Par une « habitude ancestrale de la vérification », pour emprunter le mot de Jacques Rivière, le protestant pèse continuellement chaque face d'un sujet, met tout en question, scrute ses mobiles, cherche à voir clair.[33] Le calvinisme encourage l'individualisme et la singularité dans le caractère et dans la foi, et il invite aussi aux hésitations et aux doutes. Cet écartèlement ou dédou-

31. Voir Jacques Rivière. « Lettres à André Gide », *La Nouvelle Revue française*, XXIV (avril 1925), 775-77.

32. Louis Bouyer. *Du Protestantisme à l'Eglise*. Paris : Editions du Cerf, 1954, p. 36.

33. Jacques Rivière. *A la Trace de Dieu*. Paris : Gallimard, c. 1925, p. 299.

blement du moi peut mener à un complexe d'infériorité ou bien à l'incapacité d'agir, du moins d'une façon spontanée. [34] Le protestantisme demande l'adoration personnelle, l'adhésion personnelle ; sans l'individu, le culte ne peut pas exister, et il n'y a aucune conception du sacrifice de l'Eucharistie ou d'autres rites qu'un prêtre puisse accomplir au nom de la collectivité. [35] Autant dire que le protestantisme invite chez un être sensible tel que Gide à la mysticité individuelle. « L'éducation protestante, » affirme le critique Braak, « en faisant chez lui un puissant appel à la liberté spirituelle a contribué à compliquer davantage son âme impressionnable, à maintenir à l'état aigu cette inquiétude philosophique... » [36] On constate également chez les fidèles du culte réformé une tendance — voulue sans doute — à l'abstraction, dont Gide voudrait se libérer, ainsi qu'en témoigneront *Les Cahiers d'André Walter.*

Dès l'âge de seize ou de dix-sept ans, donc, le drame moral surgit au premier plan des préoccupations religieuses chez Gide et prête un coloris assez sombre à sa religion personnelle. Il est très difficile de préciser sa conception de la Divinité à l'époque à cause de ce rôle primordial de la morale et de l'empiètement des deux notions. Du reste, les renseignements que nous avons sur la période sont, hors certaines lettres, des réminiscences de Gide, et on ne peut savoir jusqu'à quel point elles sont exactes du point de vue affectif. Nous pouvons toutefois tirer certaines conclusions des tendances constatées ci-dessus pour compléter notre mise au point. Disons tout d'abord que la notion de la Divinité est fondamentale chez lui à partir de son adolescence. Dans les conditions que nous avons vues, il a été empreint de l'idée d'un Etre suprême, donneur de la loi morale et créateur de l'univers matériel. Les rapports entre le Créateur et la créature doivent être personnels et intimes ; c'est ainsi du moins que Gide l'entend. La conception de perfection lui est familière depuis son plus jeune âge, et ainsi conçoit-il facilement de la Divinité comme la Perfection qui est source de tout ce qui est bon et que l'homme doit s'efforcer à atteindre. Charles Du Bos, l'éminent critique

34. Max MARCHAND. *Le Complexe pédagogique et didactique d'André Gide.* Oran : Fouqué, 1954, p. 38.
35. BEIGBEDER, *op. cit.*, pp. 12, 16, 24.
36. Sybrandi BRAAK. *André Gide et l'Ame moderne.* Amsterdam : H.J. Paris [1923], p. 13.

catholique et ami de Gide pendant longtemps, fait remarquer :

On ne peut entretenir avec soi des rapports quelque peu profonds sans que le problème de Dieu vienne à surgir... Nulle part... Gide ne vise à prouver Dieu ; mais toute son œuvre implique son existence, et peut-être devrais-je aller jusqu'à dire qu'il la postule. Une latente affirmation de Dieu y est incluse, y circule ; le problème à vrai dire n'est point de l'existence de Dieu mais bien des voies qui s'ouvrent à l'homme pour le trouver et pour s'unir à lui. [37]

Que ce problème de Dieu soit essentiel dans l'œuvre gidien, Du Bos ose l'affirmer :

Que Gide... n'ait jamais posé dans son œuvre — peut-être ne se soit jamais posé à lui-même — le problème de l'existence de Dieu en termes proprement philosophiques, là n'est pas la question ; ce qui importe, c'est que ce problème ait été pour lui dès l'origine... en un certain sens le seul.

La source de cette préocupation est assurément la période adolescente. Mais modifions quelque peu les conclusions de Du Bos : Gide va se poser le problème de l'existence de Dieu, et très bientôt, dans *Les Cahiers d'André Walter.*

Avant la crise métaphysique des *Cahiers,* Gide nourrit une conception de Dieu où deux notions contradictoires se confondent : le Dieu de la loi et de la punition ; et le Dieu d'amour vers qui s'élèvent ses extases et ses élans d'amour, unis à ceux pour Madeleine. Il s'efforce vers la communion avec le Dieu d'amour, mais il vit aussi intimement avec le Dieu vengeur et source de la loi morale. S'il voit sous les traits de Madeleine un Dieu d'amour, ce visage aimé alterne avec le visage sévère du Dieu de devoir imaginé sous les traits maternels. Nous pensons pouvoir dire avec M. Delay, « Chez Gide, l'image maternelle s'identifia à une religion, une morale, une classe sociale, une province, et dans ses sentiments vis-àvis du protestantisme se retrouvera toujours une secrète attirance sous une évidente hostilité. » [38] Le Christ semble garder une place tout à fait secondaire dans la pensée de Gide ; s'il lit continuellement la Bible, c'est plus volontiers l'Ancien Testament, paraît-il. Plus tard Gide dira qu'il a toujours vécu intimement avec le

37. Charles Du Bos. *Le Dialogue avec André Gide.* Paris : Corréa, 1947, p. 54.
38. Delay, *op. cit.,* I, p. 271.

Christ.[39] Il semble cependant que pendant son adolescence ce fût le Dieu des tribus juives qui avait le plus de réalité pour lui. Lorsque le Christ parle, c'est aux paroles d'anathème que Gide prête attention, en en faisant l'application à lui-même.

Néanmoins, parallèlement à ce sentiment de culpabilité que tout aide à graver en lui, il a des élans spontanés d'adoration de l'Eternel. La lecture de la Bible l'exalte, ainsi que nous l'avons vu, et il cherche de l'extase dans la prière. C'est à Dieu, majestueux et transcendant, qu'il fait appel plus qu'au Christ. Son impulsion vers l'amour trouve sa meilleure expression dans la prière, ainsi qu'en témoignent les mémoires :

> Ma prière était comme un mouvement perceptible de l'âme pour entrer plus avant en Dieu ; et ce mouvement, je le renouvelais d'heure en heure... Au milieu de la nuit je me relevais, m'agenouillais encore, mais non point tant par macération que par impatience de joie. Il me semblait alors atteindre à l'extrême sommet du bonheur.[40]

Charles Du Bos estime que la prière dans le sens le plus large est une des tendances les plus foncières de Gide. Il aspire à s'unir à l'Etre, à vivre « par sympathie, » comme son Edouard des *Faux-Monnayeurs*. Du Bos écrit dans son étude complexe de l'essence gidienne :

> La prière au sens précis, orthodoxe du terme, accompagnement naturel d'une foi non encore mise en question, est la forme première qu'en cette âme assume ce mouvement, mais le mouvement lui-même, le mouvement pour entrer en Dieu... je n'hésite pas pour ma part à y voir la constante la plus certaine de Gide et comme le point de ralliement de tout son être...[41]

De cette complexité psychologique découle tout un faisceau de problèmes personnels et métaphysiques qui sont le sujet des *Cahiers d'André Walter*, livre écrit lorsque Gide n'avait pas encore vingt ans, et qui témoigne de l'adolescence prolongée de son auteur. Les conflits et les ambiguïtés de sa foi et de sa morale ne faisaient que devenir

39. André GIDE. *Œuvres complètes.* 15 v. Paris : Nouvelle Revue française, 1932-39, XIII, p. 425. Voir aussi *Si le grain ne meurt*, p. 284.
40. *Si le grain ne meurt*, pp. 212-13.
41. DU BOS, *op. cit.*, p. 53.

plus intenses au fur et à mesure que Gide s'approchait de ses vingt ans. Sa lucidité croissait avec les années et se développait en s'observant et se jugeant. Peut-on parler à son sujet d'une « désorientation intellectuelle provenant de son inexpérience dans le monde des idées » ? [42] C'est aller trop loin, encore qu'on puisse constater de tout temps chez Gide un certain malaise chaque fois qu'il s'agit de systèmes et d'idées. Mais les années de philosophie et de rhétorique avaient développé ses pouvoirs de réflexion et lui avaient fait connaître certains concepts de la philosophie allemande et des auteurs dont la beauté du style et de l'émotion l'éblouit. Son amour pour Madeleine augmentait au fur et à mesure que tous deux grandissaient, mais, restant « pur, » sans désir charnel, cet amour n'aidait pas Gide à échapper au « péché » solitaire et favorisait plutôt ses tendances mystiques. Malheureusement, la poussée de la chair était si forte que les préceptes de sa foi protestante étaient constamment assaillis par la concupiscence d'abord, bientôt par le doute. L'angoisse morale, en plus de la lucidité intellectuelle, amenaient Gide à mettre en question les fondements les plus chéris de sa croyance, de cette croyance qui faisait à la fois ses délices mystiques et ses tourments.

Après avoir reçu son baccalauréat et persuadé à sa mère qu'il lui fallait se lancer dans les lettres, Gide commença à rédiger son livre, qui serait une somme où il verserait l'essence de sa condition et de la condition d'homme. Il estimait que l'ouvrage aurait une portée universelle, puisque tout le monde devait, d'après lui, éprouver le même conflit intime ; pour lui, le problème religieux et le problème moral faisaient le centre même de la vie humaine. Dans ses mémoires, il écrit, parlant des *Cahiers d'André Walter.* » « Au moment où je l'écrivais, ce livre me paraissait un des plus importants du monde, et la crise que j'y peignis, de l'intérêt le plus général, le plus urgent... » [43] Sans réaliser cet idéal, l'ouvrage a une grande importance pour l'étudiant de Gide parce qu'il contient en germe pour ainsi dire presque tout l'homme mûr.

Ce livre (que Gide aurait voulu plus tard oublier, tout en reconnaissant que le drame qu'il y mettait en scène

42. GOUIRAN, *op. cit.*, p. 126.
43. *Si le grain ne meurt*, p. 242.

avait été fort réel pour lui [44]) est, comme tant d'autres ouvrages gidiens, l'histoire d'un personnage — qui écrit un livre, *Allain,* et qui tient un journal, lequel journal constitue l'ouvrage. Le drame caché qui est l'occasion des carnets d'André Walter et d'*Allain* est la lutte entre les impulsions de la chair et l'aspiration à la sainteté. Il s'agit de voir si Walter vivra assez longtemps pour mener à bonne fin son bouquin. Enfin, en proie à l'angoisse, il fait mourir Allain et sombre lui-même dans la folie, puis meurt, laissant ses journaux intimes. Les Cahiers sont deux : carnet blanc, carnet noir. Le premier raconte le drame spirituel d'André Walter — qui aime une cousine Emmanuèle — après qu'il a été obligé de renoncer à son amour et jusqu'au moment où il croit s'y être fait. L'optimisme — mieux, le séraphisme — de ce premier panneau du diptyque s'écroule bientôt, et le second met en scène davantage le problème de la chair, la croissance de l'angoisse métaphysique, et l'approche de la folie. Il ne faut pas attribuer à la seule perte d'Emmanuèle les tourments dans l'âme d'André Walter. La folie est le résultat logique du conflit moral et de la psychologie quelque peu anormale de l'auteur. Il est vrai que Walter parle d'une « passion à dompter, » qui est son amour pour Emmanuèle, mariée à un autre, et il considère que le renoncement au bonheur apportera la bénédiction divine. Cependant, ce schéma représente le péché de la chair chez Gide et non pas son amour pour Madeleine, à laquelle il n'était nullement question de renoncer. (Bien au contraire : il espérait que son ouvrage la convaincrait de la nécessité de leur mariage immédiat et briserait la résistance familiale. [45])

Nous n'avons pas l'intention d'entrer dans toutes les implications du premier ouvrage de Gide ; notre tâche ici est d'examiner le problème religieux qui y est formulé. Le drame qui inspire les *Cahiers* est multiple : le conflit entre le penchant sensuel et l'aspiration à la pureté ; le conflit entre la raison et l'âme ; le problème de Dieu : son existence, sa nature insaisissable, ses dons, ses exigences ; et la dichotomie entre le désir de se soumettre et le désir de se libérer, de s'affirmer. Si on veut simplifier ce schéma complexe, on peut dire que tout le livre est un assemblage

44. *Ibid.*, pp. 241-42.
45. *Ibid.*, p. 238.

d'impulsions qui révoluent autour de deux axes : la nature (donc les sens, le moi, la raison, et un Dieu naturel ou la non-existence de Dieu), et la surnature (donc la sublimation des sens, le dépassement de la personnalité, l'exaltation de l'âme, et la soumission à un ordre moral imposé d'en-haut). C'est un débat idéologique sur le plan de la pensée pure, mais c'est aussi un débat vécu entre divers aspects de la personnalité gidienne. Sa raison y jure avec sa foi, et son obsession physique avec sa morale : l'homme naturel avec l'homme moulé par l'enseignement chrétien.

Le moi sotérologique chez Gide se confond, comme il arrive souvent, avec le moi psychologique. Il est incapable d'accepter la réalité d'un Dieu dont l'essence jure avec sa propre psychologie, et il ne peut séparer son moi-qui-cherche-le-salut de son moi conscient qui raisonne sur le salut. Ce manque de sens métaphysique profond et la foi essentiellement anthropomorphique qui en résulte s'observent chez Gide à partir de ses dernières années adolescentes, et pendant tout le reste de sa vie. Sa croyance en un Dieu objectif va être fonction de son état subjectif. On peut aller jusqu'à demander si Gide est croyant dans un sens absolu, puisque sa foi reste si dépendante des phénomènes de son moi. Loin de souscrire vraiment au dogme du « moi haïssable, » c'est toujours la joie personnelle qu'il cherche. C'est en quelque sorte une « habitude psychologique ».[46] Nous avons vu la part de volupté romantique associée à sa foi.. Le docteur Delay conclut à ce sujet :

> Walter est certainement épris de religiosité, mais est-il religieux ?... Faut-il... conclure que Dieu n'est à ses yeux que la projection de son âme ? ... Les « figures idéales, » la mystique Emmanuèle, l'Ange, ou Dieu lui-même sont des projections de son âme.[47]

Pour le fidèle de Rome, aussi bien que pour le calviniste, une mystique fondée sur la sensibilité et sur la subjectivité est fausse[48]. Ce transcendantalisme psychologique est un des traits essentiels de l'attitude de Gide alors. Cependant, le désir de s'affirmer est doublé chez lui de l'impulsion à se perdre, à s'oublier. « De la vaporisation et de la centralisation du *Moi*. Tout est là, » aurait-il pu dire après

46. GOUIRAN, *op. cit.*, p. 229.
47. DELAY, *op. cit.*, I, pp. 553-54.
48. René SCHWOB. *Le Vrai Drame d'André Gide*. Paris : Grasset, c. 1932, pp. 71-72.

Baudelaire.[49] Gide ressent les deux impulsions presque simultanément, d'où conflit. C'est ce qui prête à son mysticisme adolescent un caractère si ambigu. Le moi cherche à se fondre avec l'Etre ; le moi cherche aussi à s'affirmer comme Etre. Il ne peut y avoir de victoire définitive puisque le but est contradictoire, et sa mystique aboutit forcément à l'échec. Cette mystique peut alors être qualifiée d' « échauffement nerveux, » qu'il ne dépasse pas, restant conscient de lui-même à chaque instant. « Ce frisson n'est jamais mystique » écrit Emile Gouiran, « il est le lieu d'une mystique qui ne peut aboutir. »[50]

La composition des *Cahiers d'André Walter* étant enchevêtrée, il faudra que nous sautions d'une page à l'autre pour dégager les péripéties du drame qui s'y joue. Ce drame avance en cycles. Considérons premièrement le conflit entre le penchant sensuel et l'aspiration à la pureté. D'abord, il y a l'effort pour dompter la chair. A ces moments, Gide donne raison à la loi morale divine et prend horreur de son péché ; il aspire à la pureté :

> Je voudrais, tandis que les autres courent les plaisirs, les fêtes, et les débauches faciles, goûter les voluptés farouches de la vie monastique. Seul, absolument seul, ou peut-être entouré de quelques blancs chartreux, de quelques ascètes... Je voudrais une cellule nue ; coucher sur une planche...

Après bien des revirements, il retourne au même thème :

> J'ai recommencé de lire ma Bible. Il faut remonter la pente, descendue sans que l'on s'en doute. Oh ! qu'il est difficile ! ...L'estime de soi-même... la splendeur de la vertu... m'éblouit peu à peu et m'attire elle-même...[51]

Il tient à devenir pur surtout à cause d'Emmanuèle, pour la mériter. On est donc justifié en disant que ses aspirations religieuses peuvent n'être qu'une dépendance de son amour humain, qui cherche à s'intégrer dans un cadre éternel.[52] Lors d'un moment difficile, il se rebelle et souhaite devenir fou pour échapper au dilemme moral. Puis tout de suite, une

49. Charles BAUDELAIRE. *Œuvres complètes.* Paris : Gallimard, Bibliothèque de la Pléiade, 1954, p. 1206.
50. GOUIRAN, *op. cit.*, pp. 147, 185.
51. *Les Cahiers d'André Walter*, pp. 42, 78.
52. Henri GHÉON. « André Gide », *Mercure de France*, XXII (mai 1897), 240.

volte-face : il *craint* de devenir fou. « Pardonnez-moi, Seigneur, je ne suis qu'un enfant, un petit enfant qui s'égare dans des sentiers perfides ; ô Seigneur, que je ne devienne pas fou. » [53]

Remarquons toutefois qu'André Walter s'est servi du mot *volupté* en parlant de la vie du cloître. En effet, dans l'effort vers la communion avec Dieu, il trouve des plaisirs singuliers aussi bien que l'angoisse de l'échec. L'aspiration à la pureté représente aussi une espèce d'élan sensuel. Il écrit,

Les crins du cilice et de la haire chatouillent voluptueusement l'âme ; la tête allégée par le jeûne a des étourdissements très proches de l'extase ; la ferveur — et quand la chair faiblit, alors l'eau froide et le linge humide fouaillant les reins débiles ; et puis, les nerfs brisés, le corps tranquille, assoupi de douleur — ah ! s'endormir enfin au sein d'un divin songe !

Encore une fois il avoue,

O les premières ferveurs, à l'heure où la puberté grise ! l'extase — je sais bien qu'elle est souvent sensuelle, eux aussi [les moines] le savent, et pour cela les cierges et l'encens et les orgues. Car il est souvent presque lâche, leur abandon voluptueux dans les bras du divin Crucifié. Le culte austère, les chapelles inhospitalières m'ont gardé de ces fausses prières. Je n'ai pas adoré d'images. [54]

On observe l'allusion à la pureté du culte calviniste, à laquelle Gide a tâché de rester fidèle mais, il faut le dire, dont il s'est quelque peu éloigné. Cette auto-psychanalyse de la part d'André Walter - André Gide est fort exacte ; ainsi que nous l'avons fait remarquer précédemment, sa ferveur religieuse contient certainement une part de plaisir sensuel, sublimé si on veut mais ayant toujours sa source dans les sens. Sa lucidité lui fait reconnaître pourtant le côté ambigu de l'extase, qu'il reconnaît comme dangereuse et de laquelle il voudrait par moments se détourner.

André Walter se jette ensuite aux pieds de Dieu et lui demande qu'il le soutienne. Voici que surgit le sujet des exigences et des dons divins. S'il doit renoncer à Emmanuèle et mortifier sa chair, il souhaite tout au moins posséder Dieu. « Puisqu'il faut que je la perde, que je

53. *Les Cahiers d'André Walter,* p. 66.
54. *Ibid.*, pp. 114, 137.

te retrouve au moins, mon Dieu — et que tu me bénisses d'avoir suivi la route étroite. » Ailleurs il demande à Dieu s'il l'a oublié — car il a promis d'envoyer des forces afin qu'on surmonte la tentation, mais André n'a pas de forces : « Eternel ! Je cherche en toi mon refuge ; que jamais je ne sois confondu ! Mais toi, ô Eternel ! jusques à quand ? jusques à quand me laisseras-tu ? jusques à quand lutterai-je sans te sentir auprès de moi pour que je vainque ? »[55] Il a lu les covenants entre Dieu et son peuple, et les promesses de Jésus ; il attend de l'aide divine. Il a cru au Dieu rédempteur, au Dieu de la pitié. Lorsque l'aide attendue n'arrive pas, la doctrine calviniste de la prédestination lui passe par l'esprit : il est irrémédiablement corrompu, ainsi qu'en fait preuve son péché indomptable. Mais l'idée de damnation choque sa raison, et son intellect regimbe. C'est le Dieu de la vengeance, administrateur d'une loi morale impossible à tenir, qui remplace le Dieu de la pitié. André Walter ne voit aucune issue à son dilemme.

C'est alors que les doutes l'envahissent en foule. M. Delay écrit à ce propos,

> Les doutes sur l'authenticité des sentiments, il n'est pas une seule croyance, une seule armature que ces termites de l'âme ne rongent. La foi religieuse du jeune Huguenot Walter est attaquée par l'ennemi intérieur et prête à céder au moindre choc.[56]

D'un caractère moins délibéré, moins intellectuel que le doute qu'il connaîtra plus tard dans la vie, ces moments d'angoisse et de révolte annoncent néanmoins la rupture de la foi naïve dans son âme et l'éloignement futur de la croyance.

Son attention interrogatrice se tourne vers le problème de Dieu, avec la question de son existence aussi bien que celle de sa nature. Il commence à éprouver l'antinomie entre la foi et la raison. Son âme réclame la Divinité. Mais il ne suffit pas de vouloir croire ; il ne suffit pas non plus de raisonner sur l'existence de Dieu pour s'en convaincre. Il s'écrie affolé,

> Ce qu'ils ne comprendront jamais, ce sont les luttes pour *croire*, ces impossibilités parfois, quand pourtant quelque peu de raison

55. *Ibid.*, pp. 21-22, 107.
56. DELAY, *op. cit.*, I, p. 559.

proteste encore. Ils s'imaginent qu'il suffit de vouloir ! ... et le plus admirable, c'est qu'ils pensent croire avec leur raison. [57]

Lorsqu'il parle de ses lectures de Spinoza avec Emmanuèle, il s'excuse de ce choix de livre : « Tous les doutes sont dans l'esprit ; ce n'est pas une lecture qui pourrait les faire naître. » [58] Il reconnaît ainsi le conflit comme étant inhérent à la condition humaine et enraciné dans son âme. Cette antinomie est proprement irréductible, comme l'ont reconnu des esprits aussi différents que Luther et Pascal. En face du dilemme, on peut choisir entre plusieurs attitudes : on peut dépasser le stade du conflit, à la manière de Pascal, en faisant appel aux « raisons » irrationnelles du cœur ; on peut qualifier la raison de diabolique et rejeter ses jugements ; on peut chercher à écraser la raison sous la force de la tradition, en se fiant à l'autorité ecclésiastique (et c'est là la solution catholique) ; on peut parier pour Dieu, au cas où il existerait quand même ; enfin, on peut opter pour les conclusions rationnelles, et abandonner la foi ou se créer une croyance éthique où il n'entre rien de surnaturel. Ce débat tourmente André Walter tout au long des *Cahiers,* mais surtout dans le « cahier noir. » Laquelle des attitudes André Walter va-t-il élire avant de tuer Allain et de mourir ? Habitué aux examens de conscience et aux débats philosophiques, ainsi que nous l'avons vu, il passe en examen toutes les solutions, les rassemble et les démêle. Sa raison travaille d'une façon impitoyable, mais son âme, son tréfonds assoiffé de dépassement de soi et d'au-delà, proteste.

Sa raison se refuse à souscrire à l'idée du surnaturel. Le mauvais croyant et l'outrance du dogme choquent son intelligence, comme il lui arrivera bien des années plus tard. On pense au *Nœud de vipères* de François Mauriac lorsque le jeune Gide écrit,

> Ce qui surtout m'égare, c'est la fausse religion ; la bigoterie et le mysticisme factice me font parfois douter qu'il y en ait une vraie. Ils ne se doutent pas, les bigots, de tout le mal que leur exemple peut faire à ceux qui sont vraiment altérés du vrai Dieu. [59]

Son esprit lui fait reconnaître la relativité et la multiplicité de la vérité — thèse chère à Gide homme mûr. Dans

57. *Les Cahiers d'André Walter,* p. 44.
58. *Ibid.,* p. 57.
59. *Ibid.,* p. 44.

un passage assez long qui mérite d'être cité en entier en raison de l'éclairage qu'il jette sur la raison sceptique chez cet adolescent, André Walter s'écrie,

> Philosopher ! — Quelle arrogance ! Mais avec quoi philosopher ? La raison ? Mais qui nous en garantit la justesse ? d'où vient l'autorité qu'on lui accorde ? Notre seule assurance serait de la croire donnée par un Dieu providentiel — mais ce Dieu, cette raison la nie. Si nous la prétendons née seule par une lente transformation, une successive adaptation aux phénomènes, elle pourra bien discuter les phénomènes, mais au-delà ? Si même nous la reconnaissons venue de Dieu, rien encore n'en garantit la justesse. Nous ne pouvons qu'opiner. L'affirmation est coupable. ... — Etroits esprits de croire que leur vérité est la seule ! La vérité est multiple, infinie, nombreuse autant que les esprits pour y croire... C'est en nous qu'est la réalité ; notre esprit crée ses Vérités. [60]

Cette page où s'enchevêtrent plusieurs arguments révèle la complexité de la réaction gidienne au conflit de la foi et de la raison : la contradiction entre la raison et la théologie ; la contingence de l'homme, d'où l'impossibilité de connaître le non-contingent ; la relativité et la subjectivité de la vérité ; en somme, l'impossibilité d'affirmer. Gide s'approche ici d'une théorie idéaliste aussi bien que subjective de la réalité et d'une conception immanente et subjective de Dieu. Cette optique le conduira bientôt à une conception platonicienne de l'art transcendant, ensuite à une « religion » d'éthique pure, lesquelles métaphysiques remplaceront la foi théocentrique de son adolescence.

Ensuite surgit la question de la valeur de la croyance qui ne répond à rien d'objectif, qui existe comme un pari. Ici, la question de l'existence objective de Dieu se confond avec celle de son existence subjective, et André Walter n'ose les démêler l'une de l'autre. Il se dit dans un moment de lucidité que la croyance à la Providence rend possible la vie, fournit une véritable raison d'être. Si on était désabusé, on serait perdu. Mais qui enlèverait les écailles des yeux humains ? « Croire que l'on possède est aussi doux que posséder... et toutes les possessions ne sont-elles pas chimériques ? Un mirage d'éternité les hallucine, et l'espérance les soulève. » [61] Il essaye de se persuader que Dieu existe

60. *Ibid.*, p. 48.
61. *Ibid.*, pp. 47, 56.

réellement ; il tâche du moins de supposer son existence comme une dépendance de sa propre volonté :

Je ne te connais pas ; je ne sais pas qui tu es, ni même si tu es ; mais je suis venu à toi, pour que ton divin cœur ne se dolente pas à cause de moi, si parfois tu étais et que tu me désires.... Si je t'avais connu, Seigneur, je t'aurais aimé de toute mon âme. Et je t'aime encore quoique ne te connaissant pas, je t'aime même si tu n'es pas, car tout au moins dans ma pensée tu existes, et ma pensée devant toi projette ton image, que mes adorations environnent. [62]

Emmanuèle, à qui André Walter explique cette psychologie religieuse assez sommaire, proteste qu'elle aimerait mieux souffrir de ne pas croire que de croire à un mensonge. Ce refus du mensonge flatteur est un trait calviniste, et André s'écrit, « Ah, protestante ! » [63] Il est problablе toutefois que ce refus de « l'illusion pathétique, » du pari, et du Dieu subjectif est le refus de Gide lui-même. Du reste, aussi profond que son besoin de croire est son besoin de savoir, et de savoir absolument.

Il faudra donc essayer d'un autre point de vue. Comme Pascal affirmant que le cœur a ses raisons que la raison ne connaît point, André Walter fait un revirement subit et se dit, « La meilleure [vérité] ne sera pas celle que la raison surtout approuve ; les sentiments mènent l'homme et non les idées » [64] Se heurtant au problème de la nature inconnaissable de Dieu, il pense que la foi y supplée ; mais ensuite le doute intellectuel vient détruire la foi. Il s'écrie, « Sophistique du cœur, pour se persuader de croire quand on ne peut pas autrement ». Et le héros de gémir : « Ah ! que ma tête est lassée de toujours chercher l'invisible ! et maintenant... la raison qui se moque de l'âme... » [65] Cet effort pour dépasser l'antimonie entre la foi et la raison se complique parce que Gide tâtonne dans le noir pour trouver quelque chose de corporel ; car il se rend compte — averti par le triste culte calviniste — que l'esprit désincarné ne saurait satisfaire l'homme ; que l'homme ne peut pas dépasser sa condition.

Quand l'âme parvient à s'illusionner de chimères, c'est le corps qui se désespère de ne rien pouvoir embrasser, et qui se désole jus-

62. *Ibid.*, pp. 113-14.
63. *Ibid.*, p. 56.
64. *Ibid.*, p. 48.
65. *Ibid.*, pp. 114, 146.

qu'à l'âme. ... Je ne peux pas, Seigneur ! il faut que je vous touche ; tout mon corps vous souhaite ; le désir de vous me tourmente ; mes bras se tendent dans la nuit, mais se renferment sans rien prendre. [66]

La critique catholique a pu interpréter ce passage comme un témoignage du besoin inconscient de l'hostie chez Gide. [67] En plus, il faut à André Walter, pour croire, des rapports bilatéraux entre lui et Dieu ; il faut que Dieu le reconnaisse. « Un Dieu ne suffit pas ; il faut qu'il vous voie. Cela ne suffit pas encore ; il faut qu'il aime ; ... que Dieu vous voie et bénisse l'effort ; sinon, c'est le néant de toute la vie... » Ensuite, si ce n'est pas l'impossibilité physique de parvenir à la communion avec la Divinité, c'est l'esprit qui se fatigue, qui trouve risible cette comédie mystique.

Sentir Dieu qui vous environne ; puis tout à coup, l'on se retourne, on se sent seul, — le sentiment que tout cela, c'est une lugubre moquerie... c'est le doute qui vient, c'est l'ironie, l'esprit languit... Allons, c'est fini pour ce soir ; il faut se coucher sans son Dieu. [68]

Mais la foi gidienne n'est pas si facilement vaincue ; son âme en est altérée ; et le sentiment de sa culpabilité dure, rendant nécessaire la croyance en Dieu, qui appuie la morale. Comme Luther, il jette son écritoire contre « le démon maraudeur, » il cherche à écraser la raison, et il affirme,

Mais une foi qu'on ressaisit après qu'on l'a quittée, que la volonté reconstruit après que le doute a saccagé, et cette foi, la garder haute malgré que la raison se moque, que la chair regimbe, que l'orgueil se dépite de s'y sentir emmuré — c'est là une foi noble... [69]

Le critique chinois Yang a écrit, « Malgré son effort et sa douleur, Gide ne renonça pas à croire. Sa raison se moquait inutilement de la foi comme d'une illusion ; Gide adorait cette foi, source éternelle où son âme se replongeait sans cesse. Il cultivait l'extase qui lui permettait à cha-

66. *Ibid.*, p. 145.
67. Schwob, *op. cit.*, p. 172.
68. *Les Cahiers d'André Walter.* pp. 143-45.
69. *Ibid.*, pp. 136-37.

que reprise une renaissance de tout son être. » [70] Ainsi Gide revient-il à une foi qu'il veut naïve :

> Ce qu'il faut, c'est la foi très humble, crédule, et toute simple. Après tout, est-ce bien sûr qu'elle s'aveugle et que croire en Jésus soit une folie ?.... Pourquoi toujours chercher encore de nouveaux doutes ? .... En toi, Seigneur, mon âme se confie. [71]

La conclusion du « débat entre l'âme et le corps » et entre la foi et la raison réside, paraît-il, dans la croyance.

Dans l'éclairage de ce cycle tourmentant, on peut comprendre l'épitaphe d'Allain dans les *Cahiers :*

> Ci-gît Allain qui devint fou
> Parce qu'il crut avoir une âme. [72]

L'idée de posséder une âme, bien plus que la possession ellemême, mène inévitablement, selon Gide, au conflit entre la foi d'une part, et la raison et la nature de l'autre, parce qu'elle revêt l'acte de la chair d'une signification sotérologique. Gide s'approche ici par sa tension spirituelle des doutes et des affirmations d'un Kierkegaard, des tentatives d'un Pascal pour saisir son Christ qui lui dit enfin, « J'ai versé telles gouttes de sang pour toi. » Sa bonne volonté est complète et son besoin d'une foi affermissante est profond. Il s'imagine comme Jacob, luttant avec l'ange, et il voit en rêve les récompenses célestes pour ceux qui vainquent. A la fin de l'ouvrage, malgré de nombreux blasphèmes qu'il étouffe de son mieux, il tue son double Allain, devenu fou, et luimême aspire à mourir pour être délivré du péché. Le mot définitif du livre semble donc être la foi, entière et profonde. Henri Ghéon, alors journaliste inconnu, écrivit dans son article sur Gide en 1897, « L'hérédité religieuse triomphe ; l'ascétisme mate la chair qui veut se révolter, la prière qui jette un cri de doute. C'est la lutte la plus effroyable qui soit, entre la passion, la logique, et la croyance... » [73] En réalité, comme notre troisième chapitre en fera preuve, l'option finale des *Cahiers* est une libération du mysticisme. Cela ne veut pas dire toutefois que nous mettions en

70. Tchang LOMINE YANG. *L'Attitude d'André Gide.* Lyon : Bosc et Riou, 1930. p. 32.
71. *Les Cahiers d'André Walter,* pp. 122-23.
72. *Ibid.*. p. 172.
73. GHÉON, *op. cit.,* p. 240.

doute sa sincérité et la réalité des expériences mystiques qui ont inspiré son ouvrage de débutant. Nous avons désiré montrer dans ce chapitre la formation de la foi adolescente et le débat religieux des *Cahiers d'André Walter*, qui mettent en scène le dialogue enraciné entre la croyance voulue et le raisonnement spontané et entre la hantise du péché et le désir de s'en délivrer par une morale révolutionnaire. Dans le chapitre à venir, ce sont la victoire du raisonnement et l'ascendant d'une nouvelle morale, détruisant l'ancienne croyance, qui feront l'objet de notre étude.

III

LA PREMIERE CRISE

Les Cahiers d'André Walter furent terminés en octobre 1890 et parurent aux frais de l'auteur en 1891. Ayant lancé dans le monde des lettres son premier ouvrage, Gide demeura oisif, attendant le succès et il ne savait trop quoi d'autre. Il avait vingt et un ans. Au seuil des dix dernières années du siècle et de ses premières années de maturité, le jeune débutant allait entrer dans une période de développement psychique et littéraire dont personne n'aurait pu prévoir le retentissement. Nous nous proposons d'étudier dans ce chapitre la période cruciale qui s'étend de l'année 1891 jusqu'en 1895, date de son mariage. Ces années, pendant lesquelles se manifesta la première révolte gidienne contre toutes les idées reçues, notamment contre la morale et la théologie chrétiennes, sont d'une importance capitale dans notre étude.

Dans ses commentaires sur *L'Immoraliste*, Gide a parlé de l'espèce de catharsis qu'opère chez l'écrivain la production littéraire. [1] Ses ouvrages, en portant hors de lui certaines préoccupations et obsessions, en en examinant toutes les faces, et en en suivant le développement logique, peuvent libérer son esprit de ces problèmes. De même, il peut y avoir, ainsi que le montre Gide, à propos de *La Tentative amoureuse*, une action rétroactive de l'œuvre d'art sur celui qui la produit, provoquant une réaction. [2] On peut dire que les deux phénomènes se trouvent dans le cas des *Cahiers d'André Walter*. « L'inquiétude que j'y peignais, » écrit-il, « pour l'avoir peinte, il semblait que j'en fusse

1. *Œuvres complètes*, IV, pp. 616-17.
2. *Journal*, p. 40.

quitte. »[3] En même temps, il réagit contre toute l'atmosphère religieuse et angoissée qui caractérisait le livre. En 1892, il écrivit à sa mère,

Après avoir fait André Walter, j'ai senti qu'il *fallait* me sortir tout à fait de cette atmosphère de larmes, de mélancolies religieuses, et de ressassements solitaires où j'avais vécu vingt ans. Je me suis plongé dans une vie volontairement toute différente avec le but d'oublier mon ancienne personnalité.[4]

Qu'on ne nous mésinterprète pas : il ne cessa point tout d'un coup ses pratiques religieuses. Mais une marée de réaction, déjà visible dans les *Cahiers*, monta progressivement. Toutes ses activités à l'époque en témoignaient. Après les mois où il avait vécu en serre chaude pour composer son premier ouvrage, il se sentait prêt à accueillir de nouvelles influences et à s'épanouir dans de nouveaux sens. Une courte esquisse des événements de sa vie alors et de ses activités permettra au lecteur de situer le développement spirituel qui se manifesta en même temps.

Les mois qui suivirent la correction des épreuves des *Cahiers* en novembre 1890 furent consacrés à divers projets. Le jeune littérateur songeait à un second livre qui serait soit une tentative pour « ramener les plus rétifs au Dieu de l'Evangile (qui n'était point tout à fait tel qu'on l'imagine d'ordinaire), » soit un récit de la mort d'Anna Shackleton. Il lisait énormément et faisait du piano. Il voyageait de Paris à Rouen, de Rouen à Uzès, sans être toujours content de se trouver dans les foyers ancestraux. Il courtisait sa cousine Madeleine, pour qui son amour restait éthéré, et ne désespérait pas de l'épouser un jour, malgré l'opposition maternelle. En janvier 1891 elle refusa sa demande en mariage, en dépit de leur amour réciproque, prétextant des devoirs de famille.[5] Ce fut une désillusion cruelle pour lui.

Très tôt après l'achèvement des *Cahiers*, Gide entra dans une ambiance qui allait avoir une influence décisive sur lui : l'ambiance symboliste. Pour cela, l'amitié de Pierre Louÿs lui fut précieuse, car Louÿs connaissait les maîtres de la littérature à Paris et entraînait son ami

3. *Si le grain ne meurt*, p. 252.
4. DELAY. *op. cit.*, I, p. 29.
5. *Ibid.*, II, pp. 15-20.

chez Hérédia et chez Barrès, qui le présenta à son tour à Mallarmé. De même, l'amitié entre Gide et Paul Valéry, qui datait de leur première rencontre à Montpellier au printemps de 1890, joua un rôle des plus importants dans l'éducation artistique du jeune homme de lettres. Ayant atteint très tôt une maturité d'esprit et une vision artistique extraordinaires, Valéry aida Gide à comprendre qu'il était symboliste sans le savoir et lui communiqua son respect pour Poe et pour Mallarmé. Gide devint bientôt un fidèle des mardis de la rue de Rome ; il se plongea avec empressement dans cette atmosphère artistique qui eut une grande importance dans le développement de sa pensée. La rencontre d'Oscar Wilde et de nombreuses lectures complétèrent son éducation artistique et littéraire de l'époque.

Dans cette atmosphère stimulante et sous les diverses influences auxquelles s'exposait Gide, il composa plusieurs nouveaux ouvrages. *Les Poésies d'André Walter*, de petites pièces en vers à la manière de Jules Laforgue, révélèrent un nouveau Walter, assez différent du Huguenot obsédé des *Cahiers*, et firent pressentir le courant du saugrenu qui paraîtrait sous peu. *Le Traité du Narcisse*, qui parut en 1891, est le résultat direct du contact de Gide avec les milieux symbolistes. Reprenant le mythe de Narcisse et y ajoutant plusieurs éléments étrangers, l'écrivain y tente de montrer que les apparences ne sont que l'ombre d'une Réalité supérieure, platonicienne, et que l'artiste doit se sacrifier à sa tâche de manifester cette Réalité. Dans *Le Voyage d'Urien* (1892), le saugrenu éclôt et prête au symbolisme évident du récit un ton plaisant, faisant prévoir que Gide allait se libérer de l'esthétique symboliste. *La Tentative amoureuse*, composée en 1893, devait être, d'après l'auteur, la réponse négative à la « tentation de vivre » ; elle vaut aujourd'hui surtout par le style limpide et l'éclairage qu'elle jette sur l'attitude gidienne envers l'amour. D'autres courts écrits complètent le bilan de la production littéraire de Gide jusqu'en 1894.

Toutes ces nouvelles voies que prenait l'activité de Gide et les influences qui l'enrichissaient contribuaient à produire un changement psychique et intellectuel radical, qui se préparait pendant des mois et qui éclaterait enfin dans une crise lors de son premier séjour en Afrique en 1893. Il s'écartait insensiblement de la position religieuse et morale prise dans *Les Cahiers d'André Walter*. Cet éloignement n'était pas très brusque an début, et le courant religieux persista pendant longtemps. Son *Journal*, dont les premières pages conservées datent de 1889 mais qui ne révèle rien d'important pour nous jusqu'à 1891, témoigne de la violence de ses sentiments religieux. Un dialogue entre le puritain et le révolté se poursuivait dans son âme, comme le conflit en André Walter. Il s'écrie à un certain moment :

> Seigneur, je reviens à toi, parce que je crois que tout est vanité, hors te connaître. Guide-moi dans les sentiers de lumière. J'ai suivi des routes tortueuses, et j'ai cru m'enrichir de faux biens. Seigneur, aie pitié de moi : les seuls vrais biens, sont les biens que tu donnes.... Seigneur, mène-moi comme avant dans tes sentiers de lumière. O Seigneur, garde-moi du mal. ... Que ce ne soit pas en vain, ces luttes de jadis, mes prières. [6]

Ses lettres et ses notes inédites de l'époque font preuve de son assiduité au culte et de sa lecture de la Bible. Chaque fois qu'il rendait visite à Madeleine ou se plongeait dans l'atmosphère huguenote du Gard, une vague de sentiments religieux comme ceux d'André Walter remplissait son âme.

Pourtant, une réaction s'imposait, dès la mise en œuvre de l'angoisse waltérienne. La critique catholique Paul Archambault écrit,

> A cet élan religieux, toutefois, de puissantes forces s'opposent. Une impatience congénitale, constitutive, de vie terrestre, d'expérience et de plaisir. Une intelligence défiante, prompte à la censure, mal préparée à chercher, par delà l'évidence commune, la lumière nouvelle... Une liberté grisée de son pouvoir. Une sensualité qui mine et disloque sourdement la volonté.... Si la raison n'a pas qualité pour réfuter la religion, elle n'a pas davantage puissance pour la soutenir. [7]

On a vu dans le deuxième chapitre de cette étude que l'option définitive dc Gide-Walter semblait être la foi, avec tout ce qu'elle comportait de dogmes et de moralisme. Mais le côté négatif des *Cahiers* ne peut échapper au lecteur, et nous avons fait remarquer les doutes, les raisonnements, voire les révoltes du jeune Gide. Il avait constaté l'impuissance de la raison à accepter l'idée de l'irrationnel, donc de Dieu ; il avait éprouvé la sécheresse du cœur qui n'a pas la

6. *Journal,* p. 27.
7. Paul Archambault. *Humanité d'André Gide.* Paris : Bloud et et Gay, 1946, pp. 34-35.

foi et qui ne peut s'aveugler. « Quand Gide protégeait sa foi en la séparant de la raison, » écrit le critique Yang, « la raison observait la foi comme une illusion. » [8] Sa chair s'était regimbée contre la loi morale impossible. Les luttes entre les désirs charnels et la conscience religieuse s'étaient exprimées dans cette phrase qui ne laissait aucune issue : « Elle [l'âme] a gémi de ce qu'elle ne trouvait plus de prières ; et s'est désolée pareillement de ce que les mots pour prier dussent sortir des mêmes lèvres qui tant avaient souhaité des caresses abhorrées. » [9] Et il avait connu le désespoir d'un Vigny qui appelle Dieu de toute son âme et souhaite l'intervention visible et immédiate de la Providence mais qui s'aperçoit du silence de l'univers : « Eternel, Eternel, » s'écrie André Walter, « que de fois j'ai crié à toi... et tu ne m'as pas répondu. » [10]

L'esprit critique de Gide se tourna par conséquent contre la foi chrétienne, plus exactement, contre les doctrines calvinistes, et créa un certain doute qui cohabitait dans son âme avec les ferveurs mystiques.

> On le sent tout prêt (écrit Delay) de se demander si les valeurs qu'on lui a enseignées ne sont pas de la fausse monnaie. Sa lutte entre sexualité et moralité chrétienne n'est sous cet angle qu'un épisode du tourment qui persistera chez Gide bien après qu'il sera démoralisé, déchristianisé, et qu'il aura déculpabilisé la sexualité. [11]

Dans l'impasse apparente où l'entraînait cette lutte entre l'esprit critique et la croyance et entre les révendications du corps et les lois de la morale chrétienne, il prit le parti le plus sensé probablement, celui de faire une interprétation individualiste de la doctrine chrétienne (si individualiste qu'elle n'est plus guère chrétienne), ce qui permettait en même temps à sa raison de s'exercer dans la voie critique, à ses instincts sexuels de se croire légitimes, et à sa spiritualité de se satisfaire dans une profession de foi à sa guise. Le protestantisme, en admettant le libre examen et la liberté de conscience, encouragea sans doute chez le jeune homme de lettres cette recherche de Dieu dans de nouvelles voies. Résumant ce pas capital qu'il franchit pour se libérer des affirmation inacceptables du puritanisme doctrinaire et et moral, il écrit dans ses mémoires,

8. YANG, *op. cit., p.* 18
9. *Les Cahiers d'André Walter*, p. 153.
10. *Ibid.*, p. 144.
11. DELAY, *op. cit.*, I, p. 561.

> Il commençait à m'apparaître que le devoir n'était peut-être pas pour chacun le même, et que Dieu pouvait bien avoir lui-même en horreur cette uniformité contre laquelle protestait ma nature, mais à quoi tendait, me semblait-il, l'idéal chrétien, en prétendant mater la nature. Je n'admettais que des morales particulières... Je me persuadais que chaque être, ou tout au moins, que chaque élu, avait à jouer un rôle sur la terre, le sien précisément, et qui me ressemblait à nul autre ; de sorte que tout effort pour se soumettre à une règle commune, devenait à mes yeux trahison... que j'assimilais à ce grand péché contre l'Esprit « qui ne sera point pardonné »... [12]

Il y a peut-être ici une part de sincérité ; il y a aussi un besoin évident de s'aveugler, d'où des raisonnements assez spécieux. Pour se persuader que c'est de son devoir de rejeter l'idéal chrétien, afin de suivre sa pente, l'écrivain établit une dichotomie entre cet idéal et la nature. Il se fait une idée démesurément large de celle-ci mais écarte toute notion d'une norme plus haute. Tout ce qui est, est dans la nature, pense-t-il. Alléguant cette optique, il se croit justifié dans sa révolte. Cette démarche de sa pensée implique aussi le rejet de tout ce qui est transcendant et le mouvement vers l'immanentisme. En effet, annonçant une vague de panthéisme et d'immanentisme sentimental qui devint très importante plus tard, il écrivait dans son *Journal* le 3 juin 1893, « Mes émotions se sont ouvertes comme une religion... C'est la tendance vers le panthéisme. » Dans *La Tentative amoureuse*, on voit reparaître ce courant panthéiste naissant, mêlé aux notions platoniciennes : « Notre but unique est Dieu ; nous ne le perdrons pas de vue, car on le voit à travers chaque chose. » [13] Si ce n'est pas encore la réduction de la Divinité à une dépendance de l'homme, c'est certainement une élévation de la créature à une position favorable, rendant sa destinée certaine : une sorte de béatification de l'homme et du monde naturel. Plus tard cette conception sera un des foyers de la pensée gidienne. A cette époque, c'est moins une position raisonnée qu'un prétexte pour sa révolte morale. Il en conclut que toutes les facultés et tous les penchants de l'homme ont également le droit — le devoir même — de se manifester. Il s'agit de ne rien supprimer, ce qui contredit toute la

12. *Si le grain ne meurt*, p. 269.
13. André Gide. *Le Retour de l'Enfant prodigue, précédé de cinq autres traités.* 82me éd. Paris : Gallimard, c. 1948, p. 60.

théologie et toute la morale chrétiennes, dont la base est une échelle très nette de valeurs.

> Le propre d'une âme chrétienne (écrit-il) est d'imaginer en soi des batailles ; au bout d'un peu de temps, l'on ne comprend plus bien pourquoi... Car enfin, quel que soit le vaincu, c'est toujours une partie de soi-même, et voilà de l'usure inutile. J'ai passé toute ma jeunesse à opposer en moi deux parties de moi qui peut-être ne demandaient pas mieux que de s'entendre. Par amour du combat, j'imaginais des luttes et je divisais ma nature. [14]

En outre, Gide prend une perspective révolutionnaire envers la vie qui enlève au christianisme son sens principal : le rôle de consolateur. Faisant écho aux grands païens et notamment à un Gœthe, à un Nietzsche, il souhaite d'une part l'acceptation du monde et de la condition humaine, et d'autre part l'action comme remède aux maux plutôt qu'une vague espérance et la résignation. Ainsi qu'il l'écrit dans son *Journal* en 1893, « La religion chrétienne est principalement consolatrice... Mais cette religion console d'un mal qu'elle ne prétend pas supprimer ; on comprend que certains aient préféré tâcher d'être tout simplement heureux. Certains ont voulu supprimer la cause de toutes ces tristesses... » [15] La nouvelle perspective gidienne repose également sur la primauté de l'individu et sur la souveraineté de son jugement pour soi. Ce narcissisme, cette infatuation de soi, semblent à certains être l'erreur proprement protestante, dont fut victime le jeune écrivain. [16] Pourtant, sans jurer tout à fait avec les traditions libérales et individualistes de la confession calviniste, cette insistance sur le jugement, la raison, et les sentiments de chaque individu invite à une indépendance de pensée et à une non-conformité de mœurs qui sont nettement très loin de l'esprit huguenot. D'ailleurs, il peut y avoir là une sorte d'hypocrisie consciente, une rationalisation pour s'excuser, plutôt qu'une erreur sincère.

Encore une remarque à faire sur le nouveau crédo gidien : le long passage cité ci-dessus et celui où il exprime son désir de présenter un Evangile quelque peu différent de celui qu'on connaît communément annoncent un des procédés de rationalisation les plus caractéristiques de Gi-

14. *Journal,* p. 42.
15. *Ibid.,* p. 43.
16. SCHWOB, *op. cit.,* p. 160.

de : l'interprétation personnelle des Ecritures, de manière que leur message primitif et essentiel rejoigne la conception gidienne de l'homme et du devoir. Rien de plus facile que d'accuser l'écrivain de mauvaise foi lorsqu'il assimile « le péché contre l'Esprit » au conformisme et au dogmatisme et lorsque, bien plus tard, il croira trouver le royaume de Dieu dans la ferveur et dans le bonheur humains. Cependant il nous semble qu'il était probablement sincère en cherchant dans sa Bible de nouvelles règles de conduite, et, de plus, qu'il croyait rester fidèle à la tradition calviniste qui lui avait enseigné à chercher lui-même sa lumière dans les Ecritures. Ce procédé, qui n'est qu'ébauché dans les mois après la publication des *Cahiers*, devint dans les années suivantes une des bases de sa pensée religieuse.

Cette première révolte religieuse prit sa source, nous semble-t-il, plus dans une protestation morale que dans le refus de la raison d'accepter la croyance.[17] Les éléments d'une critique rationnelle de la religion fondée sur le doute intellectuel ne manquent pas dans *Les Cahiers d'André Walter* et dans le *Journal*, mais ils ne jouent pas encore le premier rôle dans la perte de la foi chez Gide. C'est que son dilemme est tout d'abord celui de la chair. En outre, les libérations idéologiques ne s'accomplissent jamais si facilement que les protestations morales, puisque celles-là demeurent d'une façon générale sur le plan de la pensée pure, tandis que la question morale envahit chaque action quotidienne. Et ainsi que le montre William James, le raisonnement pur ne nous émeut pas, à moins que nos sentiments et nos désirs n'aient été aussi mis en branle.[18] Il est tout à fait normal que les premiers efforts de libération chez l'adolescent ou le jeune homme se fassent sous la poussée de l'instinct, de même que des conversions qui sont durables et sincères peuvent résulter de ce même instinct. On peut même aller jusqu'à dire que l'idéologie est une dépendance des côtés affectifs de l'homme. François-Paul Alibert l'affirme : « Toute métaphysique est d'origine sentimentale. Elle procède d'abord du cœur, sinon de l'instinct. Je dis cela aussi de toute théologie, laquelle a pour base la

17. Voir toutefois l'avis contraire dans BEIGBEDER. *op. cit.*, pp. 55-56.
18. William JAMES. *The Varieties of Religious Experience.* New York : Longmans Green & Co., 1915, p. 74.

foi. »[19] De qualifier toute l'évolution spirituelle de Gide de factice simplement parce qu'elle se manifesta d'abord comme une protestation contre le puritanisme, c'est faire preuve d'une attitude singulièrement étroite.

Faisant le bilan de son progrès spirituel à la fin de l'année 1893, Gide confia à son *Journal* ces phrases qui illustrent les attitudes dont nous avons parlé :

> Tous mes efforts ont été portés cette année sur cette tâche difficile : me débarrasser enfin de tout ce qu'une religion transmise avait mis autour de moi d'inutile, de trop étroit et qui limitait trop ma nature ; sans rien répudier pourtant de tout ce qui pouvait m'éduquer et me fortifier encore.[20]

Cette même année il rédigea ce qu'il appela une « prière » qui révèle toute la distance qui sépare cette nouvelle position éthique et religieuse de celle d'André Walter : « O mon Dieu, qu'éclate cette morale trop étroite et que je vive, ah ! pleinement ; et donnez-moi la force de le faire, ah ! sans crainte, et sans voir toujours que je m'en vais pécher. »[21] Il est évident que Gide éprouvait en même temps deux impulsions contradictoires et qu'il dut se faire violence pour rejeter les notions morales calvinistes, tout en reconnaissant l'illogisme de l'éthique huguenote. Plusieurs nouveaux contacts l'aidèrent alors à secouer le joug des idées données et à prendre davantage conscience des contradictions essentielles entre sa propre attitude et la doctrine protestante. Il est utile d'examiner maintenant de plus près l'influence de ses fréquentations et de ses activités sur l'évolution de sa pensée et la tournure esthétique que prit celle-ci.

Le critique Delay a très bien mis en valeur les répercussions dans l'âme de Gide du refus par Madeleine de sa demande en mariage. Sans qu'il abandonnât son projet de mariage, ce refus dut avoir une certaine influence sur son attitude intellectuelle pendant les mois à venir. Comme son personnage André Walter, il se sentait désarmé devant la vie et privé de l'appui moral qu'il lui fallait pour rester fidèle à sa religion adolescente. Il est vrai que Madeleine n'en continua pas moins à exercer un grand ascendant sur

19. François-Paul Alibert, Henri Bernstein *et al. André Gide.* Paris : Editions du Capitole, [1928], p. 65.
20. *Journal*, p. 41.
21. *Ibid.*, p. 34.

le jeune écrivain et à en profiter. Gide en convint lorsqu'il écrivit dans son *Journal* en 1892, « Je te remercie, Seigneur, de ce que la seule influence de femme sur mon âme ravie et qui n'en souhaite plus d'autre, que l'influence d'Em. ait toujours guidé mon âme vers les vérités les plus hautes... » [22] Mais ainsi que le fait remarquer fort justement M. Delay,

> Les attitudes morales, et même religieuses, de Gide ont été profondément modifiées par le refus d'Emmanuèle. .... Le point d'appui sur lequel s'était édifiée l'armature morale de Walter venant à lui manquer, celle-ci ne tarderait pas à se défaire ou à se transformer. .... Les tendances mystiques qui étaient apparues avec l'éveil de son amour pour Emmanuèle subsistaient, mais elles s'engagèrent dans une voie nouvelle et le jeune Huguenot les mit au service d'un culte quasi religieux de la littérature. [23]

Ce critique relève un autre point important dans l'analyse de la pensée changeante de Gide. Son entrée dans les milieux symbolistes, son amitié avec Valéry, et ses lectures en plus de son amour déjà fort pour l'art, l'amenaient peu à peu à une conception de la souveraineté et du caractère sacré de l'art aussi bien qu'à un dévouement exemplaire aux idéals symbolistes. Ensuite l'élévation des valeurs esthétiques jusqu'au rang transcendantal créa pour lui toute une nouvelle métaphysique qui était fondée sur les notions de l'absolu, de l'universalité et l'unité de la vérité, de l'Idée, et du symbole. Il formula cette métaphysique dans *Le Traité du Narcisse.* Il ne faut pas exagérer, bien sûr, le rôle des influences dans la formation de ce nouveau credo. Il est probable que Gide y serait arrivé tout seul, ayant manifesté dès sa sortie du lycée une volonté ferme de se consacrer à la littérature et n'étant pas encore mûr pour une vie sans métaphysique. Mais la tournure particulièrement littéraire que donnaient à son transcendantalisme des maîtres tels que Baudelaire, Mallarmé, et Villiers de l'Isle-Adam, et l'exemple du jeune Valéry pour qui il n'y avait qu'un dieu — l'œuvre d'art — facilitèrent sans doute la transformation chez Gide de la mysticité chrétienne en mysticité esthétique.

Hors l'influence de Valéry et celle de Mallarmé, que le docteur Delay considère comme capitale, il faut mentionner

22. *Ibid.*, p. 29.
23. DELAY, *op. cit.*. II, p. 34.

l'exemple d'Oscar Wilde. La première rencontre des deux écrivains prit place en novembre 1891. Ce fut la première fois que Gide se trouvât en présence d'un homme qui était non seulement esthète et irréligieux mais qui se déclarait adversaire de toutes les valeurs chrétiennes — morales et théologiques. Sa personnalité ne laissa pas de fasciner Gide, et cet amoralisme wildien qu'il comprit mieux quelques années plus tard, se joignit à l'influence symboliste pour commencer à opérer chez le débutant une transmutation de valeurs. Parlant de ce personnage qui devait jouer un rôle considérable dans sa vie, Gide dit qu'on le sentait « toujours tâchant d'insinuer en vous l'autorisation du mal. [24]

Il n'est pas surprenant que Gide pût passer facilement de la ferveur purement religieuse à la ferveur esthétique. « L'art et la religion se touchent de si près que leur mince cloison s'abolit sans peine. La prière et l'aspiration à la poésie ont pour but de dégager l'âme de la pesante matière qui l'obscurcit... » [25] Ces mots du critique Yang révèlent l'étroite unité entre les sentiments religieux et l'extase de l'artiste où, toutefois, se trouve un grand nombre d'éléments intellectuels, à la différence de l'extase religieuse. L'esthétisme fournit à la fois une échappatoire pour les impulsions mystiques de Gide, y compris le désir de l'immortalité et la recherche de la félicité suprasensible, et un cadre où édifier une nouvelle éthique basée sur l'individualisme et le sacrifice tous les deux. Il lui donna le sentiment de réaliser sa vocation d'« élu. » C'était un appel à un haut destin, nullement égoïste, digne de l'homme. Dès 1890, le jeune homme de lettres avait écrit, « Songer à son salut : égoïsme. Le héros ne doit même pas songer à son salut. Il s'est volontairement et fatalement dévoué, jusqu'à la damnation, pour les autres ; pour manifester. » Deux ans plus tard, le même thème baudelairien reparut : « Deux choses exaspèrent... : l'immense ennui que j'ai de moi-même ; l'immense amour pour l'idée pure... » [26] Cette conception platonicienne de l'idée pure et de l'épuration de l'individu au fur et à mesure qu'il s'y consacre commença à remplacer chez Gide la croyance au Dieu personnel des chrétiens, de même que les valeurs individuelles et la notion du dévouement à l'art rem-

24. *Ibitd.*, II, p. 137. Voir aussi Charles Du Bos. *Journal.* 8 v. Paris : Corréa, c. 1946, 1948, 1950 ; Colomb, 1954-59, III, p. 364.
25. Yang, *op. cit.*. p. 35.
26. *Journal*, pp. 18, 30.

placèrent la morale traditionnelle. Il dira dans une conférence faite plus tard mais révélatrice pour notre étude ici : « La morale... est une dépendance de l'esthétique. » [27] Ce culte de l'art comme divin chez le jeune symboliste était tout à fait sérieux. En faisant allusion à leurs enthousiasmes communs vers 1891, Valéry a écrit,

> Artiste, signifiait pour nous un être séparé, à la fois victime et lévite, un être choisi par ses dons et de qui les mérites et les fautes n'étaient point ceux des autres hommes. Il était le serviteur et l'apôtre d'une divinité dont la notion se dégageait peu à peu... Notre Dieu inconnu et incontestable était celui qui se manifeste dans les œuvres de l'homme en tant qu'elles sont belles et gratuites... [28]

Plongé dans l'ambiance symboliste, où il allait de soi que non seulement tout fût immolé aux Muses mais que tout ce que le monde bourgeois tenait pour sacré — religion, politique, société — fût constamment mis en question, pour ne pas dire ridiculisé, Gide ne laissa pas de sentir se développer en lui un idéal esthétique aux dépens du Dieu chrétien.

Cependant, la notion de Dieu, l'amour du Christ, et le sentiment d'être « profondément chrétien » ne disparaissaient pas, complètement du cœur de Gide. Ils n'étaient pas détruits, mais se cachaient dans son tréfonds, prêts à remonter un jour au premier plan de sa pensée. Dans sa « religion de la poésie » se trouvaient maints éléments — par exemple, la notion de la Perfection et celle du devoir de sacrifice — qui reliaient les domaines de la religion et de l'esthétique. Sans surfaire d'une part la complexité de Gide, ni trop simplifier d'autre part le dialogue perpétuel dont il se sentait la scène, on peut constater un mouvement de balancier qui le faisait tourner tantôt d'un côté, tantôt de l'autre, et préserver les contraires au fond de son être. Il est probable que grâce à l'art Gide entrevoyait un plan de synthèse psychologique et métaphysique où pouvaient se réconcilier et s'épurer les contraires de sa nature et l'opposition entre la notion calviniste de devoir et l'individualisme. L'hypothèse de l'auteur de *Si le grain ne meurt* sur les liens entre la diversité de son hérédité et l'œuvre d'art s'applique aussi bien aux contradictions intimes entre sa formation et son besoin de libération :

27. *Œuvres complètes,* IV, p. 387.
28. Cité dans DELAY, *op. cit.,* II, pp. 66-67.

> Souvent, je me suis persuadé que j'avais été contraint à l'œuvre d'art parce que je ne pouvais réaliser que par elle l'accord de ces éléments trop divers, qui sinon fussent restés à se combattre, ou tout au moins à dialoguer en moi. [29]

Sur le plan de l'esthétique, donc, les conflits entre la formation chrétienne et le désir d'une nouvelle croyance et d'une nouvelle morale pouvaient se résoudre et enrichir la production littéraire de Gide.

Dans cet éloignement progressif du christianisme et dans la formation d'une métaphysique de l'art, l'influence des lectures de Gide est à remarquer. Il allait de préférence à cette époque aux œuvres de ceux qui avaient regimbé contre l'étroite morale chrétienne et qui avaient opté pour un transcendantalisme esthétique ou bien pour une sorte d'humanisme trop vaste pour être chrétien. Il appréciait chez Ibsen une révendication de l'individualisme et l'idéalisation de la notion païenne de plénitude opposée à la morale chrétienne qui exige le renoncement. Les personnages de prédilection chez Ibsen rejettent les idées toutes faites et la morale traditionnelle. Il est probable que chez Stendhal (lecture favorite) Gide appréciait le style, le dévouement à l'art et la subordination des questions transcendantes aux questions humaines. De Gœthe Gide lut *Faust* (dont le monologue à son réveil dans la nature le bouleversa [30]), *Prométhée,* et *Iphigénie en Tauride,* trouvant dans ces ouvrages un idéal d'équilibre et un écart évident des valeurs chrétiennes fondées sur la suppression d'une partie de l'être, aussi bien que l'idée de la révolte nécessaire contre les dieux et contre les croyances toutes faites et une conception essentiellement païenne d'un Dieu naturel. [31] Le nom de Taine, de Balzac, de Barrès (*Le Culte du moi*), de même que celui de Zola, de Tolstoï, et de nombreux poètes remplissent les carnets de Gide à cette époque. Il se dit intéressé par le commentaire de Taine sur la crise religieuse de Jouffroy, par les pages du grand positiviste sur l'opposition entre le génie

29. *Si le grain ne meurt,* p. 21.

30. André Gide. « Goethe », *Nouvelle Revue française,* XXXVIII (mars 1932), p. 371.

31. André GIDE. *Interviews imaginaires.* New York : Jacques Schiffrin, 1943, pp. 153-54. Pour un jugement de l'influence de Goethe sur le jeune Gide, le lecteur devrait se reporter à DELAY, *op. cit.*, II, pp. 159-61, 257, 658 ; et, pour le point de vue opposé, à Bluma Renée LANG. *André Gide et la Pensée allemande.* Paris : Egloff, [1949], pp. 146-47.

de la Réforme et celui de la Renaissance, et par *Religions et Religion* de Victor Hugo.[32] Gide ne connaissait pas encore Nietzsche, ou tout au moins ne le lisait pas encore. Cette question de l'influence du philosophe allemand sur son corréligionnaire français a fait couler beaucoup d'encre mais n'a pas à nous arrêter ici. Constatons tout simplement que les idées de Nietzsche étaient dans l'air, que Gide le connaîtrait plus tard de nom, grâce aux indications de son ami Marcel Drouin, et qu'il prendrait ensuite connaissance de ses œuvres.

Ainsi dans la courte période de 1891 à 1893 l'attitude de Gide subit des fluctuations importantes qui constituaient une volte-face sur la question morale et religieuse. Malgré des velléités de foi et de repentir et malgré ses attaches au culte que maintenait son amour toujours vif pour Madeleine, il ne cessa de s'éloigner de l'idéal chrétien de sa jeunesse. Une lettre à Drouin du 18 mars 1893 en témoigne d'une façon catégorique : « Aujourd'hui ton ami [Gide]... est payen, ou n'est pas grand'chose. La « question religieuse » m'exaspère ; et je ne peux plus supporter d'en parler. »[33] Dans *Le Voyage d'Urien* les Esquimaux symbolisent des puritains et des théologiens austères, dont la « joie théologique » et la doctrine paraissent à Gide intolérables, entraînant une mutilation de l'être.[34] La « chère Ellis » du livre exprime la nouvelle position individualiste de l'auteur : « Pour chacun la route est unique, et chaque route mène à Dieu. ... Rien ne finit qu en Dieu. »[35] Gide ne pouvait plus se satisfaire toutefois de la mise en scène symboliste de sa révolte. Parmi tout le symbolisme du *Voyage*, on aperçoit une critique du transcendantalisme esthétique qui commençait à lui apparaître trop abstrait, trop stérile. A la fin de leur voyage, les pèlerins ne trouvent qu'un papier blanc au lieu des révélations surnaturelles qu'ils attendaient. Il y a également une préfiguration d'un nouveau développement : la religion panthéiste qui devint primordiale dans sa pensée au cours de son premier séjour en Afrique, en automne 1893.

Dans *Urien*, le narrateur s'écrie prophétiquement, « O

32. DELAY, *op. cit.*, II, pp. 83-84, 178.
33. YVONNE DAVET. *Autour des Nourritures terrestres*. [Paris] : Gallimard, [1948], p. 44.
34. DELAY, *op. cit.*, II, pp. 208-09.
35. *Œuvres complètes*, I, pp. 356-57.

nuit orientale et calmée, enfin reposeras-tu ma tête lasse de penser Dieu ? »[36] Ce fut afin d'échapper aux régions polaires de la pensée et aux conflits de conscience qui le hantaient toujours, surtout pendant la rédaction de ce dernier ouvrage, que Gide fit son premier séjour dans l'Afrique du Nord. Le choix de ce pays fut un résultat du hasard : après avoir songé à divers pays, Gide prit le parti d'accompagner en Algérie son ami Paul-Albert Laurens, qui venait de recevoir une bourse de voyage. Le but du dépaysement était très net. Gide explique toute l'importance de ce voyage pour lui qui avait vécu jusqu'à vingt-trois ans « complètement vierge et dépravé... [cherchant] quelque morceau de chair où pouvoir appliquer mes lèvres. » Nous estimons ces passages essentiels dans l'étude de Gide. Il écrit,

> Mon éducation puritaine m'avait ainsi formé, donnait telle importance à certaines choses, que je ne concevais point que les questions qui m'agitaient ne passionnassent point l'humanité toute entière... J'étais pareil à Prométhée qui s'étonnait qu'on pût vivre sans aigle et sans se laisser dévorer. Au demeurant, sans le savoir, j'aimais cet aigle ; mais avec lui je commençais de transiger. Oui, le problème pour moi restait le même, mais, en avançant dans la vie, je ne le considérais déjà plus si terrible... Quel problème ? .... Le voici, réduit au plus simple : Au nom de quel Dieu, de quel idéal, me défendez-vous de vivre selon ma nature ?

Il précise ensuite les résultats de cette question en ce qui concerne la religion protestante, fondée sur la morale :

> Jusqu'à présent j'avais accepté la morale du Christ, ou du moins certain puritanisme que l'on m'avait enseigné comme étant la morale du Christ. ... Je n'avais obtenu qu'un profond désarroi de tout mon être. Je n'acceptais point de vivre sans règles, et les revendications de ma chair ne savaient se passer de l'assentiment de mon esprit. ... Mais j'en vins alors à douter si Dieu lui-même exigeait de telles contraintes ; s'il n'était pas impie de regimber sans cesse...[37]

Il entrevoyait alors la possiblité de résoudre ce conflit en une riche harmonie, qui devait dès lors être son but souverain, et pour atteindre laquelle il se lança vers l'Afrique comme à la quête de la toison d'or. Cet idéal d'équilibre et de plénitude, qu'il appelle classique, s'opposait nettement

36. *Ibid.*, I, p. 288.
37. *Si le grain ne meurt*, pp. 280-81.

(il en convenait) à son premier idéal chrétien, et aussi laissa-t-il chez lui (mais non sans « une sorte de déchirement ») sa Bible, autrefois sa nourriture quotidienne. Cette séparation ne fut pas facile, et il dut demander plus tard à sa mère de lui envoyer le livre saint.[38] Il emporta également avec lui *La logique de Port-Royal* et *Les Affinités électives*, deux ouvrages qui témoignent de son état d'ambivalence religieuse et morale. Cependant l'intention du voyageur est évidente. « L'abandon de l'esprit de vigilance et de résistance au péché, » écrit M. Delay, « marquait de toute évidence l'abandon de la religion protestante. »[39] Gide arriva en Algérie en octobre 1893. Après avoir suivi une partie de son itinéraire, il tomba malade des poumons à Sousse mais put pousser jusqu'à Biskra, où il s'alita. Pendant sa convalescence, il fit plusieurs expériences capitales dans son développement, les unes ayant pour but de normaliser son désir, les autres, de créer sa propre norme. En même temps qu'il renaissait à la santé et littéralement à la vie, il naquit à la volupté sensuelle et à la conscience de la beauté naturelle qui l'entourait. Ses lettres d'alors, aussi bien que *Les Nourritures terrestres* et des passages de *L'Immoraliste*, sont un hymne aux joies des cinq sens et à la volupté de la nature algérienne. Il se détourna de l'intellectualisme et se baigna dans le sensualisme, comme D.H. Lawrence. Les répercussions psychiques de cette crise et de cette libération ne peuvent guère être surestimées. Se rappelant son état d'âme d'alors, l'écrivain affirme dans ses mémoires,

> Il me semblait que pour la première fois je vivais sorti de la vallée de l'ombre de la mort, que je naissais à la vraie vie. ... J'entendais, je voyais, je respirais, comme je n'avais fait jusqu'alors.... je sentais mon cœur désœuvré, sanglotant de reconnaissance, fondre en adoration pour un Apollon inconnu.[40]

Les conséquencecs de cette découverte sont profondes pour son art ; elles ne sont pas moins importantes pour sa pensée.

Sa nouvelle vision de l'homme et du monde inspira *Les Nourritures terrestres*, ouvrage lyrique d'une grande diversité de forme qui est une panégyrique de la nature et du moi. Bien qu'il ne vît le jour qu'en 1897, il appartient par

38. Delay, *op. cit.*, II, p. 276.
39. *Ibid.*, II, pp. 268, 276-77.
40. *Si le grain ne meurt*, p. 307.
41. Delay, *op. cit.*, II, p. 593.

son contenu à la période de la révolte algérienne. Gide affirma lui-même que la conception du livre datait de son premier séjour en Algérie et que de nombreux passages en furent composés tout de suite après son voyage.[41] En nous servant de ses déclarations des *Nourritures* et de ses observations notées dans le *Journal*, il sera possible d'établir les volte-face principales de sa pensée et de mesurer la profondeur des changements idéologiques que fit éclore la crise africaine.

Tout d'abord, le jeune voyageur rejeta définitivement la morale puritaine, dont le prestige était déjà détruit dans son esprit. Ces vers libres des *Nourritures terrestres* expriment sa nouvelle attitude :

> Commandements de Dieu, vous avez endolori mon âme.
> Commandements de Dieu, serez-vous dix ou vingt ?
> Jusqu'où rétrécirez-vous vos limites ?
> Enseignez-vous qu'il y a toujours plus de choses défendues ?
> De nouveaux châtiments promis à la soif de tout ce que
> [j'aurai trouvé beau sur la terre ?
> Commandements de Dieu, vous avez rendu malade mon âme.
> Vous avez entouré de murs les seules eaux pour me
> [désaltérer.[42]

Comme l'a fort bien mis en valeur M. Archambault, il lui semblait que Dieu ne saurait exiger un sacrifice inhumain contre la nature.[43] « Les lois de la nature sont celles de Dieu, » écrivit-il,[44] faisant écho à l'idéal goethéen et à la philosophie de Spinoza et de nombreux autres panthéistes. Les fruits de la terre nous sont offerts pour que nous en jouissions ; et l'auteur d'écrire cette phrase - clé devenue célèbre : « Je ne crois plus au péché. »[45] Par conséquent, Dieu, n'exigeant plus la mutilation de l'homme, n'était plus le même Dieu ; on avait mal interprété ses demandes et on avait fait de l'univers une idée tout à fait fausse. Le vrai Dieu est un Etre qui désire le bonheur *naturel* et non pas *surnaturel* de ses créatures.

Deuxièmement, l'origine de la foi lui semblait tout immanente et psychologique. « J'aime Dieu parce qu'il

42. André GIDE. *Les Nourritures terrestres* et *Les Nouvelles Nourritures*. Paris : Gallimard, c. 1921 et 1935, p. 125.
43. ARCHAMBAULT, *op. cit.*, p. 42.
44. *Journal*, p. 55.
45. *Nourritures terrestres*, pp. 47, 172.

est en moi-même, » dit-il laconiquement dans le *Journal.*[46] Dans cette perspective, l'homme croit aux dieux qu'il se crée d'après son propre caractère et ses propres besoins. Il n'y a ni idées innées ni vérités transcendantales, et Dieu, au lieu d'être a priori est proprement tel que nous l'imaginons. « L'histoire de Dieu ne peut être que l'histoire de ce qu'ont cru les hommes. »[47]

Gide alla donc jusqu'à abandonner entièrement la notion du Dieu chrétien, transcendant, créateur des hommes, source d'une aide providentielle, rédempteur de l'homme par un sacrifice éternel, et avec qui l'individu reste dans un rapport d'inégalité essentielle. L'homme est incapable de savoir si une telle Divinité existe. Toutes les preuves (ontologiques et téléologiques) sont vaines parce qu'elles sont limitées par notre science qui est finie. Dans une « Ronde des belles preuves de l'existence de Dieu, » Gide se débarrassa une fois pour toutes des arguments logiques de l'existence de Dieu :

> Je sais qu'il y a l'assentiment du plus grand nombre,
> Mais tu crois, toi, au petit nombre d'élus.
> Il y a bien la preuve par deux et deux font quatre,
> Mais, Nathanaël, tout le monde ne sait pas bien calculer.
> Il y a la preuve du premier moteur,
> Mais il y a celui qui est encore avant celui-là....
> Il y a la preuve par les causes finales,
> Mais tous ne trouvent pas que la fin justifie les moyens.[48]

Désormais Gide n'écouterait plus les arguments avancés par les théologiens pour démontrer l'existence de Dieu, car il avait découvert que la métaphysique est une création de l'homme. Si Dieu existe, c'est plutôt comme phénomène — humain ou naturel — que comme noumène. Dans son *Journal,* il renouvela cette idée : « Vouloir prouver que Dieu est, c'est aussi absurde que d'affirmer que Dieu n'est pas. Car nos affirmations et nos preuves ne le créeront pas... Je préfère dire que : du moment qu'il y a quelque chose, c'est Dieu. L'expliquer m'est inutile ; il s'explique lui-même par toute la Nature... »[49] Cependant, après avoir fait remarquer que Gide « n'a jamais eu de goût pour l'in-

46. *Journal,* p. 56.
47. *Ibid.,* p. 88.
48. *Nourritures terrestres,* pp. 44-45.
49. *Journal,* p. 88.

telligence abstraite » et que tout raisonnement idéologique lui paraît sophistique, Léon Pierre-Quint dit excellemment : « Mais si Gide dédaigne le raisonnement, encore tient-il à s'appuyer sur la raison. La position des dévots... le heurte par la pauvreté de leurs arguments. » [50] En plus, la métaphysique platonicienne de l'Idée, avec sa doctrine de l'irréalité de ce monde et du sacrifice de l'individu, ne lui semblait plus de mise.

De même, la notion de l'âme extrasensorielle et en même temps la dichotomie entre l'âme et la raison disparurent de sa pensée. Nous lisons, « Ma raison est appelée à honorer Dieu comme le reste de mon être ; n'est-elle pas immanente de Dieu ? et ne s'en approche-t-elle pas en silence ? » Et dans le même passage : « Je veux honorer Dieu par toutes les parties de moi-même, le rechercher de toutes parts, et ne rien supprimer... ; il me semble que c'est mal prier. » [51]

Gide aboutit ici à une sorte de panthéisme immanentiste. Il trouve la divinité dans la nature, révélée par la vie apparemment consciente et ordonnée de l'univers matériel. Dieu est cette conscience et cette essence divines ; le monde et la Divinité sont dans un rapport logique, l'essence de l'un découlant nécessairement de l'essence de l'autre. Il voit aussi que l'homme peut atteindre cette Divinité, que l'homme la crée pour ainsi dire par sa réceptivité. Ainsi Dieu est-il conçu aussi comme la totalité même de ce qui est l'objet de jouissance. C'est une religion naturelle dans le sens que donne à ce mot William James : une croyance selon laquelle l'homme accepte joyeusement sa nature et la nature au lieu d'y renoncer ainsi que dans le christianisme. [52] A son disciple imaginaire dans *Les Nourritures terrestres*, l'écrivain recommande,

> Ne souhaite pas, Nathanaël, trouver Dieu ailleurs que partout. Chaque créature indique Dieu... Nous croyons tous devoir découvrir Dieu. Nous ne savons, hélas ! en attendant de Le trouver, où nous devons adresser nos prières. Puis on se dit enfin qu'il est partout, n'importe où, l'Introuvable, et on s'agenouille au hasard. .... Où que tu ailles, tu ne peux rencontrer que Dieu. Dieu... c'est

50. Léon Pierre-Quint. *André Gide, l'homme, sa vie, son œuvre*. Paris : Stock, Delamain et Boutelleau, 1957, p. 323.
51. *Journal*, pp. 53-54.
52. James, *op. cit.*, p. 142.

ce qui est devant nous. Comprends qu'à chaque instant du jour tu peux posséder Dieu dans sa totalité. [53]

Ces lignes rappellent les paroles de Balzac dans *Séraphîta* : « Tout aboutit à Dieu, il est donc bien des chances pour le trouver, en allant droit avant soi. .... Partout, en priant, il est facile d'arriver à lui. » [54] Ailleurs nous lisons ces mots de Gide : « Attendre Dieu, Nathanaël, c'est ne comprendre pas que tu le possèdes déjà. Ne distingue pas Dieu du bonheur et place tout ton bonheur dans l'instant. » [55] Le jeune écrivain s'approche ici de la doctrine développée par certains Grecs selon laquelle le bonheur est une habitude de conformité à la nature. Il appellerait cette habitude ou cette bonne volonté, de l'amour. Car s'il y a un principe unificateur dans les aspirations humaines vers la Divinité, c'est celui de l'amour. Ce sont l'amour et la ferveur qui nous permettent d'entrer en contact avec la nature, d'être réceptifs, et qui ouvrent en nous des sources de bonheur quasi divin. Ayant rejeté les preuves théologiques de Dieu, Gide postule l'essence de l'Etre supérieur ainsi : « Il y en a qui prouvent Dieu par l'amour que l'on sent pour Lui. Voilà pourquoi, Nathanaël, j'ai nommé Dieu tout ce que j'aime, et pourquoi j'ai voulu tout aimer. » [56] L'essence divine s'énonce donc dans l'esprit de l'homme aussi bien que dans les phénomènes naturels.

Cette attitude rappelle mais porte beaucoup plus loin la position protestante selon laquelle c'est l'homme qui indique la grâce efficace de Dieu et la rend significative. Seules les grâces sensibles sont significatives pour l'individu d'après Gide, de sorte que tout ce qui est surnaturel, sans manifestation matérielle, est impensable et infécond pour lui. Charles Du Bos a bien mis en valeur cette révolte gidienne contre l'abstraction sous toutes ses formes, y compris toute notion métaphysique de la Divinité. En 1925 le célèbre critique nota dans son *Journal,*

De plus en plus je les vois [*Les Nourritures*] comme marquant dans la ligne de Gide un moment décisif : celui où à la pensée se substitue la sensation, celui où Dieu n'est plus cherché dans l'approfondissement et la reprise de la prière... n'est plus cherché ailleurs que

53. *Nourritures terrestres,* pp. 19-21, 31.
54. Honoré de BALZAC. *Louis Lambert* et *Séraphîta.* Paris : s. d., Albin Michel, pp. 333, 340.
55. *Nourritures terrestres,* p. 31.
56. *Ibid.,* p. 45.

partout. A partir de ce moment, c'est d'un Dieu spatial, pourrait-on dire, ou du moins épars, qu'il s'agit, et non plus de cette essence divine... [57]

Pour Du Bos, Dieu lui-même n'est pas en question ; c'est plutôt le fait qu'il doit être sensible à l'âme qui importe à Gide. Quoi qu'il en soit de l'existence de Dieu (problème auquel il faudra revenir), il est vrai que *Les Nourritures terrestres* font ressortir cette nécessité du tangible dans le credo que se fait Gide.

L'homme entre par conséquent en rapports avec l'esprit universel par l'amour, par la ferveur, et aussi par la participation de ses sens. Tout son être partage la joie universelle dans ce que Jean Delay appelle du « quiétisme naturaliste. » [58] L'homme éprouve un sentiment d'admiration et d'adoration pour le grand fait de l'Etre. Aucune Divinité personnelle n'est nécessaire pour recueillir cette offrande spirituelle de l'écrivain. « Les âmes fortes et belles n'ont pas besoin de toutes ces paroles. Leur adoration est une exaltation joyeuse, si naturelle qu'elle n'amène même plus le nom de Dieu à leur bouche. » [59] La « prière » ne serait donc pour Gide qu'un sentiment d'admiration chez l'homme et une disposition à se laisser remplir par l'esprit de l'univers naturel ; l'idée de communication personnelle, nécessaire à la véritable religion, en est exclue. La prière serait en quelque sorte une habitude d'optimisme. Le *Journal* de 1894 contient l'expression de ce credo : « Ce que d'autres appellent 'reconnaissance,' je crois que c'est mon admiration. ... J'admire [Dieu] parce qu'il est beau ; car Dieu est tout, et tout est beau pour qui sait comprendre. » [60] Dans *Les Nourritures,* il affirme, « Je garde l'habitude d'une vaste confiance qu'on appellerait de la foi, si elle était assermentée. » [61]

Cette vision du monde est anthropomorphique et anthropocentrique aussi bien que panthéiste. C'est peut-être exagérer que de prétendre, ainsi que le fait Mlle Elsie Pell dans sa thèse, que dans *Les Nourritures,* « l'homme est

57. Du Bos, *Journal,* II, p. 368. Voir aussi Du Bos, *Dialogue avec André Gide,* pp. 57, 293-94.
58. Delay, *op. cit.,* II, p. 367.
59. *Journal,* p. 56.
60. *Ibid.,* p. 56.
61. *Nourritures terrestres,* p. 154.

ébloui par la beauté de sa propre image. » [62] Toujours est-il que Gide place son exigence en l'homme : l'homme est responsable de manifester Dieu par sa vie, qui est essentiellement bonne. Tout en rappelant ici une notion de la période symboliste, Gide annonce une de ses attitudes les plus caractéristiques, et celle qui sera la base de toute sa pensée bien plus tard : l'espoir en l'homme et l'acceptation de la condition humaine. « Assumer le plus possible d'humanité, » conseille-t-il dans *Les Nourritures terrestres*. Et ailleurs il caractérise si bien cette condition de l'homme qui ne peut pas s'en remettre à Dieu pour ses conseils, sachant que Dieu n'est que l'ensemble des phénomènes naturels et même peut-être une fonction de la croyance humaine : « Et tu seras pareil, Nathanaël, à qui suivrait pour se guider une lumière que lui-même tiendrait en sa main. » [63]

Tout en prenant cette position indépendante qui exprimait une véritable révolte, l'écrivain ne cessait de songer aux Evangiles, particulièrement au Christ. Ses attaches à la personne du Christ étaient profondes et le restèrent pendant toute sa vie. Il est curieux que, même au cours de ces années d' « athéisme panthéiste » pendant lesquelles il se baignait dans la nature, suivant l'exemple de Goethe, le jeune homme ne cessât d'emprunter à la religion chrétienne une partie de son vocabulaire et de ses textes sacrés. Tout en rejetant l'idée d'un Dieu transcendant, il semblait vouloir interpréter l'univers et l'homme dans l'éclairage de l'idée de Dieu. Ainsi que l'exprime Renée Lang,

> « Chercher Dieu » reste malgré tout sa formule. Les Ecritures ont façonné sa pensée à ce point qu'il ne peut prendre au sérieux rien d'autre. Qu'il ait tâché de les écarter par moment, qu'il les ait interprétées de manière très subjective, ... qu'il ait assumé tour à tour des attitudes de païen, de panthéiste... là n'est pas l'important : Dieu est partout présent dans son œuvre, l'Evangile l'obsède... [64]

Il semblait que sa ferveur chrétienne de l'époque d'André Walter n'eût fait que changer d'objet, se tournant cette fois vers l'homme et la nature mais gardant une tournure religieuse. Le souci moral, l'idée de perfection, et la spiritualité, même la disposition mystique, n'étaient pas

62. Pell, *op. cit.*, p. 96.
63. *Nourritures terrestres*, p. 20-21, 25.
64. Lang, *op. cit.*, p. 110.

complètement absents de son âme, malgré sa révolte, et le principe d'une Divinité était trop profondément gravé en lui pour qu'il pût s'en passer entièrement.

Nous avons déjà fait remarquer le procédé d'interprétation très individualiste de la Bible auquel avait recours souvent Gide. Il voulait « découvrir les tables de ma loi nouvelle. » Car, ainsi qu'il l'exprima plus tard, « Il ne me suffisait pas de m'émanciper de la règle ; je prétendis légitimer mon délire, donner raison à ma folie. » [65] Il voulait découvrir dans les Ecritures elles-mêmes le Dieu panthéiste qu'il adorait. En se mettant à lire l'Evangille « d'un œil neuf, » il découvrait un Christ humain, fort différent du Messie de la secte protestante, fils de Dieu. Il fermait les yeux devant le Calvaire, de sorte que son Christ apparaissait comme un philosophe païen prêchant le bonheur. C'était un Christ « très tendre, doucement anarchiste, infiniment indulgent aux faiblesses des hommes, poète incomparable, un Christ enfin très rousseauiste, un peu fouriériste, vaguement renanien... [66] L'immense amour de Jésus pour les êtres et pour la nature et sa joie radieuse semblaient à Gide le modèle et l'image de sa propre ferveur. C'était cette ferveur divine qui rendait belles pour le jeune émancipé français les paroles et l'âme du Christ.

Une autre chose l'attirait dans le message du prophète galiléen : le côté anti-social, anti-traditionnel, et pour ainsi dire révolutionnaire, de l'Evangile. Il alla jusqu'à voir chez le Christ une revendication des droits de l'individu contre toute norme sociale et même contre la famille. Cette interprétation et l'apologie du « nomadisme » qu'il y vit faisaient contraste avec l'interprétation traditionnelle des Ecritures. Révélant une nouvelle attitude envers le protestantisme (qui s'accentuera par la suite), il écrivit,

> Je m'étonne que le protestantisme, en repoussant les hiérarchies de l'Eglise, n'ait pas repoussé du même coup les oppressantes institutions de Saint-Paul, pour ne relever plus que des seuls Evangiles. On en viendra bientôt, je pense, à dégager les paroles du Christ, pour les laisser paraître plus émancipatrices qu'elles ne le paraissaient jusqu'alors. Moins ensevelies, elles paraîtront plus dramatiquement, niant enfin la famille, ... tirant l'homme de son milieu pour une carrière

65. *Si le grain ne meurt*, p. 355.
66. Delay, *op. cit.*, II, p. 489.

personnelle et lui enseignant par son exemple et par sa voix à n'avoir plus de possessions sur la terre... J'ai beau lire et relire l'Evangile, je ne vois pas une seule parole du Christ dont on puisse... autoriser la famille, le mariage. [67]

Il donnait sa préférence (ainsi qu'il le ferait à l'avenir) aux paroles du Christ sur le bonheur, et il vit un sens profond pour l'individu dans le verset sur la nécessité de perdre sa vie, c'est-à-dire, d'abandonner ses possessions et ses habitudes, même ses croyances, et de renaître spirituellement grâce au dénuement. Pourtant il voulait se retenir de tomber dans « un hédonisme de complaisance. » [68] Sans abandonner son esprit de révérence devant le Fils de l'homme, il tira le Christ à soi jusqu'à prétendre lui-même retourner au christianisme primitif, basé sur l'amour, le bonheur, et la joie, libre du formalisme pharisien. « Le christianisme peut certes alimenter encore bien des anarchies ; ... mais il faut qu'il se dégage à présent des formules où, comme des torrents de lave, il se fige à sa surface. » [69] De là à accuser les Eglises de déformer l'œuvre du Christ, il n'y avait qu'un pas, et il le franchit dès l'époque des *Nourritures terrestres,* annonçant ainsi plusieurs leitmotivs de son œuvre futur. Il songea à écrire un *Christianisme contre le Christ.* Il voulait proclamer que « notre monde occidental périt » par une fausse interprétation de l'Evangile. [70]

Toute cette « sagesse » que trouva Gide dans les Evangiles est cependant d'une portée uniquement psychologique et esthétique, et il n'en considéra plus le sens vraiment théologique. Son Christ ressemble curieusement aux personnages des *Nourritures terrestres* et à l'auteur lui-même. Göran Schildt affirme que Gide restait chrétien à cette époque-là parce qu' « un chrétien est celui qui inconsciemment revêt ses conflits et ses problèmes psychiques d'images empruntées au monde chrétien d'idées. » [71] Mais en se servant des termes et des textes de la religion chrétienne, il promulgua une doctrine d'irréligion et de révolte morale et idéologique. Sa conception du paradis terrestre, fondée sur

67. *Journal,* pp. 96-97.
68. *Si le grain ne meurt,* p. 355.
69. *Journal,* p. 96.
70. *Si le grain ne meurt,* pp. 355-56.
71. Göran SCHILDT. *Gide et l'Homme.* Traduit par Marguerite Gay et Gerd de Mautort. [Paris] : Mercure de France, 1949, p. 31.

la joie et les sentiments individuels, n'est pas chrétienne. Après la publication de certains morceaux des *Nourritures terrestres* en 1896, Francis Jammes, qui ne s'était pas encore converti mais qui avait été de tout temps un esprit religieux, écrivit à Gide, « Tu as enfantinement essayé d'établir un parallèle évangélique à cet égoïsme de faux prophète, quittant tout pour suivre une fausse foi.» [72] Il estimait pourtant que chacune des pensées révolutionnaires de Gide portait en elle-même, heureusement, sa propre réfutation, de sorte que le livre finissait par être pieux après tout. Jammes se rendit donc compte de l'élément d'ambiguïté au cœur même du « panthéisme immoraliste » de Gide.

En somme, il est difficile de constater si la conception de Dieu et la croyance à son existence réelle étaient véritablement détruites dans la pensée de Gide à cette époque. Ce qu'il entendait par le mot Dieu n'est pas clair. Ce nom rassemble plusieurs notions que nous avons vues exprimées dans certains écrits gidiens : Dieu comme la nature, Dieu comme l'étincelle divine dans l'homme, Dieu comme l'amour, comme la ferveur, comme la totalité des expériences sensuelles. Le nom renferme également les principes divins que découvrit Gide dans l'Evangile, préceptes révolutionnaires et fort individualistes. Combien ces diverses notions confèrent-elles à Dieu dans l'esprit de Gide une existence réelle, objective ? Nous ne pouvons prétendre répondre à cette question d'une manière catégorique. Il sera pourtant utile de faire là-dedans quelques observations en guise de résumé de notre discussion de l'étape panthéiste chez André Gide.

Le panthéisme est le plus souvent une doctrine lyrique. Comme le théisme, il est fréquemment fondé sur un sentiment irrationnel qu'éprouve l'homme devant la nature, le grand Tout. La croyance peut être quasi spontanée ; elle peut comporter même un élément de naïveté. La gamme des sentiments panthéistes s'étend pourtant des croyances animistes très primitives jusqu'à une philosophie beaucoup plus intellectuelle, comme celle de Spinoza, faite d'ignorance devant l'univers, de croyance en un principe unifica-

72. André GIDE et Francis JAMMES. *Correspondance 1893-1938.* Introduction et notes par Robert Mallet. [Paris] : Gallimard, [1948], pp. 64, 112.

teur et en un rapport essentiel entre matière et esprit, et d'adoration devant ce principe qu'on appelle Dieu. Il nous semble que l'attitude de Gide se range dans ce dernier genre de croyances. Il n'en est pas moins vrai que l'expression de son panthéisme est toute lyrique. Il est difficile d'en déceler la part métaphorique et la part intellectuelle.

S'exprimant sans souci de logique ni de système, Gide ne craint pas de nommer Dieu tantôt une chose, tantôt l'autre. Nous pouvons en conclure que le principe universel, auquel il croit sincèrement, comprend tous ces éléments : amour, nature, ferveur, sincérité, manifestation sensuelle, individualisme. De ces diverses attitudes, Gide formule sa foi panthéiste. Parlant en termes philosophiques, on peut dire que Dieu a deux sortes d'attributs que peut connaître l'homme : des attributs physiques et des attributs intellectuels. Puisque le lien entre Dieu et l'univers est logique et nécessaire et non pas causal, Gide peut voir dans l'amour ou la nature, par exemple, à la fois une expression du principe universel et un aspect du principe lui-même. L'homme est ainsi à même de connaître non seulement les *expressions* de la Divinité mais aussi la Divinité elle-même. Il fait partie de Dieu : en tant qu'il reste fidèle aux préceptes de ferveur, de spontanéité, et de joie, l'homme est Dieu.

Cela implique l'existence réelle de la Divinité, quelque diverses que soient ses manifestations. Gide n'ignorait pourtant pas la possibilité de confusion entre l'existence subjective de Dieu et son existence objective. Si Dieu n'est que ferveur, joie, amour, il n'est en somme que la totalité de certains sentiments de l'homme et l'interprétation qu'il donne à la nature. Ce n'est donc pas à proprement parler autant une Divinité panthéiste qu'une Divinité humaine, et voilà où le panthéisme des *Nourritures terrestres* s'écarte d'un panthéisme plus classique. Gide dut se rendre compte que l'existence subjective et l'existence objective de Dieu s'approchaient dans sa pensée jusqu'à se confondre. Il n'y vit aucun inconvénient. « Connaître Dieu, c'est le chercher, » évrivit-il en refaisant le mot pascalien. [73] Le mythe assumait pour lui, au moyen de la valeur psychologique (qu'il voulait toujours lui attribuer) une valeur ontologique.

73. *Journal*, p. 55.

S'il ne s'agit plus que d'une existence subjective de la Divinité, le critique peut dire avec le docteur Delay,

> Gide ne semble même plus se poser la question de l'existence de Dieu... mais il ne cesse de parler de Dieu. Cette profession de panthéisme ne doit pas dissimuler que Gide est devenu, intellectuellement, un libre penseur... [74]

Nous abondons dans ce sens, estimant que la Divinité qu'adorait Gide après sa crise libératrice était la personnification d'un sentiment personnel et d'un idéal humain plutôt que la source divine, réelle, de la perfection. Est-il donc juste de dire, ainsi que le prétend Du Bos, que tout en rejetant la conception d'un Dieu transcendant, il prête à des phénomènes naturels et sensibles une transcendance factice, trouvant par exemple dans l'instant un élément éternel et divin ? [75] Nous considérons plutôt que le principe éternel et unificateur a des origines immanentes pour Gide, étant le résultat de l'ensemble des créatures qui vivent d'après un certain idéal créé par eux-mêmes. « En somme, » affirme Yang, « Gide créa sa religion dont le dieu s'identifiait avec son idéal personnel. » [76] Le problème de l'existence objective de Dieu n'était pas vraiment résolu, mais tout laisse entendre que Gide n'accordait plus au nom de Dieu de valeur objective.

Presque toutes les attitudes gidiennes reflétèrent à partir de 1894 l'influence de ces prises de position idéologiques. Mais plusieurs mois, remplis de nouveaux choix à faire, devaient s'écouler avant qu'il ne pût mettre sur le papier et tâcher de réaliser en lui-même les implications de sa révolution spirituelle. Etant rentré en Europe au printemps de 1894, il passa une partie de l'été à Paris et en Normandie, mais, écœuré par ce qu'il considérait comme la stérilité des salons littéraires, il retourna en Suisse pour hiverner. Il y composa *Paludes,* satire de l'étouffante atmosphère parisienne et de l'homme qui ne peut pas voyager, qui ne sait pas rejeter les traditions et devenir « l'homme neuf » de l'Evangile. Ce livre, dans la préface duquel Dieu est postulé à l'intérieur de l'homme, révèle qu'avec sa doc-

74. Delay, *op. cit.,* II, p. 619.
75. Du Bos, *Journal,* IV, p. 78.
76. Yang, *op. cit.,* p. 34.

trine immanentiste de Dieu, Gide avait rompu avec la fuite symboliste de la vie et avec le transcendantalisme esthétique aussi bien qu'avec le surnaturel chrétien. L'auteur y raillait, selon le mot de Paul Archambault, « certaine métaphysique facile, flirtant sans conviction avec le divin, qui ... se trouvait souvent unie dans la littérature du temps. »[77] En janvier 1895 il s'embarqua de nouveau pour l'Afrique, où il rencontra encore une fois Wilde. Les excentricités sexuelles de celui-ci lui furent un très mauvais exemple. Aux instances de sa mère, il retourna en France. Quelques semaines plus tard, elle mourut à La Roque, le 31 mai 1895. Dix-sept jours plus tard, André Gide et Madeleine Rondeaux se fiancèrent. Au cours de ses voyages en Afrique, Gide, malgré sa libération morale et philosophique, n'avait cessé de songer à sa cousine et de prévoir leur mariage éventuel. Il y a ici une contradiction évidente qui ne nous intéresse pas en soi mais qui annonce en quelque sorte le vœu de réconciliation chez Gide entre l'idéal chrétien et l'idéal païen — réconciliation qu'il tentera plus d'une fois par la suite. Les cousins s'épousèrent le 7 octobre 1896 et partirent pour un voyage de noces qui devait durer plus de six mois, à travers la Suisse, l'Italie, et l'Afrique du Nord.[78]

Ces mois font date dans l'histoire du développement intellectuel de Gide. En même temps qu'il recueillait en Afrique des impressions pour étoffer ses *Nourritures terrestres,* il se préparait à commencer une ère différente, où l'enthousiasme affirmatif du jeune homme céda la place à un examen critique des conséquences de sa révolte. Cette nouvelle attitude de moraliste sera examinée dans le chapitre suivant.

77. ARCHAMBAULT, *op. cit.*, p. 79.
78. Voir *S ile grain ne meurt, passim,* et DELAY, *op. cit.*, II, p. 507.

IV

VERS UNE POSITION DE MORALISTE

Après son mariage et son voyage de noces, André Gide s'installa avec sa femme sur sa propriété normande, La Roque-Baignard. Dans une lettre au poète Francis Jammes, il parla de son nouvel état, celui d'un « infatigable repos, près de la plus tranquille des femmes. » [1] Les années 1896 à 1902, qui font l'objet de ce chapitre, étaient toutefois loin d'être une période de repos. Elles furent l'occasion d'une quantité prodigieuse de travail littéraire aussi bien que de plusieurs voyages et des services de Gide comme maire de sa commune. Le jeune écrivain partagea son temps entre la Normandie et Paris. Il entra en rapports avec de nombreux hommes de lettres et se maintint au courant de toutes les nouveautés philosophiques et littéraires dans la capitale. Sa vocation artistique s'affermit plus que jamais. Il est vrai que parmi les nombreux ouvrages gidiens qui sortirent pendant cette période, aucun n'attira l'attention du grand public sur son auteur, et à peine réussit-il à trouver des lecteurs dans des cercles intellectuels restreints. Néanmoins grâce au style attirant et à la psychologie profonde de ses ouvrages et grâce à son ardeur et à son intelligence, qui se révélèrent dans ses chroniques littéraires, Gide arriva peu à peu à s'imposer comme un des jeunes auteurs avec qui il fallait compter.

Après *Les Nourritures terrestres,* qui furent publiées en 1897, Gide écrivit trois pièces : *Saül* (commencé en 1897, publié en 1905), *Philoctète* (1899), et *Le Roi Candaule* (1901) ; une « sotie, » *Le Prométhée mal enchaîné* (1899) ;

1. *Correspondance André Gide - Francis Jammes,* p. 55.

un « traité, » *El Hadj* (1899) ; et un roman, *L'Immoraliste* (1902), aussi bien que de nombreuses pages de critique et des récits de voyages. Ces ouvrages romanesques et dramatiques sont, hors certaines exceptions, d'une sobriété de style et d'un sérieux de pensée (malgré quelques notes comiques) qui révèlent la gravité des préoccupations de l'auteur. Chacun met en scène quelque aspect du dialogue philosophique et moral qui l'occupait alors. Vus ensemble, ils montrent que la voie que prenait sa pensée était celle d'un moraliste et d'un artiste. Les problèmes exclusivement métaphysiques et le dilemme personnel de la chair, qui avaient fait la matière de ses œuvres précédentes, étaient dès lors dépassés, et Gide se détournait de la recherche d'une Réalité supérieure hors de l'homme pour demander quel sens cette recherche renferme pour l'individu et pour l'artiste et comment l'homme doit se comporter sur cette terre. « Puisque rien ne lui paraît plus vain que les discussions idéologiques... il quitte... la métaphysique pour l'éthique. L'éthique, c'est pour Gide le monde des réalités, le seul monde réel, » écrit Pierre-Quint. [2] Les questions morales et les problèmes de l'individualisme montèrent au premier plan de sa pensée. Il était désormais peu soucieux des constructions rationnelles et des « explications » métaphysiques de l'univers. Pourtant, nous sommes d'accord avec les observations d'Henri Massis, qui dit à ce sujet,

> Par les problèmes qui sont les siens, les questions qu'il se pose, les idées qu'il a à cœur d'exprimer... André Gide touche aux problèmes qui sont ceux de la métaphysique, de la philosophie, de la théologie, et il n'est ni théologien, ni philosophe, ni métaphysicien ; il ne montre que répugnance à l'endroit de toute dialectique conceptuelle. Toute « généralité » lui est suspecte et c'est son postulat qu'il n'y a pas de postulat, de donnée immédiate, de principes premiers ; il se veut tout psychologue. [3]

Sans la lui reprocher, comme il est possible que le fasse Massis, nous estimons que cette attitude est éminemment gidienne et qu'elle se manifeste dans la période dont il est question ici.

2. PIERRE-QUINT, *op. cit.*, p. 324.
3. Henri MASSIS. *D'André Gide à Marcel Proust.* [Lyon] : Lardanchet, 1948, pp. 37-38.

On pourrait s'étonner de ce que Gide sembla avancer à la fois vers une position de moraliste et vers l'attitude d'un pur artiste. Charles Du Bos en donne l'explication : « Si nous avons une certaine peine à visualiser Gide avant tout comme artiste, cela est dû au fait que, le premier peut-être, il a pris des problèmes d'ordre moral comme données centrales de l'œuvre d'art elle-même. » [4] Il ne faut pourtant pas entendre par *morale* l'étroite morale du christianisme. C'est l'impossibilité de faire de l'art dans le cadre de l'éthique et de la théologie chrétiennes qui ressort des écrits de Gide vers 1900, ainsi que le verra notre lecteur à la fin de ce chapitre. Cette période vit donc l'affirmation des valeurs esthétiques chez Gide et en même temps un nouveau pas vers la position de moraliste (psychologue et observateur) qui deviendrait à la longue son attitude la plus caractéristique.

Dans l'étude de la pensée religieuse de Gide, cette période représente un stade important. C'est une époque de critique, de critique méthodique et implacable de toute pensée : théologique, éthique, philosophique. Après l'affirmation panthéiste, fort individualiste, des *Nourritures terrestres*, Gide cessa de vouloir affirmer quoi que ce soit et préféra se borner, comme il l'écrivit dans son *Journal,* à « tout remettre en question. » Il avait dépassé le besoin d'obtenir des cieux une réponse immédiate et définitive. Il sembla même dépasser, du moins provisoirement, le besoin d'une métaphysique quelconque, encore que certains commentateurs estiment que ce besoin resta enraciné dans son âme. [5] On ne trouve dans ses écrits de cette période aucune trace de mysticisme. Il avait rejeté la notion d'un Dieu personnel, Dieu rédempteur de la descendance d'Adam. Dans *Les Nourritures terrestres,* il avait postulé Dieu, mais ce Dieu restait d'une part prisonnier du monde naturel et d'autre part solidaire de l'homme, qui le réalisa. A ce stade-là, donc, l'idée d'une réalité supraterrestre s'était approchée dangereusement de la réalité toute simple, et l'attitude individualiste avait commencé à régner dans la pensée gidienne. Après l'affirmation de ce panthéisme immanentiste, Gide arriva à se passer même de la notion d'une réalité suprater-

4. Du Bos, *Journal,* II, p. 206.
5. Ghéon, *op. cit.,* p. 239.

restre. Il commença à refuser à la nature toute signification spéciale ; et il cessa de voir dans les ferveurs de l'homme telles qu'il les avait connues en Afrique l'expression *nécessaire* de la Divinité. Il ne prit pas cependant une attitude purement rationaliste envers l'univers ; il ne rejeta pas la notion de quelque chose de supérieur, de spirituel, qui est en nous ou au-dessus de nous. Mais il se borna à examiner la signification pour l'homme de la religion, de la morale, et de ses notions de l'au-delà. A vrai dire, les problèmes de l'individu, de ses valeurs et de sa conduite morale, n'étaient qu'accentués par le rejet de Dieu. Car l'élimination du problème métaphysique ne fait qu'augmenter les perplexités internes de l'homme, puisqu'il doit édifier sa propre morale. Il fallait désormais selon Gide que l'homme juge pour lui-même sans le secours du Ciel et se discipline lui-même, tâche difficile. La distinction qu'établit Du Bos entre *immoralisme* et *amoralisme* peut éclaircir la position gidienne. Dans son *Dialogue avec André Gide* il dit,

> Je maintiens une distinction fondamentale entre l'immoralisme et l'amoralisme, le premier représentant une déviation — et parfois ainsi que chez Nietzsche et chez vous, une déviation par excès et comme par abus — de la faculté éthique, le second correspondant à une tranquille élimination du problème moral lui-même. [6]

L'univers de Gide se distingue donc de l'univers sans Dieu d'un Proust, car Gide essaye de combler le vide métaphysique par une création éthique. Ainsi un contemporain de celui-ci put-il écrire, « Cette évolution qui va du protestantisme traditionnel à l'immoralisme de Nietzsche, puis le dépasse et cherche d'autres voies, c'est toute l'histoire intellectuelle de Gide. » [7]

Cette période est donc significative dans notre étude. En prenant appui sur ses ouvrages d'imagination et sur le *Journal,* nous tâcherons d'analyser cette répudiation de la métaphysique et du dogme et d'éclaircir l'attitude de moraliste que prit Gide devant les questions de la croyance de l'homme. Avant de passer à cet examen, pourtant, il est nécessaire de considérer une influence capitale sur Gide qui

6. Du Bos, *Dialogue avec André Gide,* p. 339.
7. L. Dumont-Wilden. « André Gide », *Mercure de France,* LXXXII (décembre 1909), p. 583.

se manifesta à cette époque : celle de Nietzsche. En effet, l'exemple du penseur allemand qui, le premier, osa crier que Dieu était mort, semble avoir été précieux pour Gide. Celui-ci affirma plus tard qu'il y avait entre lui et Nietzsche parenté et non pas descendance. [8] Il est vrai que l'auteur français s'était déjà « engagé de lui-même sur la route » de la révolte avant de connaître les œuvres du philosophe allemand. Et nous considérons que M. Martinet exagère lorsqu'il affirme, « De toute la force de son esprit... [Gide] l'a attiré à lui, il l'a adopté, il s'est évertué à s'en imbiber, à se l'assimiler. » [9] Son acte de libération avait été spontané, jailli de l'exigence de son être. Les doctrines de Nietzsche purent cependant alimenter cette révolte contre le christianisme et fournir une base pour la création d'une nouvelle morale.

La correspondance de Gide révèle que dès 1895 il connaissait l'orientation générale de la pensée nietzschéenne sans avoir lu le philosophe, et qu'il voulait étendre ses connaissances. Dès mars 1898 il avait pris connaissance directement des œuvres de Nietzsche, admirant sa pensée virile, cherchant aussi à en trouver les origines, et remarquant les liens entre leurs esprits. Il fit ressortir le fait que d'innombrables pensées leur étaient communes parce qu'ils avaient tous les deux « une vision artistique du monde, » se prémunissant ainsi dès cette date contre ceux qui l'appelaient un disciple de Nietzsche. [10] Une « Lettre à Angèle » datée de décembre 1898 présente un compte-rendu par Gide de la traduction de Nietzsche par Henri Albert (ami de Gide, du reste) et une estimation de son importance. [11]

Nous ne pouvons entreprendre de démêler la part exacte de l'influence nietzschéenne chez Gide ni de déterminer ses réactions précises à chaque aspect de sa pensée. [12] Nous ne voulons que souligner les parallèles entre leur pensée et offrir l'hypothèse que la rencontre de Nietzsche, à une

8. André Gide. « Préface à la traduction allemande des *Nourritures terrestres* ». *Nouvelle Revue française,* XXXIV (1930), p. 322. Voir aussi la lettre de Gide dans Pell, *op. cit.*, pp. 9-10.

9. Edouard Martinet. *André Gide, l'Amour et la Divinité.* Paris : Attinger, 1931, p. 77.

10. Davet, *op. cit.*, pp. 57, 61-63. Voir aussi l'étude chronologique de Bluma Renée Lang. « Gide et Nietzsche », *Romanic Review,* XXXIV, no. 2 (April 1943), 139-49.

11. *Œuvres complètes,* III, pp. 228-41.

12. Voir William W. Holdheim. « The Young Gide's Reaction to Nietzsche ». *PMLA,* LXXII, no. 3 (June 1957), 534-44.

époque cruciale où Gide finissait *Les Nourritures terrestres* et composait *L'Immoraliste,* [13] affermit la révolte gidienne contre les dieux et contre la morale chrétienne, le poussa davantage dans la voie de l'individualisme philosophique, et l'aida à se poser des questions fondamentales sur la conduite de l'homme. Il est important pour notre étude de mettre en valeur surtout le désir chez les deux écrivains de créer une nouvelle morale pour l'être humain.

Tâchons donc de déterminer les liens spirituels entre les deux penseurs. Premièrement, il faut remarquer que chez tous les deux la révolte s'accomplit non seulement contre les idées européennes en général mais surtout contre le protestantisme. Cette même empreinte protestante sur leur âme amena Gide à comparer son évolution à celle de Nietzsche, fils de pasteur. Tous deux accusèrent la foi réformée de les avoir égarés, et tous deux réagirent dans le sens du naturisme païen. Il y eut pourtant chez Gide une protestation d'artiste contre le christianisme qu'on ne trouve pas chez le philosophe allemand. [14] Somme toute, Gide se sentait bien préparé à comprendre son devancier à cause de leur formation identique. [15]

Deuxièmement, Nietzsche avant Gide avait affirmé que l'ère des dieux était passée, qu'il n'y avait plus aux cieux de voix divine pour guider l'homme. Il avait condamné l'esprit chrétien de ceux qui « se cachent la tête dans le sable des choses célestes » au lieu d'accepter leur condition terrestre et de chercher ou de créer un sens à la vie de ce monde. L'homme est seul dans un univers sans Dieu. Cette position est peut-être plus radicale que celle de Gide, puisque celui-ci ne niait pas forcément l'existence de l'Esprit. Mais le refus du Dieu des chrétiens — transcendant, omniscient, personnel — leur est commun.

Troisièmement, on trouve chez Nietzsche la même hostilité au christianisme historique qui se manifesta dans les écrits de Gide à partir de 1894. Il est vrai que dans la pensée du philosophe de Sils-Maria, cette hostilité est plus profonde ; il semble plus rancunier. Après avoir fait remar-

13. Voir l'affirmation de Gide à ce sujet dans Du Bos, *Journal,* I, p. 172. Voir aussi Du Bos, *Dialogue avec André Gide,* p. 217, et le *Journal* de Gide, pp. 739, 858-59 .
14. Delay, *op. cit.,* II, pp. 620, 624, 626.
15. *Œuvres complètes,* III, p. 229.

quer que Gide est plus juste que Nietzsche vis-à-vis de la religion, Henri Drain affirme cependant : « Mais cette exaltation religieuse lui semble [à Gide] insuffisante, parce qu'elle limite et distingue, parce qu'elle suppose ... une cause finale et qu'elle est obligée d'affirmer un bien et un mal éternels et immuables. » [16] L'auteur d'*Ainsi parlait Zarathoustra* (ouvrage que Gide n'arriva jamais à goûter) combattait la doctrine qui enseignait la soumission à un Etre suprême, l'humilité de la créature, la pitié démoralisante pour les estropiés intellectuels et physiques, et la stricte règle morale héritée de la théologie juive ; il dit : « Toute la morale de perfectionnement, y compris la morale chrétienne (plus exactement la morale protestante) fut un malentendu. » [17] Gide trouvait également que la morale chrétienne, c'est-à-dire paulinienne, avait été néfaste pour le développement de l'individu et de la société. Il était aussi d'accord avec Nietzsche pour trouver chez le Christ une promesse de bonheur et de joies terrestres et un effort pour vaincre la souffrance, qui furent par la suite étouffés par Saint-Paul et l'Eglise, dont le regard était centré sur la crucifixion. Nietzsche avait écrit, « La croix avait triomphé du Christ même, c'était le Christ crucifié qu'on continuait à voir, à enseigner. » [18] C'est précisément le point de vue gidien, ainsi que le montre son interprétation particulière de l'Evangile.

Quatrièmement, le même individualisme que Gide croyait reconnaître dans l'Evangile se trouve chez Nietzsche. Ainsi que l'explique un critique de Gide : « En effet, chez tous les deux le libre examen faisait éclore l'athéisme. Mais la foi ardente... qu'ils avaient connue et dont ils ne savaient plus se séparer se convertit en une autre forme : la foi dans la sainteté de l'individu. » [19] Il faut à leur avis que l'homme se découvre lui-même, dans sa vraie essence, par delà toutes les conceptions stéréotypées de la morale chrétienne. Cependant, combien d'hommes sont capables de cet individualisme supérieur ? Gide se le demanda et reconnut la valeur de la religion pour l'homme ordinaire, de même que Nietzsche

16. Henri Drain. *Nietzsche et Gide*. Paris : Editions de la Madeleine, 1932, p .116.
17. Cité dans *Ibid.*, p. 17.
18. Cité dans *Ibid.*, pp. 250-51.
19. Yang, *op. cit.*, *op.* 24-25.

avait reconnu le grand nombre de médiocres à côté d'un seul individu supérieur. Gide n'était pas partisan d'un individualisme si poussé qu'il devient destructeur. Le lecteur verra qu'il insistait sur l'importance d'une discipline de soi et sur l'idéal de modération, atténuant ainsi ce qui semble être à certains critiques l'interprétation extrême de l'individualisme par Nietzsche. Léon Pierre-Quint écrit, « Gide n'a rien moins qu'un caractère de révolté. C'est même cette absence de révolte qui donne à sa pensée une tonalité si particulière, si différente de celle de Nietzsche. » [20]

Ensuite — et c'est un cinquième point de rencontre entre eux — il y a l'effort pour ériger une nouvelle morale fondée sur l'homme seul, conscient de sa position précaire dans un univers sans valeurs éternelles et sans Juge suprême. Bien que Gide se séparât de la morale chrétienne surtout en ce qui concerne la conduite sexuelle et les institutions sociales, et que Nietzsche condamnât par-dessus tout la charité, la pitié, et la soumission chrétiennes, le principe de morale individuelle était bien le même chez les deux écrivains. Tous deux cherchaient à aller « par delà le bien et le mal ; » ils demandaient, selon le mot de Nietzsche, une « transmutation de valeurs. » Cette aspiration vers une nouvelle vie humaine où, grâce à l'honnêteté intellectuelle et à l'individualisme, l'homme dépasserait tout ce que la race a produit jusque-là — cette aspiration est fondamentale dans la pensée de Nietzsche et dans celle de Gide à partir de 1894. On a écrit, « L'individu doit-il donc demeurer sans loi ? Non. Gide, comme Nietzsche, a trop subi l'empreinte du protestantisme pour ne point s'efforcer dans une autre direction. » [21] Cela implique la nécessité d'une attitude critique envers l'homme, malgré l'abandon des vieux étalons de jugement. Une nouvelle échelle de valeurs doit être établie et l'homme doit s'efforcer constamment d'atteindre à la suprématie en se dépassant. « Que peut l'homme ? » avait demandé Nietzsche. Gide, comme Valéry sur un autre plan, purement intellectuel, voulait également répondre à cette question angoissante ; ses œuvres subséquentes représentent un effort pour découvrir les voies que doit suivre l'humanité.

20. PIERRE-QUINT, *op. cit,* p. 126.
21. DRAIN, *op. cit.*, p. 122.

Après la révolte affirmative et lyrique représentée par *Les Nourritures terrestres*, Gide se tourna donc vers une position critique et commença à essayer de juger les théologies et les métaphysiques d'après leur signification pour la vie humaine. Du Bos reproche à Gide d'avoir rejeté le problème du surnaturel et de la Révélation parce que c'est une question qui « nous prend aux entrailles. » [22] L'hésitation de Gide devant un tel problème est pourtant compensée par son effort pour comprendre l'homme et pour découvrir le sens de la foi et de l'individualisme. Il reconnaissait l'origine et le sens psychologiques de la foi. Nous lisons dans une conférence qu'il fit sur le théâtre : « C'est en lui-même qu'avant de projeter sa foi dans la nue l'homme sert un ou plusieurs dieux. Paganisme ou christianisme, c'est d'abord une psychologie, avant d'être une métaphysique. » [23] Il reconnaissait aussi tout l'éclairage que jette la conception de Dieu sur la personnalité humaine.

Gide condamna alors avec plus de force qu'auparavant toute doctrine, tout système (qu'il soit éthique, théologique, ou les deux) parce que les dogmes et les systèmes sont trop restrictifs, imposant sur chaque individu une norme artificielle qui lui fait trahir sa propre essence. Le christianisme traditionnel lui semblait surtout démodé parce qu'il avait perdu son essence révolutionnaire et son pouvoir d'éperonner les hommes. On lit dans le *Journal* :

> Une idée continue d'être force vive tant que ce n'est pas épuisé en phénomènes tout l'aliment qui est en elle. Le christianisme [entendez : le christianisme original] mènera l'homme plus loin ; l'homme peut s'en soutenir plus encore. Mais catholicisme d'abord, protestantisme ensuite, après avoir été formules expansives, sont formules restrictives depuis longtemps, gaines dures et coquilles où l'esprit se gêne.... N'importe quelle formule de n'importe quelle religion ne peut être considérée que comme appelée à disparaître. Nul plus que le Christ n'a ruiné de ces formules usées. [24]

Donc les Eglises et ce qu'elles ont fait du christianisme étaient condamnés par Gide. Ce sont des obstacles à l'épanouissement de l'être humain et à l'individualisme. Il trouvait la métaphysique singulièrement inféconde pour

22. Du Bos, *Dialogue avec André Gide*, p. 285.
23. *Œuvres complètes*, IV, p. 214.
24. *Journal*, p. 95.

l'individu. Les conceptions de Dieu offertes jusque-là par les philosophes lui semblaient dérisoires. Nul écrit n'en fait preuve mieux que *Le Prométhée mal enchaîné,* œuvre humouristique baptisée plus tard « sotie. » La conception chrétienne (et généralement monothéiste) de Dieu comme l'Etre omniscient, omnipotent, qui tire les ficelles des pantins humains, est ridiculisée avec beaucoup d'habileté dans cet ouvrage. Dieu est incarné dans le personnage d'un Miglionnaire, alias Zeus, qui se moque des êtres humains et de leur logique pour s'amuser. Cette caricature mine la conception chrétienne de la Divinité. Seul l'homme qui, comme Prométhée, sait se libérer de la notion de Dieu et de la conscience morale factice (son aigle) sera vraiment humain. Qu'il garde la soif du surhumain et du dépassement, qu'il se mortifie même, aussi longtemps que c'est profitable pour son individualisme ; mais qu'il sache se débarrasser de ses idéaux et « tuer l'aigle » lorsqu'il ne lui est plus utile. Justin O'Brien suggère l'hypothèse que dans la sotie gidienne Prométhée représente le Christ, celui qui se révolte contre les cieux silencieux et absurdes comme ceux chez Vigny et qui devient plutôt Fils de l'homme, voulant améliorer la condition humaine. [25]

D'autre part, Gide ne se solidarisait nullement avec les antireligieux parce qu'eux aussi cherchent à imposer sur l'individu une formule toute faite qui, ignorant toute une partie du génie humain, n'est pas assez compréhensive. Faisant allusion à un passage scientifique relevé chez les frères de Goncourt, il écrit, « La petitesse d'un esprit se mesure à la petitesse de son adoration ou de son blasphème. Vraiment ces esprits-là n'ont rien compris à Dieu. Ce n'est plus de l'athéisme ; c'est de la bêtise. » [26] Il prit cette même attitude envers Rémy de Gourmont, qui ignorait à dessein toutes les richesses spirituelles dans la recherche religieuse de l'homme. [27] Et il dit plus tard dans une interview, « Je ne suis pas d'accord avec la position de Martin du Gard pour qui la morale et la religion ne sont que des affabulations nécessaires. ... Le matérialisme aussi peut devenir une

25. Justin O'Brien. *Portrait of André Gide.* New York : Knopf, 1953, pp. 237-39.
26. *Journal,* p. 124.
27. *Ibid.,* p. 179.

croyance. »[28] Gide refusa de reconnaître la primauté du rationalisme. Ce système artificiel créé pour suppléer à Dieu lui semblait aussi borné que n'importe quel étroit dogme religieux. Il se distinguait ainsi de nombreux contemporains et restait à même de comprendre les forces religieuses de l'époque. « Il n'a jamais cessé, » affirme Germaine Brée, « de compter le christianisme parmi les forces agissantes du monde moderne. »[29] Du Bos alla jusqu'à prétendre que Gide, parce qu'il refusait le point de vue rationaliste et le point de vue agnostique, était véritablement spirituel, un « spirituel qui trahit. »[30] Même son adversaire déclaré, Henri Massis, admit que Gide, bien qu'incroyant, ne pouvait se satisfaire du matérialisme courant, qu'il prétendait édifier l'homme, encore que sans Dieu, dans une tentative humaniste.[31]

L'idée de Dieu, et son existence réelle, n'importaient donc plus à Gide en soi ; c'est ce qu'en font les hommes qu'il trouvait essentiel, en plus de l'influence de la croyance religieuse sur l'individu et le groupe. Cela ressort très bien du petit traité *El Hadj.* Mlle Brée appelle cet ouvrage un premier et indirect adieu aux problèmes métaphysiques.[32] C'est l'histoire d'un prophète qui au nom de son prince conduit son peuple hors de la ville vers une Mecque inconnue, lointaine. Le pèlerinage ne semble aboutir qu'à l'échec ; car le prince meurt et le prophète découvre que l'oasis qu'on pensait atteindre n'est qu'un lac de sel cristalisé. Mais le prophète, qui a reconnu que le prince était un imposteur, cache au peuple la déception du lac, dissimule de même la mort du prince, et continue à conduire la foule dans le désert. El Hadj a vu que son Dieu est un mythe et donc que lui-même est forcément un faux prophète. Il profère des mensonges et « fait de faux miracles. »[33] Cependant, ce ne sont ni la mort de Dieu ni le mensonge de ses prédications qui comptent mais plutôt l'action spirituelle de l'idée de Dieu sur le peuple. Seule la foi en leur prince empêchera les pèlerins de mourir de désespoir. Pour eux Dieu existe.

28. Cité dans Pierre-Quint, *op. cit.*, p. 499.
29. Germaine Brée. *André Gide, l'insaisissable Protée.* Paris : Belles-Lettres, 1953, pp. 21-22.
30. Du Bos, *Journal*, IV, p. 71.
31. Massis, *D'André Gide à Marcel Proust*, p. 52.
32. Brée, *op. cit.*, p. 101.
33. *Retour de l'Enfant prodigue*, p. 99.

Le prophète sait que la croyance subjective en Dieu supplée à son existence réelle. Les prophètes servent à dissimuler la mort de Dieu. « Je sais maintenant, » dit El Hadj. « que s'il y a des prophètes c'est parce qu'ils ont perdu leur Dieu. Car si Lui ne se taisait pas, que serviraient alors nos paroles ? » [34] De ce point de vue, le mensonge est fécond. D'autre part, le stratagème peut être interprété comme dissimulant aux hommes les limites que pose la réalité à leur aventure spirituelle. Dans ce sens l'histoire serait une satire de la religion. Mais l'aventure humaine n'est-elle pas pour Gide plutôt morale que métaphysique ou physique ? Nous estimons donc que Gide ne prétend pas juger le mensonge ; seuls les résultats sont significatifs. Peut-on interpréter ce traité dans un sens même plus radical en y voyant, ainsi que le fait Mlle Brée, la preuve que pour Gide des contingences matérielles extérieures définissent la condition humaine, comme chez les existentialistes contemporains ? Nous considérons de toute façon que ce critique parle juste en disant qu'*El Hadj* révèle que les hommes puisent en eux-mêmes les éléments de l'aventure héroïque et irrationnelle qu'est la vie. [35]

Poursuivant ce procédé de juger les doctrines non pas par leur réalité essentielle mais par leur sens pour l'homme, Gide composa plusieurs ouvrages qui mettent en scène les résultats néfastes pour l'homme de la perte de la foi et de la morale. Ces ouvrages furent conçus comme des antidotes à l'individualisme outré des *Nourritures terrestres*. La révolte de l'individu contre tout code et toute norme lorsqu'il s'abandonne à lui-même peut mener à une désagrégation de la personnalité humaine. La vie se complique lorsque l'homme cherche sa propre vérité, et cette vérité peut nous échapper. L'abandon méthodique du jugement moral et de la croyance en l'Eternel n'est donc pas à conseiller sans bien des hésitations. *Saül* est le drame de l'homme qui s'est abandonné entièrement à ses convoitises et à ses « démons » intérieurs ; ayant rejeté toute discipline, tout effort pour se dominer et se dépasser, il tombe dans un état misérable de concupiscence, d'impuissance morale, et de véritable éparpillement de l'unité du moi. De même, dans *Bethsabée*,

34. *Ibid.*, p. 98.
35. BRÉE, *op. cit.*, pp. 101-02.

David s'abandonne à ses désirs jusqu'à perdre toute tranquillité et tout contact avec ce qui est supérieur. Gide reproche au roi juif la fuite de la responsabilité, mais il semble critiquer aussi la conception hébraïque du Dieu vengeur qui demande aux hommes la pureté absolue, la « colombe d'or, » mais refuse de la leur rendre possible.

L'individualisme moral et philosophique des *Nourritures terrestres* ne peut donc rester sans critique. L'homme doit s'élever. C'est le sens de *Philoctète,* où le héros, après avoir refusé de se rendre aux raisons chauvines d'Ulysse, parlant au nom des dieux de la Grèce (qui exigent, ainsi que le Dieu de l'Ancien Testament, un sacrifice arbitraire) dit au jeune compagnon d'Ulysse : « Mais c'est donc qu'au-dessus des dieux, Néoptolème, il y a quelque chose. » [36] L'homme doit se sacrifier pour cette chose inconnue et meilleure pour réaliser ses puissances latentes. Ni pour les dieux, ni pour ses compatriotes, mais pour un idéal entrevu, Philoctète se dépouille de sa possession la plus précieuse. Le professeur March interprète ce traité comme la preuve du fait que Gide refusait d'aller aussi loin que Nietzsche sur la route de la révolte parce qu'il retenait toujours un élément de puritanisme et de « transcendantalisme invaincu. » [37] Nous estimons que pendant cette période Gide ne révéla que peu de puritanisme. Il est néanmoins vrai qu'il pousse à bout sa révolte seulement à condition que de nouvelles valeurs soient créées ; il peut vivre dans un univers sans Dieu, mais non pas sans valeurs, pour lesquelles on se sacrifie, comme à cette chose « au-dessus des dieux. » La renonciation de Philoctète ressemble ainsi à la renonciation chrétienne.

Comme un corollaire du principe d'individualisme, Gide remet en question le principe de la liberté humaine. Comme Nietzsche, il avait vu que la condition nécessaire de la liberté de l'homme est l'absence de Dieu. Gide tenait pardessus tout à cette liberté morale, spirituelle, et intellectuelle à l'époque des *Nourritures terrestres,* et il s'était libéré des entraves morales et théologiques héritées du christianisme. Mais encore une fois comme Nietzsche, voulant

36. *Retour de l'Enfant prodigue,* p. 132.
37. Harold MARCH. *Gide and the Hound of Heaven.* Philadelphia: University of Pennsylvania Press, 1952, p. 124.

construire et non seulement détruire, il songea à dépasser le stade de la simple révolte contre la soumission à Dieu. « Se libérer n'est rien, » écrivit-il dans *L'Immoraliste* ; « l'ardu c'est savoir être libre. » [38] C'est bien un des dilemmes modernes : comment supporter la liberté ? Les conséquences de la liberté illimitée lorsque l'homme rejette Dieu sont pesées dans ce dernier roman, chef-d'œuvre d'analyse de l'homme sans Dieu. Gide y pose la question : la liberté sans bornes peut-elle conduire au bonheur ? Michel, l'immoraliste, a été assez honnête et lucide pour rejeter les traditions opprimantes de la société, l'intellectualisme sec, les mythes de Dieu, du Bien et du Mal. Il s'est libéré. Il refuse le soutien de la croyance et il ne veut rien devoir à Dieu. Il veut être son propre Dieu, maître de sa destinée. Selon le mot de Pierre Lafille, le roman en reprenant le conflit de l'homme avec Dieu « grandit l'homme contre Dieu. » [39] Mais Michel ne sait pas encore employer sa liberté essentielle. Il détruit la croyance de sa femme mais néglige de remplacer le soutien qu'elle y puisait ; il renonce aux valeurs anciennes mais ne s'en est pas encore fait d'autres. A la fin du roman, ayant gaspillé son patrimoine, laissé mourir sa femme, et cherché dans les bas-fonds de l'humanité un plaisir qui l'élude, il reste oisif, invitant le jugement. Celui-ci ne peut être que défavorable.

Ainsi Gide prit-il une attitude très critique envers sa propre libération morale et philosophique. Il commença à étudier les conséquences de la révolte personnelle ou idéologique et à comprendre qu'il faut juger la croyance ou l'incroyance d'après la manière dont on s'en sert. L'idée de Dieu dans la vie des hommes l'intéressait plus que l'existence réelle de l'Etre suprême ; l'emploi de la liberté et de l'individualisme lui semblait plus important que leur conquête. Cette attitude resta très caractéristique de Gide. Bien plus tard il dira dans *Œdipe* : « La réponse unique, c'est l'homme. » [40] On ne peut faire de jugements hors de l'optique humaine. Toute métaphysique n'a pas d'intérêt en elle-même ; elle n'en a que dans la mesure où la vie des hom-

38. *Œuvres complètes*, IV, p. 15,
39. Pierre LAFILLE. *André Gide romancier*. Paris : Hachette, [1954], p. 20.
40. André GIDE. *Théâtre*. [Paris] : Gallimard, [1948], p. 284.

mes en est changée. Gide continuera, bien entendu, à faire des jugements de valeur ; mais au lieu d'essayer de répondre aux questions angoissantes de l'homme devant l'Univers, il se bornera à demander avec bien des moralistes depuis Montaigne jusqu'à Gœthe, « Que peut un homme ? »

Pendant la période que nous considérons, la pensée religieuse de Gide présente deux autres aspects fort intéressants. Le premier est son attitude envers le protestantisme. Nous avons vu que dès 1891 il reprocha au christianisme d'avoir trahi le message du Christ en déformant ses paroles et interprétant mal les Ecritures. Il serait naturel que Gide accusât surtout le catholicisme romain d'avoir méconnu le message révolutionnaire du Christ et de s'être fortifié dans le formalisme et le mysticisme primitifs, hérités des sectes orientales. Or, l'écrivain français semblait considérer ce phénomène comme un fait accompli qui l'intéressait moins que ne le faisait l'esprit de la Réforme. Il copia dans un cahier spécial du *Journal* une citation sur Auguste Comte et le sens du protestantisme, citation qu'il attribue à Alfred Fouillée mais qui est en réalité d'Emile Faguet.[41] Faguet estimait que le protestantisme, fondé sur le libre examen, impliquait la libre pensée et donc l'anarchie morale et intellectuelle. Dans cette perspective le protestantisme se trahit dès qu'il devient conservateur ; son vrai génie est de dépasser la position de Calvin et de Luther et, poussant chaque jour plus loin l'esprit critique, de s'acheminer vers l'extrême opposé du catholicisme, c'est-à-dire vers l'athéisme. Gide, comme Nietzsche, sembla se rallier à cette position. Cette idée avait déjà paru chez lui dans une lettre à sa mère de septembre 1894 où il dit, « L'histoire du protestantisme est un chapitre de l'histoire de la libre pensée... »[42] Le docteur Delay explique ainsi l'attitude gidienne : « Gide, esprit naturellement dialectique, voyait dans le protestantisme une religion qui se nie et devient par là même un facteur d'inquiétude, c'est-à-dire à son sens, de progrès. »[43] Nous avons vu que Gide s'étonnait que le protestantisme n'eût pas repoussé les institutions conservatrices, les for-

41. *Journal,* p. 95. Voir aussi *Œuvres complètes,* III, pp. 233-34, et *La Revue des Deux Mondes,* 1er août 1895.
42. Cité dans DELAY, *op. cit.,* II, p. 619.
43. *Ibid.,* p. 620.

mules, et la morale négative de Saint-Paul. Il trouvait que l'essence de la Réforme était un certain libéralisme, non pas forcément illimité mais profond. Dans sa « Lettre à Angèle » sur Nietzsche, il écrit, parlant de son esprit de libération : « Etait-ce donc là que devait aboutir le protestantisme ? — Je le crois — et voilà pourquoi je l'admire ; — à la plus grande libération. »[44] Quelle que fût plus tard sa critique du libéralisme sans frein, il resta toujours fidèle à la proposition que la Réforme, en s'opposant à l'Eglise romaine, se sépara à jamais du formalisme, des dogmes subtiles et étroits, et du conservatisme, et que sa propre évolution intellectuelle était simplement une nouvelle étape dans l'acheminement du vrai génie protestant.[45] Comme bien d'autres raisonnements gidiens, il se peut que cette interprétation de la Réforme fût tout simplement un effort pour s'excuser et pour défendre son attitude de révolte.

Le dernier aspect de sa pensée qu'il nous reste à discuter dans ce chapitre est l'attitude qu'il prit environ 1900 envers la question de la foi et de l'art. Ce fut la première fois qu'il examinât de près la question du confiit possible entre la croyance monothéiste et la production littéraire. A d'autres époques il avait négligé la foi (ce fut le moment de l'alliance avec le symbolisme) ou bien avait supposé qu'elle nourrissait facilement l'œuvre d'art. Or, vers la trentaine, il commença à mettre en doute la possibilité d'un art vraiment religieux. C'est une position qu'il maintint pendant longtemps, peut-être toujours, même quand il connut bien Claudel, qui, pour beaucoup de lecteurs, incarnait à la fois l'esprit chrétien et l'esprit artiste. Il voyait, comme Nietzsche, une contradiction irréductible entre le christianisme et l'art ; et il sut expliquer la réussite d'un Fra Angelico, d'un Bach, d'un Milton de façon à appuyer son hypothèse. Plus tard il dira dans une conférence sur Dostoïevsky, « Il n'y a pas d'œuvre d'art sans la collaboration du Démon. »[46] N'ayant pas encore formulé ce « proverbe d'enfer, » il dit simplement en 1903,

Aucun art n'a pu être enfanté par le monothéisme... et pour que le christianisme pût à neuf imager la terre, il fallait que l'informe

44. *Œuvres complètes,* III, p. 233.
45. DELAY, *op. cit.,* II, p. 619.
46. *Œuvres complètes,* XI, p. 280.

dieu des prophètes descendît en l'homme s'incarner. Cela même ne suffit pas.... L'art chrétien, en tant qu'art chrétien, n'existe guère... [47]

Malheureusement il n'expliqua pas cette position ; on peut supposer qu'il trouvait l'humilité et la charité chrétiennes opposées à l'esprit esthétique qui est une forme de manifestation du moi ; qu'il reconnaissait l'élément d'idolâtrie dans tout art, lorsque l'homme crée des objets ou des œuvres autonomes qui existent en soi, indépendants de Dieu ; qu'il voyait l'élément païen — la danse, la musique, le sacrifice, la baccanale — dans l'art, qui est une évasion de la vie ; et qu'il se rendait compte que pour le chrétien le combat du bien et du mal est une question de destinée éternelle, tandis que pour l'artiste c'est un spectacle gratuit, sujet de son œuvre, laquelle est l'enjeu. Dans sa conférence sur le théâtre, il précisa les sources du conflit entre la tragédie et le christianisme : « Qui dit drame dit : caractère, et le christianisme s'oppose aux caractères, proposant à chaque homme un idéal commun. Aussi le drame chrétien, à vrai dire, n'existe pas. » [48] Selon la croyance grecque l'homme ne pouvait se faire autre qu'il n'était, d'où l'existence de *caractères*. Le christianisme se propose d'abolir ces aberrations en changeant la nature de l'homme, d'où mort de la tragédie. «C'est l'invention d'une moralité qui fit de l'Olympe un désert. » [49] Même *Polyeucte* n'est d'après lui un drame chrétien qu'en raison de l'élément non-chrétien que combat celui-là. Le paganisme ne comportait pas ces inconvénients. En plus, il laissait champ libre à l'homme qui voulait inventer, s'élever au niveau des Dieux, le niveau créateur.

Quels que soient les défauts de cette thèse du point de vue de l'esthétique, ce qui est important pour notre étude est le fait que Gide trouva dans l'opposition entre l'art et le christianisme et (sur un plan beaucoup plus personnel) dans le conflit entre sa vocation littéraire et tout appel de la foi, un nouvel aliment pour sa révolte religieuse. « Toujours chez Gide, » affirme un critique, « la discussion sur la hiérarchie des valeurs se termine par une référence à celle-là seule qui lui importe, en définitive : la valeur littéraire....

47. *Ibid.*, IV, pp. 191-92.
48. *Ibid.*, IV, p. 213.
49. *Ibid.*, IV, pp. 214, 273.

On ne peut servir à la fois le Christ et Apollon. »[50] Gide alla jusqu'à trouver comme le sens le plus profond de l'Evangile une signification esthétique. M. Delay fait remarquer, « Lorsque Gide cite l'Evangile, il ne pense jamais au destin du chrétien, mais toujours au destin de l'artiste. »[51] En 1893 il écrivit dans son *Journal,* « C'est en art qu'est vraie également la parole du Christ : ' Qui veut sauver sa vie (sa personnalité) la perdra. ' »[52] Plus tard il affirma en protestation contre certaines interprétations de son œuvre, « Je ne sache pas qu'on puisse imaginer forme de pensée plus contraire à l'œuvre d'art (et à mon œuvre en particulier)... que le calvinisme. C'est là ce qui m'en a détaché dès le jour où j'ai pris la plume. »[53] Même si cette affirmation nous paraît trop catégorique, l'opposition entre art et christianisme lui semblait désormais irréductible. Du point de vue psychologique, on voit que dorénavant ce sera pendant des périodes de stérilité littéraire que Gide sera tenté par la croyance religieuse ; aux époques fécondes, tout son être est consacré à l'art. La thèse de Gide décrit donc bien l'opposition dans son esprit entre l'œuvre d'art et la foi.

Avec la publication de *L'Immoraliste* en 1902 finit la période de la mise en question de la révolte idéologique. Cet ouvrage est le dernier d'un premier groupe où l'auteur pèse les conséquences de l'individualisme sans discipline et de la liberté intellectuelle sans frein. Aucune des questions métaphysiques ne fut reconsidérée pendant cette période. La doctrine optimiste et lyrique des *Nourritures terrestres* céda la place à un examen critique de l'émancipation. Gide ne tira aucune conséquence de ses mises en question ; il faut que le lecteur fasse ce travail. Il semble que sa croyance restât à l'état où nous l'avons laissée après la première crise, exception faite du côté panthéiste. Gide ne semblait plus croire au transcendant ; Dieu n'était plus pour lui ni une personne ni une échelle de valeurs transcendante. Dieu n'était pas non plus la nature et la ferveur ; ce point de vue fut abandonné. Gide se bornait à étudier la croyance comme une force ou un manque chez l'homme lui-même.

50. DELAY, *op. cit.,* II, p. 492.
51. *Ibid.,* II, p. 613.
52. *Journal,* p. 49.
53. *Ibid.,* p. 298.

La tension spirituelle de l'auteur de *L'Immoraliste* et ses conflits de conscience allaient pourtant reparaître très bientôt. Déjà en 1902, ainsi que le verra le lecteur dans le chapitre cinq, le *Journal* révèle les indices d'un intérêt croissant pour une autre forme de christianisme — l'Eglise romaine, qui ne l'avait pas attiré sérieusement depuis son adolescence. Des soucis personnels et plusieurs circonstances fortuites favorisaient le retour du pendule vers la spiritualité intime et la recherche de Dieu. Notre chapitre suivant présentera le récit fort curieux de son intérêt pour le catholicisme entre 1902 et 1914.

V

LA TENTATION DU CATHOLICISME

Vers l'an 1905 une nouvelle influence religieuse commença à se faire sentir dans la vie d'André Gide : celle de l'Eglise de Rome. Pendant plusieurs années, le catholicisme l'attirait, grâce surtout à l'image dynamique que lui en présentaient Paul Claudel, Francis Jammes, et d'autres. Dès 1900 la croyance profonde, la force personnelle, et les admirables dons littéraires de ces écrivains catholiques les imposaient à son attention. En se rapprochant d'eux, il semblait se rapprocher de l'Eglise en même temps. Ce mouvement apparent vers la religion chrétienne et catholique dura environ sept ans. Il s'affaiblit ensuite mais les effets s'en prolongèrent pendant bien des années.

Voyons dans quelles circonstances naquit l'orientation de Gide vers Rome. Nous avons fait remarquer dans le chapitre précédent que pendant des périodes de perplexité littéraire, et encore plus à des moments de stérilité, Gide avait tendance à éprouver une renaissance de sentiments religieux et à subir l'attirance de la confession chrétienne. Lorsque les issues artistiques pour l'expression de ses questions et de ses dilemmes paraissaient fermées, il se tournait vers une solution religieuse. Ce phénomène se produisit pour la première fois, nous semble-t-il, bientôt après le début du siècle. Après la publication de *L'Immoraliste* en 1902, le romancier traversa une période inféconde. Tout en songeant à de nombreux projets, il ne composa rien d'important jusqu'en 1907.

Il est utile d'approfondir les raisons de cette stérilité. L'accueil hostile fait à *Saül* et à *L'Immoraliste* et l'incompréhension complète contre laquelle se heurtaient ses autres ouvrages le désappointaient. Même la hâte avec laquelle on lui réclamait des articles pour remplir les colonnes des revues ne pouvait atténuer le sentiment d'échec qu'il avait après avoir publié des ouvrages qu'il considérait essentiels mais qu'on méconnaissait. Un voyage en Afrique en 1903 qu'il raconta dans *Le Renoncement au Voyage* ne réussit ni à ranimer l'ancienne ferveur perdue ni à le distraire de la crainte d'avoir échoué dans sa carrière. En outre, ses rapports avec Madeleine devenaient tendus et étaient la source de nombreux soucis. D'autres soucis familiaux et des problèmes même plus intimes le distrayaient de son travail et de la méditation nécessaire à la création littéraire. Il gaspilla ainsi plusieurs années, cherchant de la distraction dans des travaux de jardinage à Cuverville, rôdant sur les boulevards à Paris, faisant quelques voyages et publiant un ou deux courts écrits. Il s'en voulait de son apathie et de son découragement mais ne réussit pas à en sortir. Ces lignes du *Journal* de 1904 en font foi :

> Depuis le 25 octobre 1901, jour où j'achevais *L'Immoraliste*, je n'ai plus sérieusement travaillé. .... Un morne engourdissement de l'esprit me fait végéter depuis trois ans. .... La moindre phrase me coûte ; parler, du reste, me coûte presque autant qu'écrire. ... Le fait est que je m'abrutissais ; sans exaltation, sans joie. [1]

Ce passage dont le ton est si éloigné de celui des *Nourritures terrestres* nous révèle un des mauvais moments dont son *Journal* se fit le miroir bien plus que des heures fécondes. L'auteur énumère les nombreuses sources de sa mélancolie, incriminant par-dessus tout ses mœurs.

Il semble certain que dans l'intérêt naissant chez Gide pour le catholicisme pendant cette période stérile son état d'âme jouait un rôle, et notamment le découragement de l'artiste qui voit l'échec apparent de son œuvre. Il était tout préparé pour le levain religieux qu'il allait venir cette fois de Rome. L'analyse que fait Justin O'Brien de ce phénomène nous paraît fort juste :

> In part at least... Gide's yearning for faith, like his marriage, expressed a need for protection against himself or a veto of the worst in himself. That yearning rose to the surface periodically... because

1. *Journal*, p. 144.

it depended on the state of his physical and mental health. Each time that his psychosomatic condition dropped below a certain point of vitality, Gide became subject to a strong mystical urge.[2]

Un état d'âme n'aurait pourtant pas suffi à faire prendre aux angoisses de l'écrivain la route qu'elles prirent. Il fallait une impulsion particulière pour le pousser à voir une solution possible à ses maux dans la religion romaine. Ce sont la correspondance entre Gide et Claudel et aussi celle entre lui et Jammes qui servirent d'éperon aux penchants religieux de l'auteur et qui lui firent entendre de nouveau l'appel de Rome.

Paul Claudel, né en 1868 dans une famille catholique, avait perdu de bonne heure la foi et était devenu disciple de l'école scientiste. En 1886 il lut les *Illuminations* de Rimbaud, qui furent à la lettre une illumination spirituelle, lui révélant tout un monde insoupçonné, surnaturel, ayant ses racines dans le vrai moi humain, et libre des lois scientifiques. Un autre éblouissement, devenu légendaire, suivit, dans la cathédrale de Notre-Dame le jour de Noël 1886. Sa conversion définitive, longuement méditée, suivit ces expériences. Il dut tout de suite faire face au problème de l'artiste chrétien. Si ceci avait été nécessaire, il aurait sacrifié sa vocation artistique à sa foi. Il comprenait heureusement que ce sacrifice n'était pas nécessaire et qu'on pouvait créer un art chrétien qui fût tout à la gloire de Dieu. Tout en poursuivant une carrière de diplomate qui le garderait désormais presque toujours loin de France, il se mettait à sa tâche de poète chrétien.

Nous avons fait remarquer que chez Claudel la poésie et la foi s'accordent parce que toutes les deux sont fondées sur un symbolisme spécial, d'origine sacrée. Le monde naturel et le monde surnaturel se rejoignent pour lui au moyen d'images qui établissent un rapport essentiel entre deux ordres différents. Sa vision de l'univers est ainsi transcendantale, mais en même temps il est aux prises avec le réel, parce que pour lui, ainsi que pour Baudelaire et pour Rimbaud, le réel est hiéroglyphique. Le poète et le saint s'approchent de Dieu en déchiffrant le sens divin dans le concret. Cette phrase de René-Marill Albérès indique bien

2. O'Brien, *op. cit.*, p. 234.

la position claudélienne ; « Claudel montre l'homme aux prises avec la vie concrète, embourbé en elle, et le problème est toujours de savoir comment à travers toute cette impureté, seule immédiatement visible, il parviendra au salut. »[3] Précisons toutefois : l'impureté du monde n'existe que parce que l'homme est impur. Pour ceux qui savent se mettre au ton divin, la Rédemption rayonne partout.

Ayant résolu le problème de l'artiste chrétien, Claudel se consacrait à la tâche d'incarner dans son œuvre sa vision religieuse de l'univers. Bien que certains commentateurs aient vu quelque chose de tourmenté et de ténébreux dans son œuvre, provenant de sa conscience du mal qui habite l'homme, il ne semblait plus connaître d'angoisse personnelle. Il était sûr de lui-même, de sa croyance, et de son art. Il avait des étalons infaillibles de jugement. Il s'était fabriqué une morale dogmatique, basée sur une interprétation très stricte du code moral de l'Eglise d'une part et d'autre part sur la nécessité du dévouement de l'artiste à sa tâche sacrée. Mais ce dogmatisme ne rendait pas sa croyance passive et routinière. Il comprenait la foi catholique comme une aventure subie intimement, une découverte d'un autre monde, celui auquel l'homme appartenait primitivement. La religion n'était pas pour lui une série de rites à accomplir ; c'était une destinée à accepter qui rapproche l'homme de sa destinée éternelle.

La correspondance entre Gide et Claudel et l'espèce d'amitié fragile qui se développa entre eux sont un des faits les plus curieux de l'histoire littéraire contemporaine et sont aussi un des paradoxes dans la vie de chacun de ces écrivains. En apparence il n'y avait aucun rapport entre leur personnalité. Claudel était suprêmement confiant en lui-même, jusqu'à la fatuité ; Gide songeait continuellement à ses faiblesses (encore qu'il fût quelquefois très orgueilleux) et se sentait gauche et timide dans un groupe. Ainsi que le fait remarquer le professeur March, « Confronted by Claudel's dynamic assurance, Gide always felt inferior, futile, on the defensive... »[4] Claudel, estimant coupable toute liaison amoureuse, luttait contre le désir qui entraîne l'hom-

3. René-Marill Albérès. *L'Aventure intellectuelle du XXe siècle*. Paris : La Nouvelle Edition, [1950], p. 80.
4. March, *op. cit.*, p. 143.

me loin du devoir, tâchait de mener une vie pure, et épousa enfin une femme très pieuse. Gide, tout en prêchant le renoncement à soi, ne sut jamais renoncer à la chasse au plaisir, malgré son visage d'ascète chinois. De même, au premier abord on ne voit pas de ressemblance entre l'art des deux écrivains. Celui de Claudel est un jaillissement continu, puissant, débordant, une marée de mots dont le rapport n'est pas toujours logique mais qui créent une impression frappante. Sa poésie est basée sur un symbolisme complexe, très matériel mais tendant toujours vers l'épurement de l'être humain. Ses longues pièces difficilement jouables, ses vers libres de plusieurs lignes, ses répétitions hypnotisantes font un contraste remarquable avec la simplicité, voire la sévérité, de *Philoctète* et de *La Porte étroite*. Et pour ce qui est la croyance, le catholicisme profond et dynamique de Claudel qui se manifeste dans tous ses écrits est diamétralement opposé de la position uniquement éthique prise par Gide après 1895. L'auteur du *Prométhée mal enchaîné* tâtonnait pour trouver une échelle de valeurs et un sens à la vie ; celui de *Tête d'or* proclamait la Vérité qu'il avait trouvée.

Certaines ressemblances profondes liaient cependant les deux écrivains. Le terrain sur lequel ils pouvaient s'entendre le mieux était celui de l'art. Malgré toutes les divergences entre leurs goûts personnels et entre leur style, un dévouement commun à l'art les animait. Ils respectaient le mot et la chose écrite comme quelque chose de sacré, et ils portaient tous les deux à leur travail un enthousiasme et un dévouement exemplaires. Cela leur permettait de s'entendre souvent. Ils avaient en commun certaines admirations littéraires : Baudelaire et Rimbaud. Il semble même à certains commentateurs — et Gide le dit lui-même — que ce fût l'artiste en Claudel qui attirait par-dessus tout l'auteur du *Traité du Narcisse*.

En plus de ce point de rencontre, il faut reconnaître que c'est en raison de leurs différences mêmes que Gide voulait se rapprocher du colosse poétique. Ainsi qu'il le dit, c'est toujours ce qui différait le plus de lui-même qui l'attirait. Claudel lui semblait incarner des puissances et des talents que lui n'avait pas ; sa foi si profonde, si rayonnante, si joyeuse, promettait une source d'inspiration créatrice qui était tout à fait étrangère à la morale gidienne. Pour contrebalancer sa fréquente préoccupation avec lui-même, Gide cherchait souvent à s'oublier en entrant dans la personnalité d'un autre. Il cherchait à laisser de côté ses problèmes personnels et à s'évader de la tyrannie de la concupiscence et des dilemmes moraux. Il avait écrit à Jammes en 1902, « Que ne comprends-tu donc que je déteste *ma pensée* ? Je m'use à me battre contre elle... » [5] La confiance et la force de Claudel étaient donc bien faites pour l'attirer, et même son dogmatisme religieux et moral pouvait le fasciner, avant de le repousser. Léon Pierre-Quint écrit,

> Gide est pris par cet homme qui a les pieds bien sur la terre et qui sent Dieu en lui, qui présente le catholicisme comme un déchirement sublime... comme une lutte inconfortable et un combat contre la paresse... [comme un] irrépressible jaillissement lyrique... [6]

En 1899 Claudel, alors consul en Chine, écrivit à Gide pour le remercier de l'envoi de deux ouvrages. [7] Les deux écrivains s'étaient déjà rencontrés chez Marcel Schwob. Ce billet fut le début d'une longue correspondance qui se limita d'abord aux choses littéraires. On voit l'origine artistique de l'admiration de Gide pour le diplomate, lorsqu'il loue ses pièces de théâtre et ses poésies. [8] Mais bientôt l'échange épistolaire toucha à des sujets beaucoup moins sereins. Gide ne put négliger le sens théologique des ouvrages claudéliens dans lesquels il admirait la technique de l'auteur. Claudel, cherchant toujours à communiquer sa foi à d'autres, sonda l'âme de son correspondant et y vit bientôt le découragement, les dilemmes, la « spiritualité tourmentée, » et une sorte d'idéal chrétien dont nous avons constaté la croissance après 1901. Gide raconta bien plus tard à Robert Mallet (l'éditeur de la *Correspondance*) comment il avait eu un pressentiment de la gêne que Claudel serait pour lui, de l' « étouffement » qu'il risquait avec lui. [9] Mais il n'avait pas

5. GIDE-JAMMES, *Correspondance*, p. 189.
6. PIERRE-QUINT, *op. cit.*, p. 451.
7. André GIDE et Paul CLAUDEL, *Correspondance*. Préface et notes de Robert Mallet. [Paris] : Gallimard, c. 1949.
8. *Ibid.*, p. 49 ; *Journal*, p. 156.
9. GIDE-CLAUDEL, *Correspondance*, p. 12.

écouté l'instinct de préservation qui lui disait d'être méfiant.

Par conséquent, après que Gide s'avoua « ébranlé » et « averti » par la lecture des « Muses » de Claudel, [10] celui-ci entreprit de le sermonner longuement, donnant le ton à cette correspondance où, pendant plusieurs années, Gide faisait figure de petit garçon et Claudel, de pasteur, de mère sévère, et de confesseur. Bientôt les sujets littéraires cédèrent complètement la place aux questions religieuses : l'Eglise catholique, la morale, l'art chrétien, l'artiste et le saint. Claudel menait le jeu, mais Gide se laissait faire, conscient de la voie où il se laissait entraîner, et trouvant un réconfort singulier dans le dialogue avec ce catholique militant. Avant de suivre les péripéties de l'amitié entre ces deux grands hommes, il faudra approfondir, si c'est possible, les raisons de ce « flirt de commande, » pour emprunter le terme péjoratif de M. Beigbeder. [11] Pour cela, il faut regarder de plus près l'état d'âme de Gide en 1905, année où commença le dialogue véritable.

Sa crise n'avait fait qu'empirer. Il ne produisait toujours rien d'important ; des voyages n'avaient pas réussi à ranimer sa ferveur et à réchauffer son inspiration. Des soucis le harcelaient. Il avait perdu l'assurance de l'époque des *Nourritures terrestres* ; il ne savait plus affirmer ni pratiquer sa morale d'émancipation, et comme son Saül, il se sentait en proie aux démons. L'issue du catharsis littéraire semblait bouchée ; son éthique personnelle, en théorie fort libératrice, ne le libérait pas de la hantise de la chair. Il ne savait où se tourner. Il avoua à une connaissance, « Mon inquiétude, mes dépressions sont le résultat d'insomnies et de la fatigue intellectuelle qui les suit. Aussitôt je remets tout en question. » [12] Un autre jour il parla de sa fatigue et de sa tristesse : « Encore une journée pareille et me voici mûr pour la religion. » [13]

C'est alors que surgirent devant lui la puissance et l'assurance claudéliennes. Il recommença à songer en termes

10. *Ibid.*, p. 49.
11. Beigbeder, *op. cit.*, p. 38.
12. André Gide. « Lettres à Christian Beck », *Mercure de France*, CCCVI, no. 1032 (août 1949), p. 622.
13. *Journal*, p. 234.

chrétiens à lui-même et à ses problèmes personnels. On lit dans le *Journal* de 1905 :

> Mes plus belles vertus se dégradent et même l'expression de mon désespoir est émoussée. Comment trouver absurde une morale qui m'eût protégé contre cela ? Ma raison tout à la fois le condamne et l'appelle ; l'appelle en vain. J'aurais un confesseur, j'irais à lui, je lui dirais, Imposez-moi la plus arbitraire des disciplines, je la dirai sage aujourd'hui ; si je me cramponne à quelque croyance qui fasse ricaner ma raison, c'est parce que j'espère y trouver quelque force contre moi-même. Vienne un jour de santé, je rougirai d'avoir écrit cela. [14]

Ce passage révèle non seulement son état d'âme mais aussi l'attitude qu'il prenait envers la religion, attitude qui révèle, nous semble-t-il, la source la plus importante de son retour vers l'Eglise. Ayant le sentiment de l'échec de sa tentative pour vivre sans règles et pour n'obéir qu'à une morale humaniste souvent vague, Gide voyait dans l'Eglise une morale nette, durable, appuyée par le dogme (qui est nécessaire pour la soutenir) et capable ainsi d'exiger l'obéissance des fidèles. Ce besoin d'une morale ferme est d'ailleurs la raison pour laquelle, dans *La Symphonie pastorale*, le fils du pasteur finit par se convertir au catholicisme. On peut citer à cet égard l'observation fort juste du docteur Delay :

> Ce sont précisément ces impressions de stabilité, de volonté inflexible, de carrure, de robustesse qu'éveilleront toujours chez lui le catholicisme et les catholiques, du moins ceux qu'il tenait pour les plus représentatifs, de Bossuet à Claudel. [15]

Ce serait une solution du moins partielle à ses problèmes personnels. Evidemment aucune morale ne pouvait, pensait-il, changer l'essence de son être, mais la religion pourrait lui fournir à la fois un idéal auquel aspirer, la punition et ensuite l'absolution de ses fautes, et l'assurance qu'il était dans le juste parti, qu'il se dirigeait vers la Vérité. A l'aide du dogme religieux il pourrait juger une fois pour toutes ses aberrations et ainsi mettre fin aux conflits de conscience qui rongeaient, croyait-il, sa puissance d'écrivain.

14. *Ibid.*, p. 176.
15. DELAY, *op. cit.*, II, p. 322.

Il est vrai que tout en écrivant les lignes du *Journal* citées ci-dessus, il se rendait compte que c'était par faiblesse, et son idéal restait en principe l'individualisme. D'ailleurs, il reconnaissait que de croire pour des besoins purement esthétiques, sentimentaux, ou hygiéniques était une position intenable. En 1898 il avait écrit à Raymond Bonheur, « Jammes fait un bon Dieu portatif et joue avec à la poupée ; je n'aime pas cela. » [16] En 1902, il écrivit directement à Jammes, « Tu te fais un bon Dieu commode pour tes vers. » [17] Mais malgré ces principes, son sentiment de culpabilité et le besoin d'en délivrer sa conscience le faisaient s'orienter vers l'Eglise. Ainsi que l'exprime Henri Drain,

> Il semble... parfois que Gide n'ait pu se libérer complètement de l'idée du péché ; que celle-ci subsiste pour ainsi dire à l'état latent et même que l'auteur de *L'Immoraliste* tienne à cette survivance en lui de l'éducation puritaine. Si Gide ne croit pas en Dieu, paradoxalement il voudrait continuer de croire au démon et au péché. [18]

Nous estimons donc que des besoins d'hygiène spirituelle et psychologique poussaient Gide à vouloir dialoguer sur le catholicisme avec Claudel et à faire semblant par moments de se rendre aux raisons du poète.

Le lecteur verra qu'en de certaines occasions Gide semblait s'approcher de très près de la Table sainte, comme il aimait à le dire, et qu'il laissait croire à ses amis convertisseurs que leur offensive réussissait. Ensuite, se reprenant, il décevait profondément ses amis, semblant mériter le qualificatif d' « insincère. » Pendant tout le reste de sa vie il se défendit contre cette accusation de mauvaise foi ; mais il lui était difficile d'expliquer d'une manière satisfaisante la sorte de coquetterie qu'on constate en effet dans ses rapports avec Claudel. Que cette malhonnêteté fût le plus souvent inconsciente est probable. Que Claudel s'abusât facilement, croyant l'avoir emporté dans le débat, est également possible. Il est donc évident qu'à plusieurs reprises il y eut un malentendu entre eux et que les résultats de leur correspondance ne pouvaient être que décevants.

16. André GIDE. *Le Retour*. Neuchâtel et Paris : Ides et Calendes, [1946], p. 42.
17. GIDE-JAMMES, *Correspondance,* p. 194.
18. DRAIN, *op. cit.,* p. 82.

Nous ne cherchons pas à minimiser cette part de mauvaise foi qu'on peut voir dans le comportement de Gide avec le dramaturge catholique. Nous voulons pourtant souligner les éléments psychologiques qui contribuaient à son intérêt pour l'Eglise romaine. Suggérons donc encore une raison pour la complaisance du prosateur à écouter les sommations de son correspondant. Son esprit étant naturellement enclin à la dialectique, il ne pouvait guère poursuivre ses méditations sans interlocuteur, voire sans adversaire. Parfois c'était avec lui-même qu'il dialoguait, à l'exemple de Diderot. A d'autres moments il cherchait hors de lui-même un interlocuteur afin de pouvoir prendre conscience de sa propre pensée. Ainsi qu'il l'expliquait dans une lettre écrite en 1901, « Comment prendrais-je bien ma position, sans adversaire ? » [19] Or, Claudel était bien l'adversaire qu'il lui fallait : dynamique, intelligent, inébranlable, même entêté, de sorte que contre ce rocher solide Gide pouvait se mesurer et se rendre compte de toutes les nuances de sa pensée. Un critique a fait remarquer, « L'amitié de Claudel semble jouer sur Gide à la manière d'un réactif. ... Il aime dans cet homme le contradicteur, l'ennemi salutaire, celui qui, s'opposant à une part de lui-même, rétablit un moment l'équilibre intérieur rompu. » [20] Gide dit quelques années plus tard, Il [Claudel] est l'homme le plus saisissant que j'aie rencontré et contre lequel j'ai eu peut-être le plus à me défendre. » [21] Peut-on dire que dans ses rapports avec Claudel, l'écrivain trahit l'impératif kantien, subordonnant son amitié au rang d'un moyen au lieu d'une fin en soi ? Cela nous semble une critique justifiée.

Disons encore que la sympathie réelle chez Gide pour les sentiments et les points de vue des autres l'amenait à décevoir malgré lui ceux à qui il s'intéressait en ami mais avec qui il ne pouvait pas se mettre d'accord. Il était facile de se méprendre sur les pensées intimes de cet être quasi protéen. Il ne chercha jamais, paraît-il, à décourager ceux de ses amis qui se convertirent à cette époque ou qui faillirent le faire, comme Rivière, et par moments il les y pous-

19. Cité dans Brée, *op. cit.*, p. 181.
20. M. Delmat-Marselet. *André Gide l'enchaîné.* [Bordeaux], Picquet, [1955], p. 94.
21. Pierre-Quint, *op. cit.*, p. 449.

sait même : tels furent le cas de sa belle-sœur Mme Gilbert et celui d'Henri Ghéon un peu plus tard. En plus, sa connaissance de la religion chrétienne, son amour pour le Christ (quelque fantaisiste que fût sa conception de celui-ci) et son goût toujours vif pour la Bible lui permettaient de fort bien comprendre certains aspects de la foi de ses amis. En 1906 il écrivit, parlant du sentiment de la pitié et de l'amour qui manquaient si souvent chez les auteurs catholiques animés d'une colère sacrée, « C'est peut-être de là que vient la plus irréductible de mes inconséquences : mon paganisme résolu reste trempé de larmes que le Christ a versées... » [22] La spiritualité profonde de Gide est attestée également par ces paroles du lieutenant de vaisseau Dupouey, dans une lettre écrite en 1908 : « Vous êtes le seul homme hanté aussi tyranniquement par une foi ou le regret d'une foi. » [23] Malgré les attaques et les moqueries violentes de critiques comme Eugène Montfort, qui disait que Gide « s'acheminait vers le prêche, » [24] il dénonça avec force un Rémy de Gourmont qui prétendait que « toute la sottise [était] du côté de la religion ; » et il affirma, « Les religions ne sont point ' laides ' ni ' sottes, ' mais bien ce qu'on en fait parfois. » [25] Il défendait l'amour évangélique contre les « sceptiques et esprits forts, » annonçant sa défense passionnée du vrai esprit du Nouveau Testament dans *Numquid et tu.* Il s'indignait de voir « dilapider » à son neveu « un patrimoine moral que des générations se sont, *avec abnégation,* employées à lui constituer. » [26] La pensée gidienne continuait donc à rester très polyvalente, et il s'ensuit qu'il pouvait être attiré par la foi ardente de certains catholiques tout en condamnant plusieurs aspects de leur croyance. D'ailleurs, il était arrivé à un stade dans son développement spirituel où il lui semblait, comme au roi Candaule, à Philoctète, et à son Œdipe, qu'il ne pouvait avancer qu'en se dépouillant de quelque chose. La conception du dépassement par le sacrifice était fondamentale dans sa

22. « Lettres à Christian Beck », *Mercure de France.* CCCVI, no. 1031 (juillet 1949), p. 400.
23. André GIDE. « Le Lieutenant de vaisseau Pierre Dupouey, avec des lettres d'Henri Ghéon », *Le Correspondant,* CCLXXV (1919), p. 822.
24. GIDE-CLAUDEL, *Correspondance,* p. 313.
25. *Œuvres complètes,* VI, pp. 290-91, 296.
26. *Journal,* pp. 204, 380.

pensée. Le problème était de décider comment se soumettre, à quoi et pour quoi. Claudel lui paraissait tenir une solution possible à ces questions.

On peut tâcher de distinguer dans quel sens ce mouvement apparent de Gide vers l'Eglise de Rome fut véritablement la tentation du *catholicisme*. Sur le plan superficiel, il semble évident que c'était la foi apostolique et catholique qui l'attirait. Cependant, lorsqu'on examine de près les éléments de cette attirance, on s'aperçoit qu'il n'y avait dans son attitude que peu de chose qui fût spécifiquement catholique. Ce qui l'attirait dans cette Eglise, c'était davantage le côté évangélique que le côté traditionnel et romain. Les dogmes secondaires élaborés au cours des siècles n'avaient aucun intérêt pour lui. A l'encontre de Péguy, il ne concevait jamais qu'on pût se dévouer au culte de la Vierge, encore moins à celui des saints. Les divers mystères chrétiens, qui étaient pour Claudel et qui sont pour tant d'autres croyants l'aspect le plus saisissant de leur foi — tels le mystère de la Conception immaculée, de l'Incarnation, et de la Rédemption — ne jouaient aucun rôle dans son orientation apparente vers l'Eglise. L'Eucharistie et la confession, qu'il souhaitait peut-être comme solutions à son sentiment de culpabilité et de solitude, ne représentaient pas pour lui des mystères surnaturels. Il n'aimait guère le rôle civique de l'Eglise, préférant, à la différence d'un Maurras, la dévotion personnelle au culte public. Tous les signes extérieurs de la grâce, tout l'apanage romain lui étaient étrangers. « L'admirable révolution du christianisme, » affirmait-il, « est d'avoir dit, ' Le royaume de Dieu est au-dedans de vous. ' Le Christianisme égale opération intérieure. » [27] Nous trouvons donc assez peu d'éléments vraiment catholiques dans la conception gidienne de l'Eglise. Le lecteur verra plus tard qu'il était absolument hostile à la plupart des fondements doctrinaires de l'Eglise et même à la notion de la Vérité révélée. Son orientation provisoire vers Rome représente plutôt un retour vers la communion chrétienne.

Toutefois, il précisa du moins deux choses qu'il appréciait particulièrement dans le catholicisme et qui le firent se rapprocher pendant quelque temps d'une solution catho-

27. *Ibid.*, p. 375.

lique. D'abord, il considérait que le protestantisme s'était séparé de la communion chrétienne et que la communauté de sentiments religieux, si importante pour lui, ne survivait que dans l'Eglise de Rome. La seconde chose, c'est qu'il estimait que la stricte morale puritaine des sectes protestantes, surtout en ce qui concerne les mœurs sexuelles, ne se trouvait pas chez les catholiques. Il appréciait dans l'attitude catholique cette compréhension humaine qui différait de la morale protestante, si négative. Ces deux considérations le poussaient dans la voie de Rome lors du réveil de ses besoins religieux. C'est ainsi que Paul Archambault peut affirmer que « le problème ne s'est jamais posé pour lui qu'en fonction du catholicisme. » [28] Malheureusement, une déception cuisante l'attendait sur ce dernier point, et nous verrons que lorsqu'il se vit anathématisé et vomi par Claudel à cause de ses mœurs, il changea d'avis sur la largeur de vues catholique.

Avant de retourner à la question de la correspondance entre Gide et Claudel, il faut mentionner l'amitié qui le liait avec Francis Jammes. Leur correspondance (qui précéda leur rencontre) commença en 1893. Gide avait admiré les vers du poète d'Orthez et avait bien voulu s'occuper de le lancer dans le monde littéraire. Après que Gide eut connu Jammes, son amitié se refroidit quelque peu, car les nombreux défauts de caractère du poète n'étaient que trop évidents. Mais leurs rapports restèrent pendant longtemps amicaux et la correspondance ne cessa pas. Jammes était naturellement sentimental et conservateur, et dès 1893, ainsi que nous l'avons vu, il protesta contre l'immoralisme de Ménalque et contre la frénésie de la révolte gidienne. [29] Tout était simple pour lui. On n'avait qu'à rester chez soi, à se laisser empreindre de l'esprit de la nature et à écouter les cloches de l'église paroissiale. Gide, Jammes, et Paul Claudel se réunirent tous les trois en 1900. Après un désappointement en amour, Jammes chercha du réconfort dans le giron de Claudel. Ce dernier le fit se souvenir de la foi de son enfance dont il ne s'était jamais beaucoup éloigné et lui rappela ses devoirs de catholique. Ils communièrent ensemble en 1905. Jammes voulait ajouter des recomman-

28. Archambault, *op. cit.*, p. 174.
29. Voir Gide-Jammes, *Correspondance*, pp. 121-24, 192.

dations à l'offensive verbale qu'entreprenait le dramaturge contre l'auteur des *Nourritures terrestres*. Il lui avait déjà souvent parlé du catholicisme, et Gide avait reconnu son prosélytisme. Maintenant il écrivit à Claudel pour lui recommander l'âme de Gide,[30] et il aborda à nouveau le sujet dans leur correspondance. Mais, ainsi que nous le verrons, cette ouverture ne reçut qu'une réponse indifférente. Jammes ne possédait aucune intelligence critique, aucun jugement objectif ; Gide savait cela ; c'est pourquoi les efforts du convertisseur eurent surtout une influence négative, détournant Gide de la foi qui pouvait nourrir une telle fatuité.

En 1905 s'ouvrit le vrai débat religieux entre Gide et ses amis catholiques. En avril Jammes lui lut une lettre que lui avait écrite Claudel pour hâter sa propre conversion. « J'écoutais lire cette lettre comme si elle m'était adressée à *moi-même*. C'était affreux, » avoua Gide. En juillet il parla d'une « certaine pièce discrète dont j'ai perdu la clef depuis longtemps mais que je cherche à rouvrir, » pour pouvoir se rapprocher de Claudel. En octobre, il confessa, « L'*Ode* de Claudel m'a remué jusqu'à ma base.... Tout le reste m'ennuie, me profane. »[31] Le diplomate lui écrivit le 7 novembre,

Périsse mille fois ce qu'on appelle « l'Art » et « la Beauté » si nous devions préférer les créatures à leur créateur... Qu'est-ce que l'art, ... sinon un acte de grâces ? ... Nous ne pouvons tous devenir des saints, mais nous devons toujours à tout moment de notre vie faire honnêtement ce que nous pouvons ; et, à vrai dire, c'est en cela seulement que consiste la sainteté, en une préférence filiale de la Volonté du Père céleste à la nôtre. Comment donc pouvez-vous parler d'une sainteté païenne, c'est-à-dire d'un exécrable orgueil, d'une luxure spirituelle ?

Ensuite vient la sommation :

C'est à vous, mon cher ami, de voir à quel moment de votre vie vous êtes arrivé, de ne point vous faire d'illusions sur les exigences de la voix qui vous appelle, et de voir si vous êtes encore actuellement à l'égard des vérités absolues dans cet état d'*ignorance invincible* qui seul excuse le schisme et le délai. C'est devant Dieu que

30. PIERRE-QUINT, *op. cit.*, p. 46.
31. GIDE-JAMMES, *Correspondance*, pp. 226-29.

vous avez à vous examiner dans la sincérité de votre conscience. ... Quelle responsabilité surtout pour nous, écrivains... Il n'y a pas d'autre vérité que le Christ... Puissiez-vous le comprendre généreusement, mon cher Gide, et puisse cette fête de Noël... ne point se passer sans que j'aie la joie de rompre avec un frère le pain des Anges... [32]

Le 30 novembre Gide lut chez Arthur Fontaine le poème qu'avait composé Jammes pour célébrer sa propre conversion. Avant la soirée, il écrivit à celui-ci, parlant de ses répétitions pour la lecture, « Ce soir j'étais déjà tout catholique. Si Claudel vient par là-dessus ! T'avouerais-je que je n'ai pas encore osé le voir ? Je suis extrêmement ému à la pensée de le rencontrer demain chez Fontaine. J'aime que ce soit auprès de tes vers que se passe notre rapprochement. » [33] Claudel, de retour en France, vit dans cette lecture l'aveu de l'inquiétude gidienne et son désir de se réfugier dans l'Eglise. Le lendemain de sa lecture, Gide consigna dans son *Journal* sa première longue description du diplomate. C'est le physique claudélien, physique de « marteau-pilon, » qui ressort le mieux de cette page. Il y parla des « avances » de son adversaire mais l'invita à déjeuner. L'impression de Claudel sur son hôte fut équivoque. D'une part, la même puissance physique, morale, et artistique qu'admirait tant Gide et l'ascendant qu'elle avait sur lui ressortaient même mieux. Après avoir appuyé sur le visage du poète, il écrit,

> C'est, je pense, la voix la plus saisissante que j'aie encore entendue. Non, il ne séduit pas ; il ne veut pas séduire ; il convainc — ou impose. Je ne cherchais même pas à me défendre de lui, et quand, après le repas, parlant de Dieu, du catholicisme, de sa foi, de son bonheur, et comme je lui disais le bien comprendre, il ajouta, « Mais Gide, alors pourquoi ne vous convertissez-vous pas ? » ... je lui laissai voir, lui montrai dans quel désarroi d'esprit me jetaient ses paroles. [34]

D'autre part, Gide fut choqué par le dogmatisme du poète et par ses jugements faussés par la prévention confessionnelle. Malgré les prétentions du poète d'avoir réconcilié en lui-même l'art et la religion, Gide vit qu'il n'avait con-

32. GIDE-CLAUDEL, *Correspondance*, pp. 52-54.
33. GIDE-JAMMES, *Correspondance*, p. 231.
34. *Journal*, pp. 185-86, 190.

cilié qu'un certain genre de littérature avec sa foi, et que son goût esthétique restait subordonné à sa croyance. Le fondateur de la *Nouvelle Revue française* fut écœuré par le jugement ridicule de Claudel sur « cet âne Gœthe, » sur Hugo et Voltaire, et par sa « colère sacrée » contre Gourmont, Rousseau, Kant, et Renan. « A coups d'ostensoir, il dévaste notre littérature, » écrit-il dans son *Journal.* [35] Il vit que Claudel n'attachait pas d'importance réelle à la valeur littéraire d'un ouvrage ; c'étaient des qualités polémiques qui lui importaient surtout. [36] L'assurance de Claudel et son orgueil étaient donc repoussants en même temps qu'attirants pour Gide.

La même semaine de décembre 1905, Claudel écrivit à son ami pour le prier de lui pardonner son zèle de convertisseur, tout en appuyant de nouveau sur le devoir d'oublier son orgueil et de s'humilier devant Dieu. « J'aime profondément les âmes, » ajouta-t-il. « La vôtre m'est bien chère. » Il envoya avec sa lettre un cahier de citations pieuses et suggéra de nouvelles rencontres. [37] Après trois jours Gide lui répondit par une lettre importante qui met en lumière son conflit spirituel et révèle pourquoi il ne pouvait pas se rendre aux sommations de son ami. Il s'avoua « profondément touché » par la lettre qu'il venait de recevoir. « Vous avez donc pris au sérieux mon interrogation indistincte. » Mais cette « interrogation » touchait plutôt aux sujets humains qu'aux sujets théologiques. Car Gide se reconnaissait « un affreux besoin d'affection, d'amour, une telle soif de sympathie que j'ai pu craindre de me méprendre, de ne chercher à m'approcher de Dieu que pour me rapprocher de vous... » Il y avait donc une ambiguïté fondamentale dans la réponse chaleureuse de Gide. Il tentait ensuite de répondre dans sa lettre, d'une façon négative, aux arguments du poète, qu'il comprenait fort bien pourtant. Une religion pratique, faite de compromis, n'était pas son fait, disait-il, malgré le besoin psychologique qu'il en éprouvait ; en outre, le problème de l'art et du christianisme demeurait :

35. *Ibid.*, pp. 190, 237.
36. *Ibid.*, p.191.
37. GIDE-CLAUDEL, *Correspondance,* pp. 55-56.

Puisque vous aimez les âmes, vous comprendrez qu'il en est qui ne répugnent à rien davantage qu'à une religion pratique et tempérée et qu'après avoir fait au début de ma vie, de la lecture de la Bible ma quotidienne nourriture, j'ai préféré la plus brusque rupture avec mes premières croyances, à je ne sais quel compromis tiède entre l'art et la religion. [38]

Le lecteur observera que dans cette réponse il ne s'agit jamais des raisons plus intimes — des raisons morales — pour la révolte contre le protestantisme. Gide ne donna qu'une image partielle de son apostasie, gardant la discussion sur un plan théorique. Ce sera le cas jusqu'en 1914. Ayant nié la validité de certains des arguments de son correspondant, il laissa pourtant ouvert le débat en admettant que le catholicisme pourrait comprendre plus facilement que le calvinisme l'artiste chrétien et que l'attitude claudélienne pourrait être « non pas une solution — absurde à souhaiter — mais une acceptable position de combat. » Il s'avoua ébranlé par la sommation du poète sur le devoir absolu d'être un saint et il doutait à présent que ce fût possible par « la route païenne. » Gide se trouvait donc plus bouleversé que jamais, et il finit par dire, « Ah ! que j'avais raison de redouter votre rencontre ! Comme j'ai peur de votre violence à présent. » [39]

Après ces aveux dangereux, le romancier dut se retirer, et, tout en lisant le cahier pieux, il s'avoua timide « devant l'énormité de tout ce que je pourrais vous dire. » Claudel semblait comprendre qu'il fallait abandonner pour le moment l'offensive et laisser mûrir dans l'âme de Gide les fruits de leur discussion. Celui-ci n'aborda pas non plus pendant quelques mois les « sujets interdits. » Il sentait sans doute qu'il s'était trop rapproché de Claudel, invitant à une méprise. Cependant, son besoin de sympathie humaine, d'épurement moral, voire de confession, le rongeait toujours. En mars 1906 Claudel lui envoya un résumé de ses croyances et reprit le sujet du christianisme :

Que mes paroles plaisent ou non, elles sont du moins un témoignage à la vérité qui réside uniquement et exclusivement dans les enseignements de l'Eglise catholique... Admettez dans votre cœur

38. *Ibid.*, p. 58.
39 *Ibid.*, pp. 58-59.

cette irruption du fait, faites place dans votre intelligence à d'immenses espaces déserts. [40]

Gide ne répondit pas. Mais en automne il écrivit à l'auteur de *Partage de midi* afin de lui exprimer son grand enthousiasme pour cette pièce, avec son beau portrait d'un pécheur repenti. Le diplomate lui répondit à Noël par une lettre qui révèle tout l'étendu de la méprise entre eux. Il y assurait son correspondant que ce n'était pas la poésie, « triste galimatias de ce pauvre Claudel, » qu'il aimait dans *Partage de midi,* mais plutôt le sens chrétien profond. [41] Le poète refusait d'admettre que Gide pût ne pas voir toute l'importance didactique de son drame ; et Gide était en vérité juste assez ému par l'élément chrétien pour prêter à la méprise.

Dans les mois suivants, la correspondance devint banale. Robert Mallet constate entre les deux écrivains un « raidissement mutuel » qui venait de « l'impression chez l'un d'avoir été violenté, chez l'autre d'avoir été violent, et chez tous les deux d'une exagération dans l'intimité de la pensée par rapport à celle du cœur. » [42] Gide semblait se ressaisir moralement et intellectuellement ; il regagna assez d'équilibre pour pouvoir regarder d'une façon objective son état d'esprit. C'était la première fois depuis le début de la crise qu'il pouvait retourner à un point de vue critique. Il atteignit alors une sorte de palier dans son évolution morale et religieuse. La lacune qui s'ensuivit dans la correspondance avec Claudel montre le fait que Gide trouvait nécessaire de se retirer. Sous la pression de la solitude et de la « mauvaise santé, » il était allé trop loin. De plus, le zèle quasi fanatique de Claudel commençait à lui paraître excessif. Il l'expliqua à Jammes :

J'ai eu avec Claudel... une « explication. » ... Tout à la fois son zèle et ma sympathie nous blousaient sur la réalité de mon état. Non la communion avec l'Eucharistie m'attirait, mais celle avec Claudel, le désir de l'accompagner plus longtemps, certaine curiosité de sa pensée, et l'impossibilité de comprendre sans éprouver moi-même. [43]

40. *Ibid.*, pp. 60, 66.
41. *Ibid.*, pp. 68, 69.
42. *Ibid.*, p. 15.
43. GIDE-JAMMES, *Correspondance*, p. 238.

Cette lettre met bien en valeur les mobiles de l'écrivain. Toute la répugnance que nous avons notée chez lui pour les jugements littéraires si tranchants du poète minait l'admiration qu'il avait ressentie devant l'art claudélien. Dès mai 1906 cette attitude plus critique se manifesta dans une lettre qu'il écrivit à Jammes, qui l'avait trouvé « inquiet comme un bouchon dans l'eau » :

> Ne te méprends pas : l'inquiétude que tu dis sentir en moi, tu me la prêtes poétiquement... Je suis peut-être au seuil du paradis mais pas à la porte que tu crois. Il faut un cœur meurtri pour entrer par où tu es entré toi-même ; et je fais profession de bonheur. Ne vois pas là d'orgueil ; je confonds bonheur et vertu. Si ma sérénité s'est quelque peu troublée ces derniers temps, c'est défaillance de vertu. [44]

Voilà donc que reparaît l'attitude gidienne esquissée à l'époque des *Nourritures terrestres* : l'homme doit rechercher la ferveur et la joie, au lieu de nourrir son inquiétude par une religion ; et dans le bonheur de l'homme se trouvent la vertu et le bien suprême. Seuls les faibles se réfugient dans la foi. « Si Claudel a son Dieu, » écrivit-il à Jammes, « j'ai le mien, et ma faiblesse était impie qui me laissait m'en écarter ainsi. .... Ce qui t'eût semblé l'acte le plus admirable de ma vie m'apparut une malhonnêteté. » [45] Cette position, qui sera reprise dans *Le Retour de l'Enfant prodigue,* montre que l'angoisse psychologique et physiologique s'était effacée lorsqu'il écrivit cette lettre et qu'il était entré dans une période de bonheur relatif. Il accusait Jammes d'agir comme les médecins de Pourceaugnac, voulant lui persuader qu'il est malade pour le faire essayer de leur remède. Gide reconnaissait qu'il y avait une « ferveur, religieuse indéniablement, qui rougit ou enfièvre mon œuvre, » mais qu'il n'avait plus son inquiétude religieuse. Il ajoutait,

> Oui, Claudel m'a beaucoup servi ; mais pas comme tu imagines. La lecture de son Journal intime, de ses lettres, a heureusement nui à l'opération de ma sympathie pour sa personne et de mon admiration pour son œuvre. La réaction l'a finalement emporté de beaucoup sur l'action, et c'est de cela que je lui garde reconnaissance. [46]

44. *Ibid.*, p. 236.
45. *Ibid.*, p. 238.
46. *Ibid.* p., 236.

Jammes avait eu l'intention d'écrire un article de louanges sur Gide et le lui avait promis parce qu'il avait cru que le romancier allait se convertir. Voyant qu'il n'en était rien, Jammes abandonna son projet et en avertit Gide, qui ne dut pas être très impressionné par l'objectivité du poète béarnais. Celui-ci continua toutefois à espérer que Gide se convertirait. Il persista dans sa croyance que « Dieu ne veut pas te lâcher. » Il insista,

> Ma certitude, c'est que tu souffres de ne plus pouvoir étendre ton cœur au-delà de ce qu'une philosophie, néfaste à mon sens, te circonscrivit. ... Le mal dont tu souffres à présent n'est pas du ressort d'un médecin. ... Tu étouffes dans cette cage étroite...

Dans sa réponse, datée août 1906, Gide confessa que son ami avait un peu raison :

> Il est vrai que, depuis ce printemps, je traverse une crise affreuse, dont je ne puis parler... Je me débats et me traîne. Oui, cher ami, je crois que tu sais voir en moi plus profondément qu'on ne regarde d'ordinaire dans le cœur des hommes et peut-être plus loin que je n'y sais voir moi-même.

Il ne fit toutefois aucune promesse quant à une conversion, et il ne répondit pas très chaleureusement aux recommandations abondantes de son ami sur le rosaire, sur la prière intérieure, et sur la littérature religieuse (avec le conseil d'écrire « quelque beau roman poétique où soit laissé de côté toute préoccupation philosophique. ») [47]

Il est utile de tâcher d'approfondir maintenant les causes de cette répugnance dont témoignait Gide en 1906 et 1907 pour la vérité catholique et d'étudier son attitude fondamentale envers l'Eglise pendant ces moments de répit dans sa recherche d'une solution religieuse. Certains aspects de la doctrine et de l'organisation de l'Eglise romaine le repoussaient et le prédisposaient contre le catholicisme, phénomène que Claudel ne put probablement pas comprendre. Le romancier reconnaissait sans doute, comme l'avait fait André Walter, la beauté de certains rites romains. Etant allé à la messe à la campagne, il parla de « l'admirable dévotion » dans les gestes d'une communiante. [48] Mais dès

47. *Ibid.*, pp. 240-42.
48. *Journal*, p. 254.

que l'inspiration liturgique et symbolique était reprise par un fidèle tant soit peu suffisant, elle devenait pour Gide médiocre, même dégoûtante — du « puffisme religieux » et du « faux sublime. » « Que m'importe, » dit-il à propos de Suarès, « de savoir que son livre fut terminé le Vendredi saint ? » [49] Deuxièmement, il reprochait à ceux qui croyaient tenir la certitude religieuse une « infatuation déplorable » qui nuisait non seulement à la qualité de leur pensée mais aussi, dans le cas des écrivains, à celle de leur art. Troisièmement, l'exclusivisme et l'étroitesse de la soi-disante Vérité catholique étaient faits pour lui déplaire. Il reconnaissait la contradiction fondamentale entre la Révélation (ou du moins certains aspects) et la vérité scientifique. Quoique loin d'être rationaliste dans un sens borné, Gide reconnaissait la souveraineté de la raison dans certains domaines et l'inaptitude de la Révélation à y suppléer — par exemple, pour les questions astronomiques, géologiques, anthropologiques. En commentant dans son *Journal* « L'Apologie de Raymond de Sébond, » il observa, « Certainement le *but secret* de la mythologie était d'empêcher le développement de la science. » [50] Et lorsque Jammes l'accusa plus tard d'être plus près qu'il ne le pensait des idées de Gourmont, Gide en convint : « Il se peut que tu aies raison dans ce que tu me dis au sujet des idées de Gourmont et des miennes, et que mon amitié pour toi et pour Claudel m'ait entraîné plus loin que ne le comportait ma nature. » [51] Ce qui est encore plus grave, il voyait dans la notion même du dogme un parti pris contre toute interrogation et tout doute, attitude qui jurait avec son propre besoin de réévaluer continuellement les traditions, les croyances, et les valeurs de notre civilisation. Jammes le gronda à cause de son attitude envers l'Eglise qui devrait, selon lui, « écouter les critiques humaines » — être souple plutôt que dogmatique. [52] Nous lisons dans le *Journal* en mars 1907, « Hier été entendre le père Janvier à Notre-Dame... Sujet du discours — l'Erreur. ... Nécessité de *s'instruire*, c'est-à-dire d'apprendre à connaître la *Vérité*. Ah ! que cela est beau ! Courrons vite

49. *Ibid.*, p. 239.
50. *Ibid.*, p. 203.
51. Gide-Jammes, *Correspondance*, p. 282
52. *Ibid.*, p. 252.

emprisonner Galilée ! » Et la superstition naïve des gens du peuple que favorisaient les curés, l'écœurait.[53] Contre ces persuadeurs et ces convertisseurs, il croyait que « l'acte moral pour être valable doit être de libre choix... et que l'acceptation des décisions d'autrui est un état de mort ou de non-vie. »[54] C'est qu'il comprenait, ainsi que le fait Sartre, que l'homme, créature libre, porte la pleine responsabilité de ses actes, et qu'il doit par conséquent prendre de son propre gré chaque décision de sa vie, au lieu de les référer à un cadre préexistant fourni par une métaphysique ou une éthique. Vivre selon un système — ce que Sartre appelle de la mauvaise foi — était pour Gide une fuite de responsabilité et une défaillance des possibilités humaines en nous.

> Je me garde de tâcher de faire accepter mes pensées... bornant mon rôle... [à celui] de tâcher de faire penser autrui par lui-même, de provoquer enfin cette importante décision personnelle. Le catholicisme semble ne pas admettre cela.

Gide était pour ainsi dire opposé à l'esprit d'autorité et d'universalité qu'exigeait et qui permettait la foi catholique. « Le catholicisme, » écrivit-il, « a pour raison d'être et pour but la norme et l'unification... Le catholicisme est donc dans son rôle en devenant oppresseur... »[55] Il ne pouvait accepter l'idée qu'un homme eût des droits sur un autre, même quand il s'agit de son salut. Nous avons vu dans le chapitre précédent comment il insistait sur la relativité de la vérité, sur la nécessité de juger les croyances sans prévention, selon un étalon pratique et humain. Il ne pouvait admettre qu'une croyance pût avoir plus d'importance qu'un acte ou se passer d'actes. Dans ces circonstances, l'atmosphère religieuse de l'époque était particulièrement faite pour le froisser.

> A ce moment (écrit M. Archambault) sévissait jusque dans les sanctuaires un prétendu intégrisme qui constituait en réalité une minimisation du message chrétien. On s'était habitué à juger de l'adhésion profonde de l'esprit par la raideur dogmatique de l'affirmation... on en venait à méconnaître l'apport toujours singulier du

53. *Journal*, p. 271.
54. Cité dans DELAY, *op. cit.*, II, pp. 319-20.
55. *Œuvres complètes*. VI, p. 53.

sujet dans l'acte de foi. ... Ressentant vivement le besoin d'ordre, on eût volontiers exigé du chrétien, conservatisme social et statisme intellectuel. [56]

Il y avait une sous-estimation grave de la connaissance critique, de la sincérité, de l'esprit de justice, et de celui de liberté, en réaction contre le rationalisme de l'âge précédent.

D'ailleurs, en prenant un autre point de vue, nous voyons que les disputes théologiques lui semblaient sans signification pour l'être humain qui est embarqué, pour user du terme pascalien. En bon fils de protestants, Gide croyait que l'expérience personnelle était le seul critérium du sens de la religion chrétienne, et, partant, qu'une fois cette expérience atteinte, le dogme est inutile. A l'instar du Salavin de Duhamel, il aurait pu dire,

> Protestants, catholiques, ... Qu'est-ce que tout cela peut me faire ? Ce n'est pas un dogme que je demande, c'est Dieu. ... Il est bien surprenant qu'on ait pu s'égorger pour de menus points de doctrine. ... La seule affaire, c'est Dieu. [57]

De plus, il voulait garder le privilège d'être spirituel sans être catholique, et il n'aimait pas les prétentions de l'Eglise catholique au monopole de la vérité et de la spiritualité. Ainsi que nous l'avons vu, il sentait aussi que l'Eglise ignorait l'Evangile et avait trahi le Christ. Cette attitude se dégagera même davantage lors de la crise de foi en 1916, mais nous croyons pouvoir la déceler comme une des constantes de sa pensée depuis les années 1890.

Il est un autre problème, un problème qui touche au fond de la pensée, du sentiment, et de la psychologie de Gide. Nous avons vu qu'il avait perdu la foi pendant ses premières années d'activité littéraire. La rupture semble vraie et sincère. Il s'était éloigné de presque tous les éléments qui peuvent composer l'adhérence religieuse : de la croyance littérale au dogme, de la notion de la Révélation et de la morale appuyée par la Révélation, du sens des rapports personnels entre Dieu et l'homme, et de l'effort intellectuel pour s'élever vers la Divinité. Voici que quelques

56. ARCHAMBAUD, *op. cit.*, p. 174.
57. Georges DUHAMEL. *Journal de Salavin*. Paris : Fayard et Cie., [1929], p. 107.

années plus tard il se retourne vers les problèmes religieux et qu'il s'y intéresse personnellement jusqu'à tromper un Claudel. Il est nécessaire d'essayer de déterminer son attitude envers la foi et en même temps de voir si celle-ci rentra dans son cœur. Cette tâche n'est pas facile. En nous basant sur le ton et sur le contenu des aveux de Gide à cette époque, nous croyons pourtant pouvoir déceler certains éléments de son attitude.

Il est tout d'abord évident que pour Gide la foi ne pouvait consister simplement en une adhérence intellectuelle aux doctrines chrétiennes, à moins que la personne ne soit dénuée de réflexion. La simple croyance aux dogmes (qu'il n'avait pas d'ailleurs) ou l'acceptation de leur possibilité philosophique — attitude qu'il observait chez certains catholiques pragmatiques ou superficiels de son époque — ne saurait créer pour lui la foi véritable. Le simple acquiescement intellectuel n'est pas suffisant chez l'homme qui pense parce qu'il ne saurait franchir ce gouffre quasi irréductible entre le sentiment de temporalité et l'idée d'éternité, entre nos lumières finies et la sagesse infinie — ce gouffre dont parlent si bien Pascal et, plus récemment, Baudelaire. L'effort intellectuel pour adhérer à la Volonté divine, quelle qu'elle soit et même si on l'ignore, peut représenter lui aussi un aspect ou une manifestation de la foi, mais il n'en est pas la source. Nous estimons également que ce que nous appellerons le sentiment religieux, qu'on relève chez un agnostique comme Stendhal ou Auguste Comte et chez un révolté comme Vigny, ne suffit pas, pour l'homme qui réfléchit, à faire tout seul la foi. Ce sentiment religieux est souvent par trop enfantin : tel est le cas de la plupart des fidèles et on peut dire d'un poète comme Jammes aussi. Il peut bien indiquer l'angoisse métaphysique d'un homme, ainsi que chez Vigny, mais il ne fournit pas l'expérience de la Rédemption qui seule prouve la vraie foi. André Walter avait compris que pour croire, il ne suffit pas simplement de vouloir le faire. Et ni les « preuves » esthétiques ni les « preuves » émotionnelles ne peuvent indiquer Dieu ni remplacer la foi si elle manque dans notre âme. Gide accusait plaisamment Jammes de prouver son bon Dieu « par le crédit que les Fêtes-Dieu lui accordent, » [58] et il ne

58. GIDE-JAMMES, *Correspondance*, p. 194.

pouvait souffrir la religiosité fin-de-siècle. La foi ne peut consister non plus en une simple position éthique. Il nous semble donc que pour Gide la foi devait être essentiellement une attitude irrationnelle qui prend sa source dans une angoisse métaphysique dans les couches les plus profondes de l'être et en même temps la conscience de la grâce. Elle peut commander des positions intellectuelles et sentimentales mais elle n'en découle pas. Gide regarderait la foi, ainsi que le faisait Pascal et surtout Kierkegaard, comme une attitude très profonde prise devant l'Absurde.

Or, si c'était bien la conception gidienne de la foi d'un point de vue existentiel, il est évident qu'il n'avait pas cette foi pendant la période que nous examinons dans ce chapitre. Aucun des éléments qui composaient l'attrait qu'il subissait pour la religion chrétienne et notamment pour l'Eglise romaine n'indique l'attitude suprarationnelle de l'homme « en situation » qu'est la foi. Sa recherche d'un appui et d'une règle morale dans l'Eglise montre la difficulté qu'il pouvait éprouver à vivre sans loi et à créer sa propre éthique mais ne révèle pas forcément la foi. Son sentiment religieux, qui n'était pas si puissant que celui de Vigny mais auquel contribuaient ses souvenirs d'enfance et son sentiment de solidarité familiale, n'est pas non plus une preuve de foi. L'attirance esthétique de l'Eglise n'est pas du domaine de la foi véritable. Même son amour pour le Christ qui se développait, nous semble-t-il, tout le long de sa maturité, ne pouvait suppléer à la foi en la Révélation. Nous estimons, donc, qu'une lacune spirituelle dans l'attitude gidienne rendait impossible, à l'époque dont il s'agit, une véritable adhérence, sans réserves, à la communion catholique.

S'il avait eu la foi — l'expérience personnelle et sans équivoque de la grâce — pendant son âge mûr, il n'aurait peut-être pas combattu avec tant d'acharnement le principe du dogme religieux. Mais, ne l'ayant pas, son intelligence critique, presque toujours en éveil, revenait continuellement à l'enseignement de l'Eglise et au principe de l'indoctrination religieuse, contre laquelle nous l'avons vu regimber. Se rendait-il lui-même compte de l'absence de foi dans son âme ? Il est assez difficile de répondre à cette question. Il est probable qu'au début de sa crise, aux alentours de 1905, il n'en avait pas conscience. Dès les premiers pas dans la direction du catholicisme, il dut commencer à en être conscient, mais il n'eut pas la sagesse de l'annoncer à ses amis convertis. On peut dire en sa faveur que peut-être, ayant grand besoin d'appui et de consolation, pensait-il pendant quelque temps pouvoir suppléer à la foi par d'autres éléments intellectuels et affectifs que nous avons constatés chez lui. Ce ne dut être que vers la veille de la guerre qu'il reconnut la « grande malhonnêteté » qu'il y avait à « traiter la foi comme un postulat, quitte à tout arranger plus tard, » pour emprunter encore une fois les paroles de Duhamel. Tout en aimant à citer la parole pascalienne, « Tu ne me chercherais pas si tu ne m'avais pas trouvé, » Gide savait qu'il n'avait pas trouvé le Christ de Claudel et que ce n'était pas lui qu'il cherchait. Aussi Paul Archambault a-t-il cru pouvoir dire,

> Quoi qu'il en soit des responsabilités de son entourage, il faut bien dire d'ailleurs que c'est de son propre fond que venaient à Gide les difficultés majeures. C'est à la vérité catholique essentielle qu'il répugnait, non à telle présentation plus ou moins contingente.[59]

Soit cause, soit résultat de l'avènement d'un nouvel équilibre physique et d'une santé morale ou du moins d'une trêve dans le découragement et de la prise de conscience de son incrédulité foncière, Gide composa en quelques semaines en 1907 un chef-d'œuvre en prose, *Le Retour de l'Enfant prodigue*. Reprenant la parabole biblique, il en fait un « triptyque » émouvant dont le ton est grave et serein et dont le sens est multiple, représentant une cristallisation de ses vues sur les questions morales et religieuses. Le 2 juillet 1907, il écrivit à son ami Christian Beck, au sujet de cet ouvrage :

> Peut-être ne savez-vous pas que Claudel, après avoir trouvé en Jammes une brebis facile à ramener au Seigneur, a voulu m'entreprendre à son tour. Cela s'appelle, n'est-ce pas, « convertir. » Il ne se dissimulait sans doute pas qu'avec mon hérédité et mon éducation protestante, il n'avait pas tâche facile ; n'importe, il s'obstina, encouragé jusqu'à l'excès par la très vive sympathie que je montrais pour son œuvre et par l'immense crédit dont en bénéficiait sa parole. Tant par lettre que par conversation, nous allâmes fort loin. ... Com-

59. ARCHAMBAUD, *op. cit.*, p. 173.

prenant jusqu'au fond des moelles et l'intérêt du geste que Claudel et lui [Jammes] souhaitaient me voir faire, et pourquoi je ne le faisais pas — et comment, si je l'avais fait, ce n'eût pu être qu'à la manière dont *mon* enfant prodigue rentra à la *maison*, et pour aider à en sortir le petit frère, j'écrivais cette petite œuvre de circonstance où j'ai mis tout mon cœur mais aussi toute ma raison. [60]

Cette longue lettre où l'ironie se mêle à la pensée sérieuse fournit un point de départ pour l'interprétation de *L'Enfant prodigue.* L'histoire a une grande valeur en soi, mais l'auteur la considérait aussi comme un ouvrage critique, écrit pour avertir, pour faire réfléchir, et pour exposer ses propres réflexions. « J'élabore, » écrivit-il dans son *Journal,* « un *Enfant prodigue* où je tâche à mettre en dialogue les réticences et les élans de mon esprit. » [61] Il y méditait plusieurs soi-disant « solutions » au problème de la croyance et indiquait sinon sa préférence définitive du moins certaines idées chères. Dans sa préface il affirme qu'il ne cherchait à y prouver la victoire sur lui d'aucun dieu. Quelques années plus tard il insista dans une lettre à François Mauriac sur le fait qu'il avait écrit ces pages avec piété et respect. [62] Cependant « comme un donateur au coin du tableau, je me suis mis à genoux, faisant pendant au fils prodigue, à la fois comme lui souriant et le visage trempé de larmes. » C'est donc l'enfant lui-même qui incarne le mieux au moins un aspect de la position gidienne, ainsi que l'indique du reste la lettre à Beck. L'auteur confesse d'ailleurs qu'il se voit en l'enfant prodigue et qu'il entend dans son tréfonds les paroles que lui adresse le Père. [63]

Dans cette allégorie l'enfant prodigue est celui qui a cherché Dieu loin de la maison (qui représente probablement l'Eglise [64]), sur les grandes routes. « Je ne vous aimai jamais plus qu'au désert. » Il s'est aussi cherché lui-même. « Je cherchais qui j'étais, » dit-il. « Au prix de tous mes biens, j'avais acheté la ferveur. » Comme son créateur, il ressent en même temps la haine du foyer fermé — des ins-

60. GIDE, « Lettres à Beck », p. 621.
61. *Journal,* p. 237.
62. André GIDE. « Lettres à François Mauriac », *Table Ronde,* no. 61 (janvier 1953), p. 91.
63. *Retour de l'Enfant prodigue,* pp. 175, 180.
64. Pour une interprétation de la maison comme autorité maternelle et morale protestante, voir René-Marill ALBÉRÈS. *L'Odysée d'André Gide.* Paris : La Nouvelle Edition, 1951, p. 99.

titutions traditionnelles — et l'attirance vers quelque chose de stable et de suprême — le Père. Ayant rencontré des obstacles infranchissables et ayant souffert, il revient chez ses parents pour goûter de nouveau l'aisance et la sûreté. « Rien n'est plus fatigant que de réaliser sa dissemblance. Ce voyage à la fin m'a lassé. » Chaque membres de sa famille le reçoit d'une manière différente. Le Père l'accueille joyeusement, comprenant la fugue de son fils, comprenant également la faiblesse humaine qui le fait rentrer. Le fils lui dit qu'il n'a jamais cessé de l'aimer, qu'il l'a cherché partout. « La Maison m'enfermait. La Maison, ce n'est pas Vous, mon père. » Le Père le comprend : « Je sais ce qui te poussait sur les routes ; je t'attendais au bout. » La mère ne songe qu'au bien-être de son fils ; elle est tout amour ; tous les arguments théologiques lui sont indifférents. Comme un tout petit enfant, le fils prodigue se rend à cet amour et en reconnaît toute la noblesse. L'amour est sans doute un aspect capital du message de l'œuvre. [65]

Le grand frère prend un point de vue opposé. Il accuse le Père de parler généralités, de divaguer, tandis que lui-même sait exprimer la vérité d'une façon infaillible. « Je reste l'unique interprète, et qui veut comprendre le Père doit m'écouter... Il n'y a pas plusieurs façons de l'aimer. » [66] Il n'y a pas de salut hors de la Maison, affirme-t-il, et la fugue du fils prodigue est une horrible divagation des normes. Par son intransigeance, ce personnage rappelle sa contre-partie évangélique ; par ses vues bornées et ce que nous interprétons comme son catholicisme pragmatique, il rappelle certains convertis du début de ce siècle. Il incarne plusieurs côtés de l'Eglise catholique que Gide refuse d'accepter. Mais le prodigue espère tout de même pouvoir entendre les paroles du Père même à travers les déformations du frère aîné.

Enfin, il y a le fils puîné — innovation de Gide — qui comme son frère veut s'évader pour chercher dans le désert le puits auquel étancher sa propre soif. Ce personnage, qui part d'ailleurs sans héritage (espèce de Bernard Profitendieu avant la lettre), et qui se sent donc absolument libre des devoirs familiaux, représente l'autre côté de la pensée

65. *Retour de l'Enfant prodigue*, pp. 183-84, 193-94.
66. *Ibid.*, pp. 187-88.

intime de l'auteur. Le petit veut au moins « la liberté de choisir son servage. » Il s'enfuit avec la bénédiction de l'enfant prodigue : « Puisses-tu ne pas revenir. »[67] Le narrateur souhaite qu'il soit assez fort d'esprit pour pouvoir se passer du réconfort de la Maison et des dogmes du frère aîné, pour ne pas se réfugier auprès d'un maître étranger (ce qui était la grande erreur du prodigue), et enfin pour trouver sa propre vérité. « Je reste à consoler notre mère, » lui dit-il. « Sans moi tu seras plus vaillant. ... Tu emportes tous mes espoirs. »

Cherchant la pensée de Gide derrière ces lignes limpides, on se rend compte que son idéal le plus chéri est toujours le nomadisme des *Nourritures terrestres* : la liberté éclairée, l'identité de vertu et de ferveur, et l'individualisme dans la morale et dans la pensée, dirigées pourtant vers un but élevé. Le désir de s'affirmer en opposition à Claudel paraît bien net. Il sait pourtant voir les ressources de consolation et de puissance spirituelle qui existent dans le christianisme. Pourvu qu'on comprenne le credo catholique d'une façon large, qu'on ne soit pas intolérant, et que l'amour règne par-dessus tout, il comprend ceux qui rentrent à la maison, après avoir essayé de s'aventurer. « J'ai souffert, » dit le prodigue. « C'est cela qui m'a fait réfléchir. »[68] Certains critiques estiment même que l'auteur comprend le point de vue du frère aîné et sent toute la joie et toute la beauté dans la soumission à l'Eglise.[69] Encore que ce point de vue paraisse exagéré, Gide semble comprendre qu'il y a plusieurs manières d'aimer le Père. Il se réserve donc en quelque sorte devant le problème religieux, et l'ouvrage laisse une impression de piété. Charles Du Bos y reconnaissait un esprit de profondeur et d'urgence, et, avec l'impossibilité gidienne de choisir, encore une preuve de la « permanence du souci de Dieu » à travers tout son œuvre.[70] René Schwob y voyait l'échec du matérialisme gidien et la soif de la spiritualité. Cependant, Mlle Brée, qui ne trouve pas dans le *Journal* de l'époque de traces d'inquiétude réelle, estime

67. *Ibid.*, p. 207.
68. *Ibid.*, p. 203.
69. George D. PAINTER. *André Gide*. London : A. Barker, [1951], p. 84.
70. André GIDE et Charles DU BOS. *Lettres*. Paris : Corrêa, 1950, pp. 15, 86.

que l'ouvrage est objectif, et non pas une confession personnelle. Après avoir fait remarquer que pour le fils puîné la Maison représente la contrainte, elle conclut que l'œuvre signifie non pas que Gide hésite aux confins de la conversion mais plutôt qu'il croit nécessaire de sortir de la contrainte et du système. [71]

L'interprétation de l'ouvrage peut donc être multiple. Nous estimons qu'il est personnel, du moins en partie, et qu'il fournit une espèce de réponse à la question de conversion. Il nous semble que l'auteur l'écrivit pour tâcher de se débarrasser du besoin de se rendre. Soit qu'on interprète le renoncement du fils prodigue comme une défaite, soit qu'on l'interprète comme une victoire, ce n'est ni la défaite ni la victoire de Gide puisque lui ne se rendit pas. Ce serait encore une fois une sorte de purgation d'une certaine tendance psychologique au moyen de la création littéraire. Gide exprima dans cet ouvrage cette impossibilité de conversion et de foi sur laquelle nous avons insisté, sa défiance de sa faiblesse, et son idéal éthique, tout ce qui l'éloignait irréparablement de ses amis convertis.

L'écrivain y exprima également sa haine des dogmes qui tarissent la spontanéité humaine et, d'une façon générale, sa méfiance de toute orthodoxie, point de vue que nous avons rencontré dans le chapitre précédent.

L'élan que ressentit Gide au moment de composer son *Enfant prodigue* dura, et ses effets salutaires se voient au cours des années suivantes. Lisant alors pour la première fois Dostoïevsky, il fit la découverte de l'univers tragique de cet écrivain russe qui devait avoir une si grande influence sur lui quelques années plus tard. Les premiers pas vers la fondation de la *Nouvelle Revue française* se firent en 1908, et la revue publia son premier numéro l'année suivante. Gide écrivait en même temps son récit admirable *La Porte étroite* (1909), lequel, en raison de son étude du protestantisme et du renoncement chrétien, nous aborderons dans le sixième chapitre. La crise morale semblait terminée.

Toutefois son intérêt pour les questions religieuses restait vif, et ses rapports avec certains catholiques demeuraient intimes. *Le Retour de l'Enfant prodigue,* que l'auteur avait envoyé à Jammes et à Claudel (encore qu'avec

71. Brée, *op. cit.*, pp. 183-84, 189, 191.

hésitation) ne fit qu'ajouter à la longue à l'ambiguïté de sa situation religieuse. Voulant probablement éclaircir son attitude, il avait seulement donné lieu à de nouvelles mésinterprétations. De plus, son besoin de nourriture spirituelle restait profond, et de temps en temps il se retournait vers le christianisme, en particulier vers la ferveur de ses amis catholiques, pour ranimer sa propre spiritualité. La correspondance avec Claudel et Jammes en fait foi.

Accusant réception du *Retour de l'Enfant prodigue*, le diplomate écrivit à son correspondant en mars 1908 une longue lettre où, tout en louant les pages « très touchantes, » il reprocha à l'auteur son interprétation peu flatteuse du catholicisme :

> Je ne partage pas les sentiments de votre prodigue. Devant les désagréments de la vie, la sagesse ne consiste pas dans la fuite mais dans la conquête. Et s'il faut des aventures, quelle plus surprenante et plus hardie que l'acceptation pratique d'un monde surnaturel et invisible... [72]

Après avoir souligné l'importance du sacrifice et de la contrainte pour le chrétien de même que pour l'artiste, Claudel continuait :

> Pourquoi fuir et maudire la *Maison* ? Il y a une maison qu'il est parfois sain et nécessaire de quitter... Mais cette maison-là n'est point l'Eglise. ... L'Eglise n'est exclusive que parce qu'elle est catholique... Enfin, *c'est ma querelle la plus grave contre vous,* non ce n'est pas la *paresse* qui ramène à Dieu. Il faut de terribles combats et une énergie toujours tendue pour revenir à la foi et pour s'y maintenir.

Ebauchant ici une de ses idées maîtresses, Claudel voulait ranimer la ferveur chrétienne de son correspondant en lui peignant le christianisme comme une conquête, une aventure hardie, au lieu d'une vie de tout repos. Pour terminer, il reprochait à Gide le conseil néfaste que donne au puîné le fils prodigue. La réaction de Francis Jammes à la parabole gidienne n'était pas tout à fait pareille. Il était choqué par l'interprétation du récit évangélique, par le personnage du petit frère, par le portrait du frère aîné et par

72. GIDE-CLAUDEL, *Correspondance*, pp. 83-84.

l'attitude du prodigue. Mais il y voyait aussi des indices de la sensibilité religieuse de Gide :

On ne peut nier que parfois... un grand cri s'élève, tout de ferveur. ... Sans que je puisse... te louer en public plenement sans craindre de la part du prodigue quelque nouveau dédain vis-à-vis de son père, j'incline à penser que la Faim de l'Eternelle Moisson t'a saisi. [73]

Il consentit à voir dans la parabole une œuvre d'un génie si torturé « que je ne veux point la tenir pour un sophisme. »

La lettre de Claudel paraît être restée sans réponse. Chaque lettre suivante du diplomate contient quelques recommendations pieuses, parfois des sommations, mais il n'osait trop prêcher de crainte que Gide n'interrompît leur correspondance. Celui-ci répondit en automne de 1908 de façon à garder vifs les espoirs du « convertisseur : »

Cher ami, je pense à vous souvent et chaque fois avec une intensité singulière. Si je ne suis pas meilleur correspondant, c'est à cause du branle-bas que cause en moi chacune de vos lettres et de l'affaire importante que ce serait pour moi que d'y répondre.

En janvier suivant, il reprit sur le même ton :

Je pense à vous souvent, cher ami, car votre souvenir est lié à certaines très graves pensées vers qui la pente naturelle de mon esprit et l'affreuse poussée du dehors me reportent sans cesse.

L'auteur des *Caves du Vatican* agit mal sans doute en dévoilant ainsi de nouveau son angoisse, car ces lettres ranimèrent les espoirs de Claudel :

Un poète comme vous est fait pour entendre le mystère de la liberté dans la grâce, qui est toute la thèse à la fois de l'art et de la théologie. Un jour viendra où vous aurez faim et soif de pain et de vin fermentés. [74]

En 1909 un événement dans le monde littéraire prépara de nouvelles méprises entre Claudel et Gide. Le jeune écrivain Charles-Louis Philippe que Gide avait beaucoup

73. GIDE-JAMMES, *Correspondance*, pp. 248-49.
74. GIDE-CLAUDEL, *Correspondance*, pp. 90-94.

admiré mourut subitement. Claudel s'était occupé précédemment de convertir l'auteur de *Bubu de Montparnasse.* Philippe n'avait pas accepté finalement les sommations du grand écrivain, mais il y avait prêté pendant quelque temps une oreille complaisante.[75] Certains de ses amis pensaient qu'il s'était vraiment converti ; Gide croyait qu'il n'admirait que la joie chrétienne de Claudel. Or, après cette mort, Claudel se reprocha de ne pas avoir été plus zélé auprès de lui. Et il osa écrire à Gide, « C'est vous que je considère en quelque sorte comme le représentant et l'exécuteur de la pensée de Philippe. »[76] Gide s'avoua effectivement bouleversé par la mort de son ami. Et il est vrai que celui-ci lui avait écrit à une certain moment, parlant de la foi romaine : « Hâte-toi, sois un homme, choisis. Je sais d'avance ce que tu choisiras. »[77] Mais Gide refusait d'étendre la discussion avec Claudel et de parler de son propre état d'âme.

Cependant, d'autres sujets religieux remplissaient les lettres entre Gide et Claudel et Jammes en 1909 et 1910. L'auteur de *La Porte étroite* continuait donc à vouloir méditer sur les questions de croyance et à se plaire dans l'atmosphère de spiritualité qui entourait Claudel. Ils parlaient de Péguy (dont Gide appela *Le Mystère de la Charité de Jeanne d'Arc* un ouvrage « authentique, sincère, soumis »), de *L'Otage* de Claudel (qui lui causa une « grande émotion »), et de Pascal, dont le jansénisme attirait l'ancien protestant chez Gide et repoussait Claudel. Le poète se réjouissait que son ami lût les *Pensées,* tout en estimant qu'elles l'intéresseraient bien moins, une fois converti.[78] Gide y voyait beaucoup moins l'angoisse métaphysique que le problème de la chair, au sujet de laquelle il croyait trouver des éclaircissements surprenants : « Le janséniste a horreur du péché, non de la chair, et imagine celle-ci même non point nécessairement pécheresse, mais victime. ... Il faut se souvenir que l'Eglise enseigne la résurrection de la chair. »[79] Et il loua les « beaux arguments chaleureux, les seuls qui me persuadent, » des lettres à Mlle de Roannez.

Dans ces conditions où, malgré un certain désaccord

75. Voir *Œuvres complètes,* VI, pp. 153-55.
76. GIDE-CLAUDEL, *Correspondance,* pp. 113-14, 155.
77. *Œuvres complètes,* VI, p. 153.
78. GIDE-CLAUDEL, *Correspondance,* pp. 89, 124, 148, 150, 152.
79. *Journal,* p. 269.

entre les correspondants, Gide semblait se montrer favorable aux discussions religieuses, le poète se sentait apparemment justifié en reprenant son offensive. A Noël, en 1910, il lui laissa entendre qu'il allait communier à son intention.

Gide en fut ému mais s'esquiva :

> Que vous dire de la fin de votre lettre ? Elle émeut le plus profond de moi-même ; mais de l'ardente piété de mon adolescence les souvenirs sont assez vifs pour me permettre de comprendre la félicité que vous me peignez aujourd'hui. [80]

Robert Mallet estime que Gide donnait à entendre ici que la foi était pour lui uniquement du domaine du passé.[81] Claudel le comprit ainsi. Il attendit pendant toute une année avant de reparler conversion à son correspondant. Cependant Jammes et Gide continuaient eux aussi à dialoguer sur des questions de foi. Le poète béarnais accusa le romancier de manquer de sincérité en ne faisant pas au Christ « l'acte de foi qu'il te demande et que tu sais lui être dû. » Et il continuait : « Lourde est la responsabilité parce que tu crois et que tu ne crois plus littéralement même à ta philosophie légère et dédaigneuse... » [82] Il pria Gide d'écouter sa femme et sa mère défunte et de « faire crédit à la parole de Dieu. » Gide lui répondit d'une façon polie, parlant de la profonde et belle inspiration amicale du poète, mais laissant sa conclusion ambiguë, affirmant que rien ne pouvait ni hâter ni retarder sa conversion.

Lorsque Gide ramena enfin dans sa correspondance avec Claudel le « sujet interdit » par la mention de la conversion de sa belle-sœur, le poète lui répondit à brûle-pourpoint, « A quand la vôtre, cher ami ? » [83] Il essayait de persuader Gide que la religion « est une chose aussi vaste que la voûte étoilée, où l'Océan lui-même a place pour se mouvoir... » Gide répondit en reconnaissant la qualité touchante des paroles de Claudel mais en avançant comme excuse de son refus la nécessité de rester fidèle aux figures protestantes qui avaient veillé sur son enfance. Tout en se

80. GIDE-CLAUDEL, *Correspondance*, p. 159.
81. *Ibid.* p. 20.
82. GIDE-JAMMES, *Correspondance*, p. 278.
83. GIDE-CLAUDEL, *Correspondance*, p. 184.

disant fait de « cellules catholiques... autant que protestantes, » il se croyait le devoir de ne pas trahir l'exemple protestant de sa famille.[84] Constatons la part de mensonge comme d'ambiguïté dans cette réponse qui exprime son intention de rester fidèle à un culte qu'il avait quitté il y avait longtemps. Il nous semble que c'était tout simplement un prétexte pour son refus. Il avait provoqué de son propre gré cette nouvelle discussion de la religion mais refusa de la pousser très loin, contribuant ainsi à la déception de son correspondant. Celui-ci essayait de lui faire comprendre qu'une conversion ne serait nullement une « infidélité » aux « saintes figures » de son enfance. Il n'est pas surprenant que cet argument n'eût aucun effet sur Gide, si on se rappelle son hostilité foncière au dogme et au sentiment de la grâce.

Les espoirs qu'avait conçus Claudel pendant ce second moment de la « tentation catholique » chez Gide ne devaient pas se réaliser. Celui-ci n'avait pas plus à cette époque qu'auparavant la véritable angoisse mystique qui eût pu le mener à l'Eglise. Maintenant il comprenait nettement qu'une allégeance sincère à la communion catholique était inadmissible pour lui et qu'une adhésion pratique sans la foi serait un acte d'hypocrisie qu'il ne lui plaisait pas de commettre. Toutes les objections qui l'inquiétaient à l'époque du *Retour de l'Enfant prodigue* restaient dans son esprit. Nous avons déjà fait le bilan de la plupart des causes personnelles et intellectuelles qui rendaient impossible sa profession de foi. Il est utile cependant d'examiner encore une fois certaines des pierres d'achoppement qui se dressaient entre lui et Rome. D'abord, ses problèmes restaient évidemment sur un plan moral. Le catholicisme l'avait tenté non pas comme une solution réelle mais comme une sorte d'échappatoire, de soulagement moral, voire de thérapeutique, que son imagination se donnait le luxe de se figurer. Sa raison n'y cédait pas, et son moi le plus profond ne se sentait pas pris par la foi. En outre, il ne voulait rien sacrifier de sa personnalité ; il refusait de rejeter le vieil homme pour devenir le nouvel homme que loue Jésus. Tout comme son Saül, il croyait que sa valeur gisait dans sa

84. *Ibid.*, p. 185. Voir aussi GIDE-JAMMES, *Correspondance*, p. 121.

complexité. Exprimant toute la difficulté de la vie éthique pour un tel être, il s'écria :

> Comme il serait simple à présent de me jeter dans la guérite d'un confesseur ! Comme il est difficile d'être à la fois pour soi-même celui qui commande et celui qui obéit ! Mais quel directeur de conscience comprendrait assez subtilement ce flottement, cette indécision passionnée de tout mon être, cette aptitude aux contraires ? [85]

En plus, il y avait le vieux problème de l'artiste chrétien, contradiction qu'il trouvait insoluble. Il voyait toujours dans la croyance catholique une certitude spirituelle et intellectuelle qui nie le conflit, dont vit l'art. Dans une lettre à Claudel au sujet de *La Porte étroite*, il écrivit :

> Je cherche en vain quel pourrait être *le* drame catholique. Il me semble qu'il n'y en a pas ; qu'il ne peut pas, qu'il ne doit pas y en avoir... Le catholicisme peut et doit apporter à l'âme repos, certitude, etc. ; une mécanique admirable s'y emploie ; c'est un quiétif, non un *motif* de drame. [86]

Claudel protesta, bien entendu, contre cette interprétation rétrécissante du sens du catholicisme. Mais elle était profondément gravée dans la pensée de Gide depuis plusieurs années. Sur ces entrefaites, le poète, qui était un collaborateur de la *Nouvelle Revue française* mais nullement un des directeurs, lui écrivit pour demander que la *Revue* prenne position contre la « littérature de scepticisme, de libertinage, et de désespoir » du dix-neuvième siècle, affirmant que l'art contemporain devait sa décadence à la séparation de l'art et de la morale. [87] Nulle demande n'était mieux faite pour aliéner Gide et pour lui faire saisir l'abîme qui le séparait de son correspondant.

D'ailleurs, une nouvelle objection contre la foi romaine s'élevait dans son esprit. De nombreux catholiques de son époque, dont la croyance était à la fois despotique et intéressée, lui présentaient un visage très désagréable du catholicisme, ainsi que le montreront *Les Caves du Vatican*. Parlant à Claudel de « L'Union pour l'action morale, » il fit remarquer :

85. *Journal*, p. 358.
86. GIDE-CLAUDEL, *Correspondance*, p. 103.
87. *Ibid.*, p. 192.

De tous ceux-là qui écrivent et politicaillent, il n'en est pas un dont le catholicisme ne se manifeste à moi par des effets monstrueux. (Et c'est parce que vous différez de ceux-là que je vous ai si attentivement écouté.) Ils se servent du crucifix comme d'un casse-tête... Me rapprocher du Christ, c'est m'éloigner d'eux. [88]

Claudel protesta contre cette attitude envers les mauvais croyants qui, disait-il, n'étaient pas les véritables fidèles de l'Eglise. Mais Gide aurait pu lui répondre en disant — comme il le fera plus tard — qu'on juge les arbres par leurs fruits. On l'a accusé de mauvaise foi lorsqu'il allégeait contre l'Eglise la raison des « mauvais croyants. » Il est vrai que cette raison ne présente qu'une partie minime de ses objections. Le lecteur peut se rappeler pourtant le mot d'André Walter sur tout le mal que font les bigots à ceux qui voudraient croire. On songe également au prologue du *Nœud de Vipères* où Mauriac présente un réquisitoire contre les mauvais chrétiens qui rébutent le pécheur. Une impression désagréable laissée par des convertis fanatiques et des adhérents nationalistes de l'« Action française » put facilement créer encore plus de dégoût chez Gide pour la religion au nom de laquelle ils parlaient et à laquelle il répugnait déjà.

Il y avait toujours aussi la question de la conception gidienne du Christ. Dès le premier voyage en Afrique, le Christ était devenu pour lui l'anti-pharisien et l'anti-conformiste par excellence. Il continuait à se dire disciple de Jésus mais apostat de la religion dite chrétienne. Le *Journal* de 1912 révèle de nouveaux indices de cette conception singulière du Christ comme opposé au catholicisme — conception qui se précisera par la suite. Il nota au sujet d'une conversation avec Jacques Rivière :

Je lui redisais la parole du Christ, qui s'opposait à son article, et à mesure que je le lisais, j'entendais retentir en moi : « Nul ne vient au *Père* que par *moi.* » Et je veux prendre au pied de la lettre ces paroles, que méconnaît Rivière.

On lit également ce passage qui montre que son Christ est toujours un peu particulier, basant sa doctrine sur l'amour et non pas sur la loi : « Evangile. Je tiens pour détestables tous les préceptes de morale qui ne sont pas dictés

88. *Ibid.*, p. 189.

par l'amour des hommes — mais, je vous dis que ces conseils-ci sont dictés par l'amour des hommes. »[89] Le premier devoir du chrétien, disait-il, est d'être heureux ; autrement il ne réalise pas en lui l'enseignement du Christ. Dans des *Feuillets* qui datent d'avant 1914, il expliquait davantage ce décalage entre ce qu'enseigna le Christ et ce que prêche le catholicisme :

> Etablir la banqueroute lamentable du christianisme — ceux qui ont voulu le pratiquer ont dû se retirer du *monde* — le christianisme n'a pas su former un monde à l'image du Christ comme ont fait le Bouddha ou Mohammed — montrer que là est la supériorité du Christ. Mais le catholicisme a prétendu faire une société et n'y arrive qu'en débarquant le Christ.[90]

Et il songeait de nouveau à son *Christianisme contre le Christ.* Il est possible que sa lecture de Dostoïevsky ait contribué à enrichir cette notion du Christ comme le symbole de l'émancipation qui ne doit pas être enfermé dans un système. On ne s'étonne donc pas que toutes les recommandations de Claudel ne fissent qu'accuser davantage dans l'esprit de Gide l'antagonisme entre le Christ et ceux qui se disaient ses vicaires. Le poète le suppliait de se rapprocher du Christ au moyen de la « présence réelle, » c'est-à-dire de l'Eucharistie, par lequel le Christ se manifeste à son Eglise. Mais, ainsi que nous l'avons fait remarquer, Gide ne croyait pas à l'efficacité de ces rites quasi magiques, et il trouvait que l'importance du Christ résidait dans sa loi d'amour et non pas dans son secours surnaturel. Claudel estimait au contraire que la simple croyance en Jésus-Christ et la prière individuelle ne suffisaient pas. « Quelles que soient les consolations de la prière, la *religion...* vous fait défaut. ... Qui n'admet pas cette présence extérieure... pataugera éternellement dans les marécages de sa personnalité (fausse)... »[91] Son opposition était dirigée essentiellement contre l'attitude protestante qui survivait en Gide, qui prenait trop à la lettre les injunctions bibliques de salut individuel et de sincérité personnelle.

En outre, il y avait toujours chez Gide un certain orgueil d'insoumis, un amour de la lutte, qu'il appelait une

89. *Journal,* pp. 380, 382.
90. *Ibid.,* p. 394.
91. GIDE-CLAUDEL, *Correspondance,* p. 207.

« pointe cachée de vieux protestantisme qui me stimulera toujours vers le plus âpre et le plus exigeant. »[92] Cette attitude paraît dans un passage du *Journal* de 1914 : « Ils m'ont cru révolté (Claudel et Jammes) parce que je n'ai pu obtenir... de moi cette lâche soumission qui m'eût assuré le confort. C'est peut-être ce que j'ai de plus protestant en moi... »[93] Enfin, il commençait à ressentir l'influence personnelle de Claudel comme agaçante et néfaste. Le dialogue qu'ils avaient poursuivi était plutôt un monologue claudélien. Sur le plan de la discussion philosophique, de même que dans un salon, le poète des *Odes* ne savait pas écouter. Il ne cherchait jamais à comprendre la pensée des autres, à sortir de lui-même pour se juger, et à échanger des idées.[94] Gide s'en était rendu compte. Claudel avait voulu aiguillonner continuellement son ami et entrer dans sa vie personnelle. « De quel droit cette sommation ? » lui répondit enfin Gide.[95] Claudel lui avait dit carrément qu'il ne pouvait à la fois être chrétien et garder toute sa liberté intellectuelle. « Qui dit religion dit contrainte. »[96] Voilà ce que l'auteur des *Nourritures terrestres* ne pouvait admettre. S'il fut coupable d'avoir déçu Claudel, ce dernier eut le tort de ne pas savoir quitter son dogmatisme et de ne pas reconnaître en Gide un esprit complexe, individualiste, et dialectique. Il ne vit pas que Gide ne se laisserait nullement être l'objet d'un assaut pieux. Aussi Gide put-il dire plus tard, « Claudel est peut-être l'homme le moins fait pour me comprendre. »[97] Et il écrivit dans son *Journal* en janvier 1912 :

> Je voudrais n'avoir jamais connu Claudel. Son amitié pèse sur ma pensée, et l'oblige, et la gêne. Je n'obtiens pas encore de moi de le peiner, mais ma pensée s'affirme en offense à la sienne. Comment m'expliquer avec lui ? Volontiers je lui laisserais toute la place, j'abandonnerais tout. Mais je ne puis pas dire autre chose que ce que j'ai à dire, ce qui ne peut être dit par personne d'autre.[98]

92. *Œuvres complètes*, V, p. 417.
93. *Journal*, p. 438.
94. Voir le témoignage de Jacques RIVIÈRE dans ALAIN-FOURNIER et Jacques RIVIÈRE, *Correspondance*, 1905-1914. 4 v. Paris : Gallimard, [1926-28], III, p. 376.
95. GIDE-CLAUDEL, *Correspondance*, p. 217.
96. *Ibid.*, p. 207.
97. PIERRE-QUINT, *op. cit.*, p. 457.
98. *Journal*, p. 359.

Quant aux rapports entre Gide et Jammes, ils étaient devenus beaucoup moins étroits lorsque celui-ci comprit vers 1912 que ses prières étaient vaines, que Gide n'allait pas se convertir. Après cette date, ils échangèrent peu de lettres. Jammes, comme Claudel, fut très froissé en 1914 par *Les Caves du Vatican.*

Le moment de se prononcer était venu. Tous les éléments du refus de Gide s'étaient accumulés, et il en était devenu tout à fait conscient. Sous la pression exercée du dehors, il se rendait compte de la nécessité d'en finir avec le dialogue, basé sur un malentendu. En février 1912 il consigna dans le *Journal* ces phrases, frappantes par leur simplicité et par leur pensée profonde : « Le catholicisme est inadmissible. Le protestantisme est intolérable. Et je me sens profondément chrétien. » [99] Nous lisons également dans une lettre à Claudel cette déclaration peu équivoque : « En dehors du catholicisme je ne comprends que l'isolement. Je suis un isolé, cher ami. Je ne mets point d'orgueil à l'être, car j'ai besoin d'amitié comme de pain — et de servitude — mais qu'y faire ? » [100] Il semblait prendre son parti de ne plus avoir recours ni à Claudel ni à l'idée de la communion catholique pour trouver du réconfort. Il semblait aussi devenir conscient du fait que son dilemme personnel pourrait — et devait — avoir une issue autre que religieuse. Le catholicisme se revêtait peu à peu dans son esprit de ce caractère d'ennemi qu'il allait de plus en plus lui attribuer. Il se dit encouragé par l'histoire de la condamnation pontificale d'un livre d'histoire ecclésiastique, sachant que lui aussi travaillait dans le sens de l'interdit, et il parla de « variations sur la peur de l'Index. » [101] Cette attitude sera présentée d'une façon satirique dans *Les Caves du Vatican,* où l'Eglise et même Dieu deviennent l'objet d'un grand nombre de plaisanteries.

La position de Gide devint même plus nette par suite d'une dispute avec Claudel, juste avant la guerre, au sujet des *Caves.* En 1912 il fit apparemment allusion dans une lettre au poète à sa « sotie » en chantier et laissait entendre que le livre pourrait « scandaliser. » [102] Suivant son esthé-

99. *Ibid.*, p. 367.
100. GIDE-CLAUDEL, *Correspondance,* p. 189.
101. *Journal,* p. 364.
102. GIDE-CLAUDEL, *Correspondance,* p. 194.

tique de « manifestation, » il commençait à oser s'affirmer contre les catholiques. Claudel l'informa que rien ne pouvait le scandaliser. Continuant à lui écrire, il l'encourageait à lui offrir son âme, à se rapprocher du Christ sans songer aux détails peu importants de la doctrine. « Je vous plains, » écrivit-il, « je prie pour vous, mais suis un peu impatient de tant de retards. » [103] Il affirma que la question religieuse ne comportait qu'une seule solution. Il l'invita à lire *L'Imitation de Jésus-Christ* et il alla voir l'abbé Fontaine à son intention. Certaines des réponses de Gide ayant été détruites, nous ne pouvons savoir quelle était sa réaction aux homélies du poète ; nous pensons toutefois qu'elle dut être négative. Mais le 25 novembre 1913 Claudel découvrit le titre de la sotie que composait Gide et lui écrivit pour lui demander d'enlever de l'ouvrage une épigraphe empruntée (avec sa permission) à *L'Annonce faite à Marie.* Il croyait découvrir de l'hypocrisie consciente dans l'action du romancier, qui composait la sotie tout en parlant du christianisme. Gide supprima l'épigraphe. En mars 1914 le poète trouva dans la sotie un passage légèrement scabreux qui l'éclairait enfin sur les mœurs de Gide. Horrifié, il se hâta d'écrire à l'auteur des *Caves* pour exiger qu'il expliquât le passage en question, qu'il l'enlevât, et qu'enfin il se repentît. C'était au nom de la morale qu'il parlait et non plus au nom de la foi. Il opposait en fait la moralité chrétienne à l'intelligence critique et exigeait le sacrifice de celle-ci. Ce fut une erreur de tactique de la part du poète. Pour plaire au « monde » Gide n'aurait jamais consenti à changer un seul mot de ce qu'il avait écrit, et dans ce cas un peu particulier il se croyait le devoir de « manifester certaines vérités. » D'ailleurs, il savait que de supprimer simplement un passage de son ouvrage ne changerait pas la vérité sur lui-même. Il regimba donc contre les sommations intransigeantes, quoique amicales, de son correspondant. Tout en le suppliant de ne pas divulguer à Madeleine son secret affreux, il refusa de modifier son œuvre. « Je ne puis croire que la religion laisse ceux-là qui sont pareils à moi de côté. Par quelle lâcheté, puisque Dieu m'appelle à parler, escamoterais-je cette question dans mes livres ? » [104]

103. *Ibid.*, pp. 197, 200, 203, 204.
104. *Ibid.*, pp. 217-18.

Cette position hardie n'était pourtant pas facile à maintenir. L'angoisse morale qui en résultait était un lourd fardeau, et il ne voulait pas perdre l'appui et la sympathie de Claudel. Il lui avoua :

> J'ai pris l'habitude de vous considérer un peu comme un prêtre, et parfois je me laissais persuader que Dieu vous employait à me parler. Aujourd'hui je connaîtrai ce qu'il en est, ou si vous n'êtes qu'un homme comme les autres. ... Quand je vous ai demandé naguère de m'indiquer quelqu'un à qui parler, c'était parler de cela que je voulais — car en vérité je vous dis que je ne *vois pas comment résoudre ce problème* que Dieu a inscrit dans ma chair. [105]

Cette lettre révélatrice met en valeur les origines physiologiques de la longue crise morale à travers laquelle passait Gide depuis plusieurs années. Il avait vu un soutien possible dans son amitié avec Claudel, et il avait admiré sincèrement sa foi fervente. Mais il vit qu'il fallait y renoncer, en partie justement à cause de ses particularités de mœurs, qu'il ne pouvait sacrifier. Il avait écrit à Jammes que l'amour du Christ pourrait sublimer et résorber en lui tous les autres désirs humains — « l'âge aidant. » [106] Mais cet âge n'était pas encore arrivé pour lui. Il confessa donc à Claudel, « Par moments j'en viens à souhaiter que vous me trahissiez, car alors je me sentirais délivré de cette estime pour vous et pour tout ce que vous représentez à mes yeux, qui si souvent m'arrête et me gêne. » [107] Il sentait que Claudel ne le comprenait réellement pas et qu'en face de son attitude vis-à-vis des questions sexuelles, la correspondance avait perdu son sens. Le catholicisme ne pouvait admettre, pas plus que le calvinisme, les aberrations sexuelles.

Les lettres suivantes de Claudel reprenaient les mêmes conseils. « Que vous êtes à plaindre, » écrivit-il, « et que votre vie est tragique. » [108] De même, Jammes le sermonna longuement, l'accusant de couvrir de boue les choses les plus sacrées et parlant de « folie, » puisqu'il aimait et déplorait à la fois son état d'esprit. Le poète d'Orthez aurait dû se souvenir que même Saint-Paul confessa ses contradic-

105. *Ibid.*, p. 219.
106. GIDE-JAMMES, *Correspondance*, p. 231.
107. GIDE-CLAUDEL, *Correspondance*, p. 219.
108. *Ibid.*, pp. 220-25.

tions spirituelles, voyant le bien et faisant le mal. A la même époque Claudel écrivit à Rivière pour le prier d'essayer d'user de son influence auprès de Gide. Il considérait que celui-ci était une nature nerveuse qui s'était « empoisonné de médecine, de philosophie, et de littérature. ..... S'il ne réagit pas énergiquement, il est sur le chemin d'un ' breakdown ' le plus complet. » [109] Gide, n'osant rompre tout à fait avec Claudel, commit l'erreur de paraître céder à ses impératifs, et il consentit à aller voir l'abbé Fontaine, tout en avouant que cette visite « n'entraînera probablement pas les résultats que sans doute vous espérez. » [110] Du reste, il n'alla pas voir cet abbé, et il fâcha le poète en maintenant dans *Les Caves du Vatican* le passage scandaleux. Le diplomate, estimant comme Pascal que le pire mal n'était pas d'avoir des défauts mais plutôt de ne pas vouloir les reconnaître, était irrémédiablement choqué, et il perdit enfin patience.

Cet incident termina en quelque sorte la « tentation du catholicisme » chez Gide. Il est vrai qu'à l'avenir il semblera de temps en temps reprendre la question de la foi et qu'il se rapprochera par moments de certains catholiques. Cependant son hostilité envers l'Eglise romaine ne fera qu'accroître après 1914, et il ne sera plus question pour lui du catholicisme comme un credo personnel. Dans le septième chapitre de notre étude nous jetterons un coup d'œil sur le reste de la correspondance entre Claudel et Gide et sur les rapports entre ce dernier et ses autres amis catholiques après la première guerre mondiale.

La même année qui vit la publication des *Caves du Vatican* et la rupture qui s'ensuivit entre les deux grands écrivains vit aussi le début de la guerre et la fin d'une période productive (quoique difficile) pour Gide. La guerre changea tout le cours de sa pensée et créa de nouveaux problèmes à résoudre sur le plan de la croyance aussi bien que sur celui de la vie pratique. Son *Journal* de 1912 contient cet aveu personnel : « De jour en jour je diffère et reporte un peu plus loin ma prière : vienne le temps où mon âme enfin délivrée ne s'occupera plus que de Dieu. » [111] Pendant la guerre,

109. *Ibid.*, p. 232.
110. *Ibid.*, p. 223.
111. *Journal*, p. 382.

son vœu fut en quelque sorte exaucé. Cette fois la crise religieuse — car il y en eut encore une — se déroula dans un cadre différent, celui de l'Evangile. Dans le chapitre suivant nous aborderons le sujet de l'attitude de Gide envers le protestantisme et de son retour aux Ecritures qui se manifesta en 1916.

VI

LE CHRIST CONTRE LE CHRISTIANISME

Durant les premières années du vingtième siècle, la pensée religieuse de Gide se développait dans deux voies. Dans le chapitre précédent nous avons examiné son attitude assez complexe envers le catholicisme. A la même époque il réfléchissait souvent sur la religion de son enfance, dont la doctrine et la pratique lui paraissaient chaque fois plus exagérées et, il faut le dire, nocives. Nous avons laissé de côté cet aspect de sa pensée religieuse ; il sied maintenant de le reprendre. Nous étudierons de près son attitude envers certains aspects du calvinisme et la critique qu'il en fait dans *La Porte étroite* ; ensuite nous passerons à l'étude de son évangélisme et de son retour au Christ pendant la première guerre mondiale.

En étudiant son attitude envers le protestantisme pendant les premières années du siècle, le critique s'aperçoit qu'elle n'est pas simple. On y découvre au moins trois points de vue. Nous pouvons faire remarquer en premier lieu que dès l'année 1894 Gide avait cru trouver un des sens principaux du protestantisme dans la notion de la libre pensée qui en était à son avis une des bases. Il s'était servi alors de cette interprétation de la Réforme pour se convaincre que sa révolte morale et idéologique allait dans le vrai sens du protestantisme. La lecture de Nietzsche ne fit que l'encourager dans cette notion. Et bien qu'il n'eût que rarement recours à l'exégèse biblique pour appuyer sa position personnelle, il estimait que le principe d'examen critique des textes sacrés et de l'histoire ecclésiastique (qui peut mener au scepticisme) était essentiel au protestantisme aussi. Il voyait donc dans la Réforme une révolte justifiée contre la superstition, le dogmatisme, et le despotisme de l'enseignement catholique et une victoire de l'esprit critique. Après le début du nouveau siècle, malgré sa conscience du rôle anarchique qu'a pu jouer l'esprit critique dans les bouleversements politiques et sociaux du monde moderne, Gide continuait à apprécier ce sens du protestantisme et l'apport de la Réforme dans le progrès de l'intelligence critique. [1]

En second lieu, il voyait malheureusement dans la tradition protestante l'élément puritain — un féroce dogmatisme de mœurs qui tuait l'homme naturel et empoisonnait la vie. Repoussé par ce puritanisme, il avait cherché le vrai christianisme chez les catholiques. Le puritanisme, qui avait faussé le sens libéral de la Réforme, était pour lui une création de Calvin, et ultimement, si l'on remonte dans le temps, de Saint-Paul. C'est la notion paulinienne du péché qui en est la base. Au lieu de rejeter l'apôtre comme c'était son devoir, le protestantisme se l'était approprié et avait propagé sa morale dangereuse. Calvin, que Gide avait « en horreur, »[2] s'était emparé de l'enseignement paulinien et en avait fait une religion sévère, bien assortie à sa personnalité tyrannique et rancunière. Grâce à ces deux théologiens, la révolte humaniste du seizième siècle avait abouti à une doctrine morale étroite, funeste pour l'être humain et pour le progrès européen. Cette doctrine était également nuisible, pensait-il, à l'art.

Ce qui est plus grave — et c'est un troisième aspect de sa pensée — il estimait que grâce à ses élaborations théologiques, le protestantisme avait trahi non seulement l'esprit critique de la Renaissance (qui l'avait engendré) mais aussi le Christ lui-même. C'était par l'influence pernicieuse de Saint-Paul, d'Aquinas, de Luther, et de Calvin que le catholicisme d'abord, le protestantisme ensuite, avaient rejeté le sens révolutionnaire du message chrétien. Le culte calviniste avait prétendu imposer un système théologique qui, s'il n'était pas si complexe que le système thomiste, n'en était pas moins absolu. Cela était inadmissible pour Gide, qui insistait toujours sur l'opposition entre le Christ et les autorités ecclésiastiques et qui écrivit en 1910, « 'Orthodoxie protestante,' ces mots n'ont pour moi aucun sens.

1. *Œuvres complètes*, III, p. 234 ; VI, p. 49.
2. *Journal*, p. 298.

Je ne reconnais point d'autorité... »[3] Cette attitude gidienne fut ébauchée, nous l'avons vu, dès l'époque des *Nourritures terrestres.* Elle ne faisait que devenir plus définitive après 1900. Gide prétendait toujours, même à l'heure de son rapprochement de Claudel et de Rome, être l'apôtre d'un christianisme qui ne relevait que du Christ, le Christ humain, celui de « Sermon sur la montagne, » qui prononça la parole magique, « Heureux. »

Par suite de la doctrine protestante de la loi et du péché, en particulier celui de la chair, l'Eglise réformée en était venue, d'après Gide, à imposer au monde une conception éminemment inhumaine de la sainteté. Oubliant le pardon que le Christ avait octroyé à la femme adultère, oubliant le vin qu'il avait béni aux noces de Cana, supprimant son unique loi d'amour fraternel, le puritanisme dicta au monde une loi de renoncement et de mutilation. Gide considérait cette morale comme une des pires aberrations intellectuelles. Il en avait vu les effets dans sa famille et il en avait souffert personnellement. Tout en reconnaissant la sublimité de l'abnégation chez certains « saints » protestants, il estimait que cette abnégation était une offense contre l'esprit humain et contre la nature.

On constate donc chez lui plusieurs objections au protestantisme qu'il avait entrevues très tôt et qui se revêtaient de plus en plus d'importance à ses yeux. Cependant son projet du *Christ contre le Christianisme* n'avançait toujours pas, et pendant les toutes premières années du siècle ses objections étaient confiées simplement à son *Journal* ou à des écrits secondaires. Toutefois une autre idée le rongeait, celle de faire un roman où seraient présentés certains aspects de sa pensée au sujet du protestantisme. *La Porte étroite* (1909), intitulée à l'origine *L'Essai de bien mourir,* est la réalisation de ce projet, où il dit avoir mis le meilleur de lui-même.[4] Il affirmait à plusieurs reprises que ce livre avait habité son esprit pendant de nombreuses années, celles mêmes qui virent la composition de *L'Immoraliste,* et que les deux œuvres, également critiques, étaient jumelles.

L'admiration pour ce récit classique est universelle. Nombreux sont ceux qui l'ont proclamé un des chefs-d'œuvre de notre siècle et qui y ont vu un message religieux.

3. *Ibid.,* pp. 300, 342.
4. GIDE-JAMMES. *Correspondance,* p. 258.

D'autres — tel François-Paul Alibert — le considèrent comme le livre le plus impie de Gide. [5] De même que dans le cas de *L'Immoraliste* et de nombreux autres ouvrages gidiens, la simplicité de l'intrigue et du style est trompeuse ; le sens du livre n'est pas facile à dégager. L'auteur s'est lui-même prononcé souvent sur l'interprétation qu'il souhaitait. Tout en louant la « réelle noblesse » et « l'émotion religieuse et pure » de l'ouvrage, il a insisté maintes fois sur le fait que c'était un livre critique, « critique d'une certaine tendance mystique » — pour ainsi dire, ironique. [6] On peut s'étonner qu'il se soit prononcé ainsi, lui qui aimait laisser trouver au lecteur le « message » ou le « jugement » de ses œuvres, et qui soulignait parfois la gratuité et l'impartialité de ce même roman. [7] Mais de nombreuses accusations sans fondement et des interprétations outrées du récit rendaient nécessaire une mise au point de la sorte. L'ambiguïté du livre n'en demeure pas moins.

Il est facile de comprendre les erreurs d'interprétation qu'on a faites à son sujet. Quelle que soit la signification ironique du récit, il contient un côté pieux qui prête à la méprise. C'est le portrait émouvant d'une jeune protestante, Alissa Bucolin, qui sous diverses pressions mais surtout à cause d'une exigence intérieure, sacrifie tout son bonheur terrestre à la recherche de la sainteté. L'auteur l'appelle « une âme protestante en qui se [joue] le drame essentiel du protestantisme. » [8] Fondé sur des personnes réelles — Anna Shackleton, Madeleine Gide, et André Gide lui-même — le personnage se sépare toutefois des faits biographiques. Par la méthode d'exagération imaginative qui lui tenait à cœur, Gide tira des données réelles une situation fort dramatique et des personnages autonomes.

Le sacrifice d'Alissa — si on peut appeler sacrifice cette obstination enracinée à refuser la satisfaction terrestre des besoins humains (qui n'est après tout que sa façon d'aller à la chasse du bonheur) — reçoit sa première impulsion lors de la découverte de l'adultère de sa mère et de la fuite subséquente de celle-ci. Le pasteur de la famille Bucolin prêche aux fidèles le devoir d'entrer dans le royau-

5. ALIBERT *et al.*, *op. cit.*. p. 76.
6. *Journal*, pp. 428, 437 : *Œuvres complètes*, XIII, p. 439.
7. *Œuvres complètes*, VI, pp. 135, 359.
8. GIDE-CLAUDEL, *Correspondance*, p. 104.

me divin par la porte étroite. Au début Alissa interprète cet impératif comme la nécessité d'une vie honnête, dans laquelle la pensée soit tournée vers Dieu. Elle croit alors pouvoir rechercher les biens divins en compagnie de son cousin Jérôme, qu'elle aime. Au fur et à mesure qu'elle grandit, elle se retire davantage de la communion humaine et vient à penser que la créature doit s'acheminer absolument seule au Créateur. « C'est tout seul que chacun de nous doit gagner Dieu. ... Pourquoi veux-tu chercher d'autre guide que le Christ ? » Alléguant un prétexte après l'autre, elle refuse la demande en mariage de Jérôme, malgré leur amour réciproque, coupe un à un les liens entre eux, et se retire dans une vie de fille dévote, comme la Princesse de Clèves. Ses lettres et son journal intime présentent d'excellents échantillons de sa façon de raisonner :

> Adieu, mon frère ; que Dieu te garde... ; de Lui seul on peut impunément se rapprocher. ... Mon ami !... Nous ne sommes pas nés pour le bonheur. ..... Ce contentement plein de délices, je ne puis le tenir pour véritable.... Nous sommes nés pour un autre bonheur. .... La sainteté n'est pas un choix ; c'est une obligation.

Ainsi qu'un Kierkegaard renonçant à sa fiancée pour obéir à ce qui lui paraît être un impératif céleste, elle se croit « l'idole qui le retient [Jérôme] de s'avancer plus loin dans la vertu... Mon Dieu, accordez-moi la force de lui apprendre à ne m'aimer plus. » [9] Elle n'atteint pourtant pas le bonheur parce qu'un sentiment aigre de l'inutilité de son sacrifice empoisonne son âme. Personne — même pas sa sœur Juliette à qui elle a « légué » Jérôme — n'a profité de l'abnégation d'Alissa, et personne ne lui doit son bonheur. Sa résignation n'était pas entière ; elle ne lui suffisait pas. « Ce sacrifice était-il réellement consommé dans mon cœur ? » demande-t-elle. Elle se découvre incapable de reposer dans la paix que donne Dieu aux âmes vertueuses. « Je me demande à présent si c'est bien le bonheur que je souhaite ou plutôt l'acheminement vers le bonheur. » Elle semble perdre sa certitude dans la croyance en même temps que toute joie. Elle se rend compte que dans le tréfonds de son être l'idolâtrie de Jérôme est plus forte que l'amour de

9. *La Porte étroite,* pp. 38, 136, 145-49, 193.

Dieu. [10] Sa mort solitaire dans une maison de santé achève le drame pour lequel il n'y a pas d'autre dénouement possible.

Les rapports entre certains détails de cette histoire et la vie de Madeleine et d'André Gide sont frappants. Il y en a aussi de moins évidents : telles la psychologie anormale de Jérôme qui l'empêche de courtiser sa cousine d'une manière très convaincante et son incompréhension de la faiblesse humaine de celle-ci, de ses besoins inavoués. Cependant, plutôt que Jérôme, c'est Alissa qui incarne Gide, le Gide des *Cahiers d'André Walter,* celui qui se laissera tenter plus d'une fois à l'avenir par le mysticisme, malgré cet effort-ci de catharsis. Et malgré son héroïsme réel, c'est Alissa qu'il condamne. Elle personnifie la tendance éminement protestante vers la perfection et vers la sainteté aux dépens de la nature et de la vie. De plus, elle représente cette aberration protestante qui consiste à voir le sacrifice comme une fin en soi, qui n'aura pas d'ailleurs de récompense. « C'est par noblesse naturelle », dit-elle, « non par espoir de récompense, que l'âme éprise de Dieu va s'enfoncer dans la vertu. » [11] Elle considère que la créature, fût-ce la créature grâciée par Dieu, ne peut accomplir aucun acte vraiment bon, ni être agréable à Dieu à moins de la destruction complète de la personnalité. Cette manie de la perfection, que l'écrivain voyait autour de lui continuellement pendant son enfance, est une invention de la morale calviniste et paulinienne. L'auteur commente ainsi son portrait d'Alissa :

> Héroïsme gratuit, oui, sans doute. Alissa, je me souviens... si sensible, restait les yeux secs à l'instant de quitter Jérôme ; non par grand raidissement intérieur ; mais parce que tout ce qui se rattachait à Jérôme restait pour elle entaché de vertu. La pensée de son amant appelait chez elle immédiatement une sorte de sursaut d'héroïsme, non volontaire, inconscient presque... Héroïsme absolument inutile. [12]

Rien ne révèle mieux l'échec de son héroïsme orgueilleux que la parole de cette jeune fille, rapportée dans son Journal, lorsqu'elle se sent mourante et qu'elle s'aperçoit qu'elle est seule, sans appui, ayant gâché sa vie. Après avoir noté que « C'est ici que ma foi chancelle... » elle

10. *Ibid.,* pp. 186-87, 189, 203.
11. *Ibid.,* p. 158.
12. *Œuvres complètes,* VI, p. 40.

constate « l'éclaircissement brusque et désenchanté de ma vie. » « O Seigneur, » s'écrie-t-elle, « puissé-je atteindre jusqu'au bout sans blasphèmes : Je voudrais mourir à présent, vite, avant d'avoir compris de nouveau que je suis seule. » [13]

Les erreurs que dénonce le romancier sont multiples. Malgré son admiration pour « toutes les formes de la sainteté, » il voit ce que Claudel appelait « l'hérésie protestante » et ce que lui-même considère un attentat contre la nature « dans ce fait d'aimer le bien indépendamment de la récompense promise. » [14] Il faut préciser qu'il n'aimait pas non plus le système de « comptabilité, » des indulgences et d'autres marchandages avec Dieu, qu'oppose l'Eglise de Rome au culte réformé. Mais il voyait que la notion de gratuité dans la vertu la rend stérile et antinaturelle. A Claudel il dit que l'erreur qu'il dénonçoit était « cette sorte d'infatuation supérieure, de capiteux mépris de la récompense... de cornélianisme gratuit. » [15] Que ce fût bien sa propre religion familiale qu'il critiquait ressort de ces lignes du *Journal,* écrites avant 1919 : « L'idée d'un marchandage n'est jamais entrée dans la religion que j'ai connue ; non pas même l'idée d'une simple récompense. » [16] A la vertu gratuite d'Alissa qui dévore tous les sentiments humains autour d'elle et qui se consomme enfin elle-même, on peut appliquer ces paroles de Baudelaire qui révèlent un aperçu psychologique précieux :

> Enfin elle [l'imagination] joue un rôle puissant même dans la morale ; car... qu'est-ce que la vertu sans imagination ? Autant dire la vertu sans pitié, la vertu sans le ciel ; quelque chose de dur, de stérilisant, qui, dans certains pays, est devenu... le protestantisme... [17]

C'est que la conception protestante de la sainteté est basée au dire de Gide sur une erreur fondamentale ; la nécessité de la douleur. Faisant écho à ses *Nourritures,* il fait observer au sujet d'Alissa, « Il faut parvenir à la joie... Le pathétique est en deça de la vérité. C'est proprement

13. *La Porte étroite,* pp. 207-08.
14. André Gide. *Ainsi soit-il ou Les Jeux sont faits.* [Paris] : Gallimard, c. 1952, p. 162.
15. Gide-Claudel, *Correspondance,* p. 104.
16. *Journal,* p. 678.
17. Baudelaire, *op. cit.,* p. 774.

le sujet de mon livre... » [18] Il semble dénoncer en même temps l'égoïsme du saint, cette impulsion qui lui fait acheter son salut au dépens d'un autre. En préférant passer seule par la porte étroite, Alissa jette dans le désarroi son cousin ; ce dernier étant une nature faible, il devient la victime de l'héroïsme et de la manie de perfectionnement chez sa cousine. Il lui avait dit, « Je ferais fi du ciel si je ne devais pas t'y retrouver. » [19] Abandonné à lui-même, il ne vaudra plus rien. Alissa l'a sacrifié à une quête de bonheur surhumain qui ne mène qu'à l'angoisse et qui représente peut-être un faux idéal.

La réaction de Paul Claudel à *La Porte étroite* est révélatrice du sens de l'ouvrage. Gide avait écrit au poète tout d'abord, « Vous ne manquerez pas de sentir que ce livre est furieusement, déplorablement protestant. ...[Mais] l'idée même du livre porte en soi sa critique — et après tout peut-être le trouverez-vous plus janséniste que protestant. » [20] Après sa lecture, Claudel comprenait la déclaration de l'auteur :

> La force de votre livre, c'est qu'il n'y a pas de devoir extérieur, mais seulement de voix intime. .... Votre livre est-il chrétien ? Avez-vous fait simplement de Dieu un tortionnaire atroce et muet ? ... Votre livre a été pour moi un document inestimable sur le protestantisme... Le protestantisme n'a pas de sacrements, il n'y a plus de matière dans les relations de Dieu à l'homme, il n'y a plus de religion proprement dite.... Dieu laisse tout à deviner. De là cette moralité tendue, vétilleuse, douloureuse... De là ce mot, si étonnant pour un catholique, de perfectionnement... Un saint ne travaille pas à se perfectionner... [21]

Le poète estimait que l'héroïne manquait d'humilité et de pénitence, sans laquelle il vaudrait presque mieux qu'elle reste dans le péché. Il considérait aussi que Gide tombait dans « le vieux blasphème quiétiste » selon lequel la vertu n'a pas besoin de récompense. « Comment l'amour de Dieu serait-il plus parfait, lorsqu'il serait plus déraisonnable, n'ayant point de cause ? » Le romancier était très content de la réaction de son correspondant, car il voyait que le

18. GIDE-CLAUDEL, *Correspondance*, p. 95.
19. *La Porte étroite*, p. 39.
20. GIDE-CLAUDEL, *Correspondance*, p. 90.
21. *Ibid.*, pp. 101-03.

livre était réussi, et peut-être en comprenait-il mieux le sens grâce aux commentaires du poète. Il convenait ensuite,

> Le drame même du livre n'existe qu'en raison de son inorthodoxie. .... Le protestantisme engage l'âme dans des chemins de fortune qui peuvent aboutir où j'ai montré. Ou bien à la libre pensée. C'est une école d'héroïsme dont je crois que mon livre dégage assez bien l'erreur.

Claudel répliquait en disant qu'une âme aussi noble que celle d'Alissa était faite « pour fuir dans la cellule d'un couvent. » C'est-à-dire qu'elle aurait fait un sacrifice *utile* en se faisant religieuse. Là-dessus Gide laissa tomber le débat, estimant sans doute qu'ils s'étaient accordés le plus possible. Car pour lui, le sacrifice du couvent pouvait être aussi insensé que le martyre gratuit d'Alissa. En somme, Claudel voyait dans le roman de son ami l'expression magistrale de certaines erreurs protestantes. L'auteur les reconnaissait et laissait entendre qu'il ne proposait pas son héroïne comme modèle ; mais il refusait de voir moins d'erreurs chez les catholiques.

Malgré les déclarations de l'auteur, il y a ceux qui ont vu dans le drame d'Alissa un plaidoyer si éloquent pour la beauté du renoncement chrétien qu'il l'emporte sur l'aspect critique du récit. Il est en effet possible que Gide ait fait d'Alissa un portrait plus flatteur qu'il ne le souhaitait. En y mettant toute sa propre ferveur religieuse et tout son idéalisme de l'époque d'André Walter, il a su créer une figure sublime. Quelle que soit toutefois le charme de cette histoire, le critique ne peut en négliger le dénouement et le sens lourd des paroles de la mourante. D'ailleurs l'auteur insiste trop souvent sur le côté ironique de l'ouvrage pour qu'on accepte comme exemplaire la croyance et la vie de l'héroïne. Nous estimons que l'intention critique de Gide est certaine. Ce qui est plus difficile à déterminer, c'est la portée de cette critique. Les attitudes qu'il reproche à son héroïne sont-elles représentatives de la conduite d'un chrétien ou sont-ce des aberrations personnelles ? Dans ce dernier cas, peut-on rendre responsable la doctrine chrétienne elle-même ? L'ouvrage laisse entendre que l'instruction religieuse est à la longue à blâmer pour le comportement d'Alissa, et Gide le suggère dans sa lettre à Claudel. Mais Mlle Brée nie le rôle de la religion dans le roman, affirmant que les forces qui entraînent Jérôme et Alissa sont « psychologiques, éthiques, imaginatives, sentimentales, mais point religieuses. » Comment donc peut-elle prétendre que Gide peigne une certaine déformation protestante de l'idéal chrétien ? [22] Paul Archambault, qui n'est pas d'habitude hostile à l'auteur de *La Porte étroite,* tâche de dégager le sens religieux du drame entre Alissa et Jérôme :

> Nous nous refusons à reconnaître ici la véritable notion chrétienne du sacrifice, du renoncement, de la sainteté. La vraie sainteté ne fait pas fi de la vertu de prudence. Et il faut bien qu'il y ait dans le cas d'Alissa quelque péché d'imprudence pour que de son immolation, elle-même et celui qu'elle chérit sortent à ce point défaits, désespérés. La vraie sainteté ne voit pas dans la souffrance, dans la privation, dans la difficulté des fins en soi... La vraie sainteté ne professe pas la thèse janséniste d'après laquelle le devoir est toujours en ce qui nous coûte le plus.... C'est en stoïcienne plus qu'en chrétienne qu'elle s'exprime. [23]

On peut essayer de résoudre le débat en disant que Gide attaque le faux mysticisme, qu'il trouve dangereusement lié à l'idéal chrétien, mais qu'il ne prétend pas décider s'il existe un mysticisme authentique. Pourtant, cette interprétation peut être fausse. Car surtout vers la fin de sa vie, l'auteur voulait prêter un sens philosophique à son ouvrage, qui montrerait l'échec non seulement de l'abnégation de l'héroïne mais aussi de tout l'idéal chrétien et du concept de Dieu. Dans un entretien à la radio en 1949 il s'exprima ainsi :

> J'ai fait là [dans *La Porte étroite*] un livre critique.... Mon problème était celui-ci : la fin de l'homme, est-elle Dieu, est-elle l'homme ? Au début de ma carrière, j'ai pu penser que la fin de l'homme était Dieu. J'en suis venu peu à peu à déplacer le problème et à penser que la fin de l'homme c'est l'homme. [24]

Cet ouvrage serait donc une étape dans son éloignement de la théologie chrétienne, et il ferait appel au cas fort particulier d'Alissa afin de démontrer la fausseté de tout l'idéal chrétien. Le silence qu'opposent les cieux à

22. Brée, *op. cit.,* pp. 203-04.
23. Archambault, *op. cit.,* pp. 121-22.
24. Cité dans Lafille, *op. cit.*. p. 43.

l'appel final de l'héroïne serait le silence éternel du cosmos sans Dieu. Il est malaisé d'accepter entièrement cette vue rétrospective (surtout lorsqu'on la juxtapose à des déclarations contradictoires) mais il est encore moins facile de la repousser tout à fait.

Avec *La Porte étroite* s'acheva la critique gidienne de la morale rétrécie et inhumaine du calvinisme. Après s'être exprimé à plusieurs reprises sur la Réforme et sur le puritanisme, le romancier semblait abandonner la question de la théologie et de la morale protestantes. La révolte contre le calvinisme s'était consommée dans son cœur il y avait longtemps, et même l'histoire d'Alissa exprimait moins un intérêt renaissant pour les questions protestantes qu'une vieille dette artistique contractée envers lui-même au moment de sa révolte. Malgré sa compréhension toujours profonde des ressources spirituelles humaines, il ne pouvait plus se plaire à étudier les questions protestantes. Il avait dépassé ce stade. De nouveaux problèmes — tel le catholicisme — l'inquiétaient en 1910 après l'achèvement de *La Porte étroite*. Mais ainsi que nous l'avons vu, à la veille de la première guerre mondiale, le chapitre du catholicisme semblait également clos.

Cependant l'inquiétude morale et les préoccupations religieuses de l'écrivain allaient prendre encore une fois une orientation nouvelle, dont on a vu paraître les germes dès sa jeunesse. Ce qu'on peut nommer son évangélisme — le retour aux textes de l'Evangile afin de retrouver l'esprit original du message de Jésus-Christ — prit un essor nouveau pendant la guerre, grâce à une longue méditation personnelle sur les Ecritures. Les divers éléments de cette religion tout individuelle s'accumulaient même à l'époque des *Nourritures terrestres*. A cette date Gide s'était fait une idée révolutionnaire du Christ : une sorte de figure nomadique, pour ne pas dire anarchique, prêchant la satisfaction et le bonheur individuels aux dépens de la famille et de la société, revendiquant la joie terrestre par contraste aux lois et aux devoirs. Cette notion de l'Evangile de l'amour ne disparut pas de la pensée gidienne au cours des années suivantes. Même la critique qu'il fit des conséquences néfastes d'une liberté trop grande ne nuisait pas dans son esprit au prestige de sa nouvelle conception du Christ. Celle-ci entra dans la question catholique même à l'apogée du dialogue avec Claudel, et elle joua un rôle dans son refus de la doctrine catholique. Nous avons appuyé sur le fait qu'il accusait les fidèles de Rome de trahir le Christ par leur dogmatisme et leur formalisme ; il estimait également qu'ils méconnaissaient la parole évangélique en négligeant la loi de la charité. S'il avait perdu sa croyance en Dieu, il n'avait pas perdu son amour pour le Christ. Mais il ne pouvait reconnaître l'influence de celui-ci dans les Eglises soi-disantes chrétiennes. L'image et l'enseignement de Saint-Paul d'abord, de Calvin ensuite, s'interposaient entre lui et le Christ chaque fois qu'il essayait de se rapprocher de l'autel. Il voyait surgir dans son esprit la notion du péché et de la loi, qui contredisait radicalement le message du Christ. Son amitié avec Claudel et Jammes et le débat qu'ils avaient poursuivi n'avaient fait qu'accuser davantage dans son esprit cette disparité.

D'autres éléments contribuaient au développement rapide chez Gide de l'évangélisme anticlérical et antidogmatique. Son amitié avec Jacques Rivière semble y avoir joué un rôle. Rivière, jeune et brillant, s'était rapproché de Gide au moment du lancement de la *Nouvelle Revue française.* Ensuite il s'en était éloigné pour subir l'ascendant de Claudel. Celui-ci essaya de le convertir et crut réussir. Rivière avait une grande sensibilité religieuse et éprouva l'attitude magnétique du catholicisme claudélien. Son ouvrage autobiographique, *A la Trace de Dieu,* est un témoignage précieux de la réalité de sa foi. Cependant après la guerre il abandonna quelque peu la position croyante qu'il avait prise et retourna à une attitude esthétique.

Gide et Rivière échangèrent de nombreuses lettres avant la guerre, lorsque celui-ci s'orientait vers Claudel. Leur correspondance et leur colloques aidaient Gide à prendre davantage conscience de sa pensée et de ses exigences personnelles. Dans son rapprochement de l'Eglise, Rivière prêtait foi surtout à la dialectique thomiste ; malgré sa sensibilité incontestable, c'étaient les arguments intellectuels qui l'impressionnaient le plus. Or, cette foi purement intellectuelle et cette valeur attribuée à la théologie paraissaient à Gide un jeu insensé. Rivière s'approchait de Dieu par l'intermédiaire de Saint-Thomas et d'autres doctes ; Gide considérait que ceux-ci le séparaient du Christ, c'est-à-dire de son Dieu. Il accusait Rivière d'ignorer le Christ (ce qui était assez juste, puisqu'il prétendait n'avoir jamais lu le Nouveau Testament) et de méconnaître l'essence de la vie chrétienne — la charité — pour s'égarer dans les raisonnements théologiques et dans des radotages sur les sacrements et la tradition. Il l'accusait également de supprimer la part de la morale dans la vie chrétienne et de s'en tenir aux dogmes. Plaisant reproche de la part de celui qui avait dit ne plus croire au péché ! Ces critiques étaient encore une expression des prétentions de Gide de retourner au christianisme primitif au moyen des textes et sans l'aide ni des Eglises ni de la théologie, peut-être même sans la croyance en Dieu. Il s'opposait donc aux catholiques et particulièrement à la pensée thomiste, en affirmant que le problème central est le problème moral au lieu de celui de la doctrine. La simple croyance ne pouvait supprimer les dilemmes moraux, pensait-il. Seul le Christ pouvait offrir la solution aux questions éthiques.

Les relations très amicales entre Gide et Henri Ghéon sont également intéressantes dans cette étude. Ce librepenseur qui se convertit en 1916 était avant la guerre extrêmement cynique à l'égard du christianisme, et Gide s'évertuait à lui faire comprendre la beauté et la sublimité morale de l'enseignement du Christ. Il constatait chez Ghéon la même ignorance et le même parti-pris contre l'Evangile qui le choquaient chez Rivière. [25] Parlant plus tard de la conversion de Ghéon, il insista,

> Il ne me paraissait pas admissible, ni même possible, qu'une adhésion totale aux Vérités de l'Evangile n'entraînât aussitôt et d'abord, une contrition profonde... Et n'est-ce pas là précisément ce que signifiaient ces paroles, « Quiconque ne se charge pas de sa croix, et *me suit*, n'est pas digne de moi ». [26]

La crise morale par laquelle Gide avait passé pendant les premières années du siècle et son amitié avec Claudel, Jammes, Rivière, et Ghéon, lui furent donc précieuses dans le développement de sa pensée. Elle était prête à s'affirmer après avoir frôlé la croyance, si différente, de ces catholiques fervents. Elle allait s'épanouir dans le sens de l'évangélisme, se dirigeant vers une conception du Christ comme l'Homme-Dieu.

25. « Lieutenant de vaisseau Dupouey », p. 826.
26. *Œuvres complètes*, XIV, p. 402.

L'avènement de la guerre accéléra et changea le développement de la pensée gidienne. Dans le cadre de l'angoisse européenne, sa conception du Christ et du christianisme devint plus nette et prit une importance nouvelle dans sa pensée. Il est utile de faire le bilan des circonstances qui précipitèrent chez Gide une nouvelle crise intellectuelle, physiologique, et religieuse, qui à son tour exerça une influence énorme sur son développement psychique et religieux. Le *Journal* fournit de nombreux témoignages de son état d'âme et du mouvement de sa pensée. De prime abord, lors de la rupture avec Claudel en 1914, Gide se sentait de nouveau désemparé en face de ses dilemmes moraux. Tout en rejetant la consolation « facile » du catholicisme et le joug réconfortant de sa discipline, il se rendait compte qu'il se livrait aux caprices de sa pensée, de ses sentiments, et de ses instincts. Aucune croyance, aucune foi, ne gouvernaient chez lui les décisions éthiques. Nous répétons sa parole : « Combien il est difficile d'être à la fois celui qui commande et celui qui obéit ! »

Deuxièmement, la déclaration de guerre le laissait même plus malheureux. Il se croyait le devoir de ne plus rien publier, ni même d'écrire d'œuvre imaginative. Autant dire qu'il se laissait aller au découragement et au sentiment de futilité qui le saisissaient chaque fois qu'il cessait de travailler. En outre, la guerre lui était une source continuelle d'inquiétude et de souci. Le sort de ses amis, de sa famille, et de ses fermiers à Cuverville lui était une source perpétuelle d'inquiétude. Et il sentait que toutes les valeurs de la civilisation française étaient en jeu — des valeurs dont il avait mis certaines en question mais qui restaient pour lui l'expression géniale de ce qu'avait pu faire jusque-là l'homme. Ainsi qu'il le fera en 1940, il tremblait pour « l'avenir de l'Europe. » D'autre part, le chauvinisme féroce de certains Français l'écœurait et le faisait désespérer de jamais arriver à une entente européenne.

On peut relever dans son désarroi un troisième élément. Pendant plus d'une année, l'écrivain, laissant sa femme en Normandie, travaillait à Paris côte à côte avec Charles Du Bos et Mme Théo Van Rysselberghe au Foyer franco-belge. Il y voyait passer le cortège désespérant des réfugiés — des « lambeaux d'humanité. » Ce travail, qui avait commencé par être une œuvre de charité et d'amour, finit par le décourager parce qu'il vit à quel état misérable s'était réduite l'humanité. Sa « température morale » baissa beaucoup par suite de ce spectacle et de l'épuisement qui résultait du travail physique. Il ressentait plus que jamais le besoin d'amour et de consolation ; mais ni le catholicisme, ni le protestantisme, ni la foule des hommes ne semblaient capables de lui en offrir. Il se peut en outre que le service des hommes auquel il s'adonnait fît renaître en lui le sentiment de service et de responsabilité envers le Créateur. [27]

En dernier lieu, l'écrivain, trop âgé pour être mobilisé, se rapprochait de ce moment dangereux dans la vie d'un homme où il devient la victime du « démon de midi. » Le nouvel essor de sa sensualité et l'angoisse qui l'accompagnait se manifestaient de diverses façons. Il se rapprochait de Mme Théo et d'Elisabeth Van Rysselberghe et s'éloignait spirituellement de Madeleine. De plus il entra en rapports avec plusieurs jeunes gens et fixa enfin son attention sur un seul, fait qui allait précipiter une querelle atroce entre Madeleine et André vers la fin de la guerre. Et il était en proie à la « mauvaise santé, » cette concupiscence qui l'empêchait de travailler, qui l'épuisait, et qui lui faisait craindre la folie.

Ce sont là les diverses causes de son angoisse spirituelle qui dura pendant toute la guerre. Ces circonstances le poussaient à chercher du réconfort dans l'Evangile et à dégager de l'enseignement du Christ non seulement une formule de bonheur mais aussi une thérapeutique possible. Elles lui faisaient considérer de nouveau les possibilités de la foi suprarationnelle et voir comme une Personne vivante et toute-puissante ce même Christ dans les paroles de qui il admirait les richesses psychologiques. Aussi bien sa crise morale devint-elle une véritable crise religieuse. Pour ceux qui ont vu de la comédie dans cette crise — et parmi eux se trouvent des amis de Gide — on peut prendre à témoin Charles Du Bos, qui travaillait intimement avec l'auteur pendant la guerre et qui trouvait chez lui sinon une expérience religieuse authentique, tout au moins la soif réelle de Dieu. [28] Cette crise dessine à coup sûr certains traits constants de la physionomie gidienne : la qualité de sa spiritualité, son amour pour l'Evangile, et une certaine fai-

27. Archambault, *op. cit.*, p. 150.
28. Du Bos, *Journal,* III, p. 217.

blesse de caractère. Il est toutefois vrai que le débat entre le romancier et l'Evangile n'exprime qu'une partie de sa personnalité.

Le 2 août 1914, lors de la mobilisation, l'auteur raconta dans son *Journal* comment il s'était agenouillé à côté de sa femme et avait récité le « Notre père » pour la première fois depuis plusieurs années.[29] Louis Martin-Chauffier, l'éditeur des *Œuvres complètes,* nous met en garde contre une interprétation trop littérale de ce geste. C'est de la ferveur spirituelle, prétend-il, et non proprement religieuse.[30] On peut souligner néanmoins la qualité symbolique du geste, représentatif de ses préoccupations futures. Pendant les deux années suivantes, le *Journal,* assez mince, ne contient pas beaucoup d'indices d'inquiétude. L'écrivain n'y enregistre que son dégoût pour le ritualisme et sa gêne lorsqu'il est « forcé de s'asseoir de nouveau au culte de la famille... L'horreur du geste qui puisse dépasser son sentiment. » Deux phrases seules annoncent le mouvement de sa pensée religieuse : celle où il dit comprendre que les pasteurs se servent fréquemment des textes de Saint-Paul « plus ' passe-partout ' ou ' en-tout-cas ' que ceux de l'Evangile ; » et celle où il insiste sur le fait que l'Evangile doit être pris au pied de la lettre, même lorsqu'il s'agit de la non-résistance aux adversaires.[31] Il est peut-être significatif de remarquer qu'en 1915 un ami de Gide, Dupouey, fut tué à la guerre. Ce jeune lieutenant de vaisseau avait subi l'influence des *Nourritures terrestres* avant de se convertir en 1911. Cette conversion avait beaucoup impressionné l'auteur ; sa mort exemplaire dut l'ébranler également.

Puis tout d'un coup éclata cette crise dont nous avons examiné la préparation. Elle commença en janvier 1916, « année de disgrâce. » Nous empruntons à Martin-Chauffier son analyse de l'état spirituel de Gide :

> Après son départ du Foyer, Gide, privé à la fois de lui-même et de son divertissement, vacant, offert, est livré à tous les appels, répond à tous, et de plus en plus se défait. Désordre tout intérieur où le social n'intervient plus. Il a besoin de croire ; et plus que de croire, d'aimer Dieu ; ou plutôt, tout prêt à l'aimer, de le réaliser, existant.

29. *Journal,* p. 452.
30. *Œuvres complètes,* VIII, p. xii.
31. *Journal,* pp. 489, 523.

Besoin encore de se perdre, pour se retrouver. Besoin aussi d'une certitude, d'une construction où s'appuyer. [32]

Le coup qui mit en branle ses sentiments religieux fut la conversion d'Henri Ghéon. Le 17 janvier Gide reçut sa lettre dans laquelle il se vanta d'avoir « sauté le pas, » grâce en partie à l'exemple de Dupouey. Le *Journal* présente ce même jour le récit d'un rêve qu'avait fait l'écrivain, où la séparation entre lui et Ghéon était indiquée d'une manière dramatique. Gide déclarera plus tard que Ghéon lui manquait « énormément. » [33] Le lendemain parurent les premiers doutes, la première angoisse :

Tout en écrivant à Ghéon, je relis le début du XVe chapitre de Jean et ces paroles s'éclairent soudain pour moi d'une lumière affreuse : « Si quelqu'un ne demeure pas en moi, il est jeté dehors comme le sarment, et il sèche ; puis on ramasse les sarments, on les jette au feu... » Vraiment n'étais-je pas « jeté au feu » et déjà en proie à la flamme des plus abominables désirs ? [34]

Il soupirait, « Il y a tout à revoir, tout à reprendre, tout à rééduquer en moi. » L'écrivain prenait une attitude nouvelle envers lui-même, se jugeant incomplet et condamnable. Il ne pouvait plus se satisfaire ni de l'incroyance ou d'une croyance vague, ni d'une éthique individualiste. L'homme spirituel en lui restait à refaire. Sa réponse à Ghéon révèle la profondeur de son bouleversement. En effet, il lui écrivit, « Je t'embrasse, toi qui m'as devancé. » Encore que certains critiques estiment que Gide se rapprochait de nouveau de l'Eglise et que toute cette crise démontrait son désir de se convertir, nous interprétons la phrase comme révélatrice de l'état d'âme du romancier et non pas comme l'indice d'un intérêt durable pour le catholicisme. Les questions catholiques étaient mortes pour lui et il ne pouvait plus songer à entrer dans l'Eglise de Rome. Les questions religieuses étaient toujours vives, et son aveu à Ghéon fait foi de l'ébranlement et du doute dans son âme. Du reste, Ghéon précisa lui-même que la réaction de Gide n'était nullement une promesse de conversion mais plutôt une

32. *Œuvres complètes,* VIII, p. xxii.
33. André Gide. *Feuillets d'automne.* Paris : Mercure de France, 1949, p. 114.
34. *Journal,* p. 528.

indication du grand élan de sympathie qu'il éprouva pour son ami et d'une certaine curiosité sentimentale.[35]

Les mois suivants furent l'époque d'une recherche d'un nouveau credo. Certaines de ses méditations sont consignées dans le *Journal,* d'autres dans un cahier spécial qu'il appelait le « Cahier vert » et qu'il publia plus tard sous le titre *Numquid et tu... ?* Nous examinerons tour à tour chacun des thèmes de ses méditations et de ses prières. Voyons tout d'abord l'inspiration éminemment personnelle, voire physiologique, de la détresse gidienne. Nul passage ne l'éclaircit mieux que celui-ci :

> Seigneur ! Vous le savez, je renonce à avoir raison contre personne. Qu'importe que ce soit pour échapper à la soumission au péché que je me soumette... Je me soumets ! Ah ! détachez les liens qui me retiennent. Délivrez-moi du poids épouvantable de ce corps.

Et ailleurs : « Souillure affreuse, ô salissure du péché ! ... Peux-tu me nettoyer de tout cela, Seigneur ? que je chante ta louange à voix haute. »[36]

C'est donc la pensée du mal qui inspire toute cette crise et autour de laquelle se développent toutes ses considérations. Hanté par la concupiscence, il se sent en proie à une puissance étrangère à lui, à un véritable démon. Au lieu de considérer ces obsessions sous un éclairage purement hygiénique, il s'avise de leur donner une expression théologique par la notion du péché, qu'il restaure en lui-même, dit-il, sans difficulté. Ce que ce mot signifie précisément n'est pas facile à déterminer. De même que pendant la crise de 1905, il se rend compte à présent que cette notion peut représenter tout simplement un manque de volonté de sa part, une lâcheté condamnable. Il écrit,

> Je me sers consciemment... d'un vocabulaire et d'images qui impliquent une mythologie à laquelle il n'importe pas absolument que je croie. Il me suffit qu'elle soit la plus éloquente à m'expliquer un drame intime. Et la psychologie peut l'expliquer à son tour comme la météorologie a fait certains mythes grecs.[37]

La conception du péché semblerait alors métaphorique. Ailleurs, prenant son point de départ chez Saint-Jean, il le

35. Pierre-Quint, *op. cit.,* pp. 51, 419.
36. *Journal,* pp. 573, 598.
37. *Ibid.,* pp. 532, 541.

définit comme « ce qu'on ne fait pas librement, » le représentant comme une sorte d'esclavage psychologique, une tare dans la personnalité. « Le péché : tout ce qui comporte nuisance. » [38] Mais parfois l'accent de son *mea culpa* est si émouvant et ébranlant qu'on aperçoit derrière les paroles une croyance sincère au péché, dans un sens véritablement théologique. « Toi qui te faisais fort, par la suppression du remords, d'avoir supprimé le péché. » Et encore : « L'âme vraiment chrétienne prend en horreur le péché, qui valut au Christ sa souffrance. » [39] C'est une volte-face complète de la phrase notoire, « Je ne crois plus au péché, » et si on veut, la victoire de la morale paulinienne sur l'immoralisme. Reconnaissant le caractère inhérent et subjectif du mal en l'homme, il s'écrie, après une journée de « rechute, » « L'enfer serait de continuer de pécher, malgré soi, sans plaisir. » Et de poursuivre : « L'enfer, aussi bien que le paradis, est en nous. J'accorde que chaque pécheur clairvoyant peut aussitôt goûter le pressentiment complet de l'enfer... » [40]

Par moments Gide incarne cette puissance maligne sous les traits du Diable. Dès 1910 environ il a été attiré par la conception du Malin comme un aperçu psychologique fécond et une figure idéologique utile. [41] Il suit ainsi le mouvement de son siècle qui accorde une part chaque fois plus grande à l'influence de l'irrationnel et de la non-logique chez l'homme — que ce soit le libido de Freud, l'intuition de Bergson, la mémoire involontaire de Proust, ou l'angoisse de Sartre. Mais ce qui a commencé par être des réflexions d'un intellect curieux de tout en vient peu à peu à prendre une allure réelle. Superstition primitive, dit-on. Pas plus primitive ni plus fausse que la croyance en un Dieu personnel, pourrait-il répliquer. Il se sent une victime de choix du Démon. « Si du moins je pouvais raconter ce drame : peindre Satan, après qu'il a pris possession d'un être, se servant de lui, agissant par lui sur autrui. » [42] Il estime que le monde moderne a rejeté la conception du Diable par une prévention scientifique sans fondement

38. *Ibid.*, pp. 597, 651.
39. *Ibid.*, pp. 542, 601.
40. *Ibid.*, pp. 540, 677.
41. *Ibid.*, pp. 491, 608.
42. *Ibid.*, p. 560.

contre la réalité du mal. « Je ne m'étais jusqu'alors pas bien avisé qu'il n'était pas absolument nécessaire de croire à Dieu pour croire au diable... » Poursuivant cette découverte, il précise le caractère du Malin. « Je ne comprenais pas encore que le mal est un principe positif, actif, entreprenant., je croyais alors que le mal était fait du défaut du bien... » [43] Il voit que le principe du Mal est infiniment souple, s'introduisant de diverses façons dans chacun de nous. Annonçant l'interprétation magistrale que fait Denis de Rougement du dogme du Diable, Gide écrit,

La grande erreur c'est de se faire du diable une image romantique. C'est ce qui fait que j'ai mis tant de temps à le reconnaître. Il n'est pas plus romantique ou classique que celui avec qui il cause. Il est divers autant que l'homme même ; plus même, car il ajoute à sa diversité. Il s'est fait classique avec moi... parce qu'il savait qu'un certain équilibre heureux, je ne l'assimilerais pas volontiers au mal. [44]

Ailleurs, à l'instar de Dostoïevsky, dont l'influence sur Gide va en augmentant, il voit la puissance diabolique dans les facultés de raisonnement en l'homme. C'est par son intellect — qui s'explique tout, qui retourne les commandements divins, et qui s'en esquive par la logique — que Gide estime que le Démon s'est emparé de lui, comme on pourrait dire qu'il possède Ivan Karamazov et Kirilov. Rétrospectivement, Gide attribue à une influence démoniaque tous les raisonnements spécieux par lesquels, dans les années 1890, il en était venu à considérer sa pudeur comme de la timidité, sa droiture, comme une « habitude héréditaire, » et l'idée du péché comme une entrave à l'homme naturel. [45] Il sent qu'il a renoncé au ciel, qu'il s'est plu dans le péché le plus terrible — le désespoir — ne se défendant plus contre l'Enfer. Dans un dialogue fort compliqué entre lui-même et le Démon, Gide met en valeur la virtuosité désinvolte avec laquelle le Diable s'insinue dans l'homme. Le Démon commence,

Tu sais bien que je n'existais pas mais sans doute avais-tu besoin de prendre élan sur moi, pour croire en Dieu...

— Je crois à Dieu. L'existence de Dieu seule m'importe, et

43. *Ibid.*, pp. 606, 608.
44. *Ibid.*, p. 561.
45. *Ibid.*, pp. 565, 608-09.

non la tienne ; mais la preuve que tu existes, c'est que tu veux m'en faire douter....

— C'est moi ta faim, ta soif, ta fatigue. C'est moi ta pente. Bref, tu me fais la part si belle que j'admire si parfois même tu ne me confonds pas avec Dieu.

Ensuite l'écrivain s'explique plus longuement au sujet du Démon :

Je sais qu'à maints esprits il pourra sembler absurde, comme il eût semblé encore avant-hier au mien propre, d'aller postuler cette existence, cette présence du démon pour expliquer par surgissement ce qu'on renonce à expliquer par la logique.... Que répondrais-je sinon que je n'eus pas plus tôt supposé le démon que toute l'histoire de ma vie fût du même coup éclaircie... [46]

Nous estimons que même en raisonnant ainsi sur sa révolte de jeune homme, il s'enlise dans des sophismes, car une explication qui éclaircit après le coup un événement antérieur n'est pas pour autant vraie ou authentique.

L'importance qu'il accorde à cet aperçu théologique et psychologique est énorme. Il écrit en 1915 :

Cette horreur du mal qui ne parvient à s'exprimer que par la figuration du Malin, voilà qui n'est pas matière à rire, et si *cela* sous une forme ou sous une autre, ne survit point, non plus ne survivra la race humaine. Aucune religion, que je sache, n'a insisté autant que le christianisme, ni avec une si belle gravité, sur la dualité de l'homme, sur cette division en lui-même, vitale au suprême degré... entre le ciel et l'enfer. [47]

Ce passage, qui met en scène l'homme en proie à un dialogue sans fin, révèle la conscience chez Gide, nouvellement accrue sans doute, de la nécessité d'une échelle de valeurs éthiques pour la créature humaine. Il semble impliquer en même temps du manichéisme pur. Voilà justement où tend la psychologie de Gide à l'époque, aussi bien que sa théologie. On peut offrir l'hypothèse que le nouvel intérêt chez lui pour les explications théologiques découle en partie de ses observations psychologiques.

Gide arrive ici à la conscience du conflit inhérent à la condition humaine et de la réalité du mal. Il refuse l'opti-

46. *Ibid.*, pp. 608-10.
47. *Ibid.*, p. 531.

misme souriant d'un christianisme facile et un scepticisme également simpliste, le « doux oreiller » de Montaigne. Il est conscient des implications du christianisme qui affirme à la fois, d'une part la puissance du mal et le néant de la créature, d'autre part l'action miraculeuse et inespérée de la grâce. Son expérience intime de la « possession » en quelque sorte démoniaque lui fait comprendre le sens du dogme du péché originel et le caractère surnaturel de la Rédemption. On peut donc supposer que s'il était allé jusqu'à accepter enfin la théologie chrétienne et à se convertir, ç'aurait été beaucoup plus à la manière de Pascal, faisant le « saut, » que selon le raisonnement thomiste ou à la manière du protestantisme vaguement humaniste. Il ne voit pas la possibilité d'un humanisme véritablement chrétien, quoiqu'il puisse y avoir certainement de la charité chrétienne et des valeurs humaines. Il reconnaît la distinction essentielle entre la croyance éthique ou la religion naturelle et la foi chrétienne. Aussi bien dit-il dans une lettre à Paul Desjardins, « Le débat entre christianisme et humanisme, c'est celui même qui se livre en moi... » [48]

Faisons remarquer que ces hypothèses curieuses de l'écrivain sur le Diable et la possession diabolique ne se trouvent pas dans *Numquid et tu... ?*, le carnet pieux de son *Journal*. Là, le leitmotiv est non pas le Malin, dont l'homme est victime, mais plutôt le péché, qu'il commet sciemment mais que guérira Dieu. Les réflexions sur le Malin se trouvent surtout dans les *Feuillets,* comme si elles représentaient un point de vue expérimental qu'essaie Gide, dont les conséquences seront abondantes surtout dans le domaine esthétique plutôt que dans le domaine moral. Il nous semble que sa conception reste à la longue plus métaphorique que littérale mais elle n'en demeure pas moins importante. « Si tel vient ensuite me montrer, » écrit-il, « qu'il [le Diable] n'habite point les enfers, mais mon sang, mais mes reins, ou mon insomnie, croit-il ainsi le supprimer ? » [49] Charles Du Bos, qui s'intéressait beaucoup à l'obsession du mal chez Gide, estimait pourtant que dans le tréfonds de son être il croyait vraiment au Démon mais que son respect pour le rationalisme l'empêchait de se l'avouer. Il attribue-

48. Gide-Du Bos, *Lettres,* p. 107.
49. *Journal,* p. 609.

rait donc à Satan la réalité dont il ne voulait à nul prix pour Dieu. [50]

Le dialogue qui se poursuit dans son âme se complique réellement en tout cas par l'introduction de la figure du Démon. L'écrivain ne peut savoir s'il n'en est pas continuellement la dupe. Lorsqu'il se repent et dénonce son péché, il hésite encore :

> Car le Malin est toujours prêt à me chuchoter à l'oreille, « Tout cela est une comédie que tu joues à toi-même. .... L'Ennemi ? Que parles-tu d'ennemi ? Tu n'as plus d'autre ennemi que ta fatigue. ... Sois donc franc, et conviens que si tu parles ici de péché, c'est que cette dramatisation t'est commode et t'aide à ressaisir... la libre disposition de ta chair et de ton esprit. [51]

Mais n'est-ce pas là un raisonnement diabolique, un argument de sophiste pour s'excuser ? Gide met donc en doute jusqu'à ses propres mobiles, jusqu'à ses élans les plus spontanés, jusqu'à son doute même, et il lui semble que comme dans la fable du loup et de l'agneau, le Diable gagne, quoi qu'on fasse. La notion du Démon semble à la fois expliquer les démarches de sa pensée et la mener dans une impasse dont on ne peut s'extraire. Le « mythe » du péché et du Malin devient en quelque sorte une réalité. Ensuite Gide aggrave cette préoccupation avec le mal en lisant Pascal et — choix inattendu — Bossuet. Chez le philosophe janséniste il puise des idées sur la tentation, sur l'Enfer et la punition, et sur « l'ange et la bête. »

Comme un corollaire à l'obsession du mal, Gide cherche un remède. Au début il essaie simplement de ne pas s'exposer aux tentations. Mais cela ne suffit pas, et il se décourage souvent malgré ses bonnes résolutions. « Rien de moins romantique... que la minutie de cette hygiène morale; pas de grandes victoires... Chaque défaite au contraire est subite et totale et semble vous replonger au plus bas. » [52] Par conséquent, il essaie de la prière et de la méditation sur les textes saints. Parfois cette prière semble n'être qu'un effort pour se mettre au diapason universel, pour se laisser pénétrer par l'esprit des paroles de Pascal ou du Christ. Ailleurs c'est la prière dans le sens traditionnel, qui pré-

50. Du Bos, *Journal*, IV, pp. 65-68.
51. *Journal*, p. 539.
52. *Ibid.*

suppose un Etre suprême et des rapports entre lui et sa créature. Deux exemples suffiront à illustrer ce genre de prière : « Je demande humblement à Dieu ce matin : Mon Dieu, soutenez-moi, guidez-moi, protégez-moi pendant ce jour. » Et encore : « Mon Dieu, Mon Dieu, donnez-moi de pouvoir de nouveau vous prier ! Donnez-moi la simplicité du cœur. » [53] Dans son étude sur Gide, Yang écrit, « Que Gide croie ou ne croie pas, peu importe ; mais il croit à l'efficacité de la prière. » [54] A notre avis cette indépendance de la prière à l'égard de la foi est un non-sens. Afin de prétendre à la réussite de la prière il faut du moins assumer l'existence de Dieu. Voilà ce que tâche de faire Gide. En tant qu'il ne réussit pas, la prière perd sa valeur réelle, qui se trouve dans l'adoration de Dieu. Elle devient, soit une espèce de purgation morale pareille aux traitements de la psychiatrie (si elle est confession), soit une sorte de narcotique qui apaise l'âme.

Gide raisonne-t-il sur ce qu'est précisément ce Dieu ? Il semble que non, encore qu'il s'approche par moments de la notion de la rédemption par la croix : « C'est le plaisir qui courbe l'âme... ; le fardeau de la croix la redresse. » Il tâche d'habitude simplement de rétablir des rapports entre lui-même et l'Eternel et d'atteindre l'Eternel au moyen de l'intuition spontanée au lieu du raisonnement. Il cite Fénelon : « Je voudrais demeurer dans *l'obscurité* de la pure foi... L'obscurité de la foi et l'obéissance à l'Evangile ne nous égareront jamais. » Il s'approche d'une position agnostique dans le sens le plus strict du mot, car il laisse entendre qu'on ne peut connaître l'absolu. On ne peut donc que sentir. « Il t'est difficile, dis-tu, d'affirmer que Dieu est. Mais dis s'il ne t'est pas plus difficile encore d'affirmer que Dieu n'est pas ? » [55] Ces phrases succinctes semblent indiquer un revirement de la position scientifique que Gide avait paru prendre de temps en temps. En réalité elles représentent un point capital de sa pensée : l'impuissance de l'homme à connaître l'absolu d'une manière certaine.

Ce qui est nouveau à cette époque c'est qu'il a recours par moments à l'intuition ou au sentiment afin de connaître ; il s'approche d'un acte de foi pour combler la lacune

53. *Ibid.*, pp. 553-54.
54. YANG, *op. cit.*, p. 106.
55. *Journal*, pp. 604, 646.

entre la créature éphémère et l'absolu, entre l'expérience concrète et l'immatériel. Malheureusement, il ne le fait pas, cet acte de foi, pour des raisons que nous espérons suggérer incessamment. Il est vrai que la sincérité incontestable de ses paroles pendant cette crise religieuse semble révéler chez lui une sorte de croyance instinctive en Dieu. Mais sa prière désespérée nous semble plutôt un effort affectif pour postuler Dieu qu'une expression de la foi déjà présente. On peut se rappeler le dicton : « Toute volonté de croire est une raison de douter. » Nous avons constaté chez André Walter en voie de s'éloigner du culte cette même tentative pour croire, ce souhait, qui ne peuvent se transformer en croyance, puisque les deux choses — effort pour postuler Dieu, et foi réelle, — sont de deux ordres dialectiques différents. On ne peut hypostaser un sentiment en Divinité. N'empêche que Gide se met à genoux comme un croyant et tâche de prier.

Du reste, du point de vue théologique, il y a quelque chose de factice dans ses prières même les plus sincères. C'est que s'il croit et s'il prie c'est afin de se relever lui-même. Or l'Eglise et les sectes protestantes enseignent que la créature doit être rabaissée et que seule compte la gloire de Dieu. L'élément d'égoïsme dans la demande de Gide et dans son attitude envers la Divinité rend invalide sa profession de foi. Nous citons M. Archambault :

> Certes ce n'est pas encore la foi du chrétien, encore que le mot soit employé, ni même son humble recherche et attente... On ne fait pas place à plus grand que soi sans renoncer à soi. L'attitude religieuse est d'abord une attitude de soumission.... Gide n'est est pas là. [56]

Il importe de souligner que si l'écrivain réussit à croire en Dieu, ce sera de toute manière à force de sentiment ou d'intuition irrationnelle et non pas à force de raisonnement. Ce sera une expérience totale et autonome, comme celle que prescrit le Christ et que Nicodème ne peut pas comprendre. Dans une envolée qui exprime une attitude voisine de celle de Rousseau, Gide s'écrie, « O, naître de nouveau ! Oublier ce que les autres hommes ont écrit, ont peint, ont pensé, et ce que l'on a pensé soi-même. Naître à neuf. » [57] Les objec-

56. ARCHAMBAULT, *op. cit.*, p. 155.
57. *Journal*, p. 589.

tions intellectuelles qui l'inquiétaient lors de son rapprochement du catholicisme sont toujours présentes à son esprit. Il convient de les considérer de nouveau maintenant et de voir le développement de son opposition au christianisme doctrinaire, laquelle va jouer un rôle dans l'évolution de cette crise religieuse. Les déclarations anticatholiques foisonnent à cette époque dans le *Journal.* Ses commentaires sur Bossuet (les *Elévations sur les Mystères*) sont typiques de ses remarques contre l'apologétique catholique :

> Je m'empêtre dans une suite de pseudo-raisonnements qui, loin de me persuader, m'indisposent et m'écœurent à neuf. Non, ce n'est pas par cette porte-là que je puis entrer... Je puis faire la bête, j'y ai tâché ; mais pas longtemps, et bientôt je sursaute tout entier contre cette comédie impie que s'efforce à jouer mon être. Si l'Eglise exige cela de moi, c'est que Dieu reste au-delà d'elle. Je puis croire en Dieu, croire à Dieu, aimer Dieu, et tout mon cœur m'y porte. Je puis soumettre mon cœur à mon cerveau. Mais par pitié, ne cherchez pas de preuves, de raisons. [58]

Il critique chez le grand prédicateur les « preuves » de l'existence de Dieu par le sentiment de perfection que porte chaque homme dans son cœur et ensuite par la prophétie. « Tout cela est lamentable et déshonnête. Je puis renoncer à ma raison, je ne la puis contourner. » Ensuite, après avoir parlé de la piété factice et sentimentale de Francis Jammes, il poursuit,

> Où Jammes m'irrite le plus, c'est quand il croit, ou feint de croire, que c'est par raisonnement et besoin maniaque de dialectique que je m'écarte et m'oppose, lorsque tout au contraire... Ce n'est point l'ignorance, ni l'humilité, ni le renoncement, c'est le mensonge que j'abomine. Et cette simagrée par laquelle l'âme se dupe et s'offre en dupe à Dieu.

Lorsque Claudel refuse d'écrire une préface pour une traduction d'Unamuno, alléguant son modernisme, Gide s'exprime ainsi : « Comment ai-je pu me méprendre ? Décidément tous les chemins ne mènent pas à Rome et celui-là seul qui se tait peut être bien sûr de rester dans l'orthodoxie. Mieux vaut n'y pas entrer... » [59]

58. *Ibid.,* pp. 533-34.
59. *Ibid.,* pp. 535, 549.

Aux dogmes étroits, aux raisonnements douteux de l'apologétique catholique, Gide oppose une religion qui prend sa source dans le sentiment, ainsi que pour le Vicaire savoyard, et qui n'exige que l'élévation sincère du cœur qui cherche son Dieu. Malheureusement un côté critique de son moi trouve ces effusions sentimentales fort suspectes, aussi douteuses que sa croyance au Démon. Voilà une source de conflit chez le romancier. Néanmoins il prescrit une religion qui soit la mise en œuvre de la doctrine joyeuse de l'Evangile et qui n'ait pour figure divine que le Christ, qui est toute charité. Cette notion du christianisme se dessine dans de nombreux passages du *Journal* et dans presque tout le cahier appelé *Numquid et tu... ?*

N'y a-t-il pas une certaine contradiction entre cette approche évangélique du Christ et la conception de Dieu auquel Gide prie dans les passages cités ci-dessus ? Il est malaisé de comprendre tout à fait comment il réconcilie la notion du Christ-Dieu avec celle de Dieu l'Eternel. De même, comment réconcilier cette conception du Christ avec la croyance à la puissance réelle et terrible du Malin ? Gide ne s'empare point de la doctrine de la Trinité — probablement parce qu'elle lui semble artificielle et trop subtile, et parce qu'il n'estime pas que le Christ soit de la même essence que Dieu l'Etre et l'Eternel. Il semble faire une confusion entre la réalité ontologique et la réalité phénoménologique du Christ, et entre son existence historique et son existence éternelle. Pour le moment l'écrivain ne fait aucune tentative pour résoudre ce paradoxe, non plus que celui de la charité et du mal. Il est possible qu'il n'en soit même pas conscient. Son être est en proie à la détresse morale ; il est quasi incapable d'analyser ses sentiments et ses suppositions, et il évite le terrain dogmatique et théorique. Au cours d'un débat public sur le « cas Gide » en 1935 Jacques Maritain fit remarquer excellemment que ce qui fait le drame de Gide,

> C'est une recherche... des valeurs évangéliques, et cependant une sorte d'impuissance à voir l'Evangile là où il est, c'est-à-dire dans l'ordre de la vie éternelle. .... Toute votre recherche des choses évangéliques, c'est exclusivement dans l'ordre du temps et de la vie. [60]

60. *André Gide et notre Temps*. Paris : Gallimard, [1935], p. 40.

L'étude de l'Evangile que poursuit Gide est de plus en plus approfondie au fur et à mesure que la crise devient plus intense. Essayant de lire sans prévention et de sonder séparément chaque verset, il découvre des sens insoupçonnés — et quelquefois outrés — dans les prononcements de Jésus-Christ, et il estime de plus en plus irréductible le gouffre idéologique qui sépare les Evangiles des Epîtres pauliniennes. On peut certainement contester la validité de cette méthode, qui représente l'attitude protestante poussée à son point le plus extrême. Dès 1893 on lui avait reproché de « donner trop de sens à certaines paroles de l'Evangile. » Mais il affirmait que « la parole du Christ est toujours nouvelle d'une promesse infinie. » [61] Et dès qu'il estime cela, il est tenté d'interpréter cette « promesse infinie » dans un sens qui lui appartient en propre et qui paraît exagéré. En 1922 il se défendra dans une lettre à François Mauriac contre les reproches que lui fit celui-ci sur son interprétation individualiste des Ecritures :

Pour ce que vous dites de mes interprétations tendancieuses des textes saints... je tiens les livres saints, tout comme la mythologie grecque (et plus encore), d'une ressource inépuisable, infinie, et appelée à s'enrichir sans cesse de chaque interprétation qu'une nouvelle orientation de nos esprits nous propose. C'est pour ne pas cesser de les interroger que je ne m'en tiens pas à leur première réponse. [62]

Martin-Chauffier insiste sur ce procédé d'assimilation qu'applique Gide indifféremment aux Ecritures et à la mythologie. Celui-ci « ne tient pas compte de la 'leçon' reçue et tire à soi le récit, la légende, ou la parole qui dès lors, perdant leur valeur propre (ou leur valeur traditionnelle) en acquièrent une nouvelle, en devenant d'admirables *prétextes.* » [63] Il est certain toutefois que l'attitude de Gide en 1916, encore que suspecte, est tant soit peu plus pieuse, car il cherche à découvrir dans l'Evangile, en le prenant à la lettre, non pas simplement de nouveaux aperçus psychologiques mais plus encore le sens véritable et divin des paroles du Christ. Il affirme,

Les paroles du Christ sont divinement lumineuses et il n'en a pas fallu moins de toute l'ingéniosité des hommes pour en ternir ou

61. *Journal,* pp. 595, 621.
62. « Lettres à François Mauriac », p. 93.
63. *Œuvres complètes,* XIII, p. x.

pour en modifier la signification évidente. Mais elles rayonnent à nouveau pour celui qui les relit avec un cœur neuf, avec un esprit enfantin.

Il dit se sentir « directement et individuellement interpellé » chaque fois qu'il aborde les Ecritures, et qu'il ne faut pas en différer « l'urgence. » [64]

Qu'il ait poussé beaucoup trop loin dans son interprétation certaines idées chères, nul ne cherche à le nier. Qu'il soit tombé également dans des raisonnements fort spécieux est tout aussi évident. Il tâche d'étendre beaucoup trop loin la portée de certaines déclarations bibliques, méconnaissant, par exemple, la distinction fondamentale, sur laquelle insiste l'école thomiste, entre le royaume séculier et le royaume de Dieu, entre ce qui n'est pas encore purifié et ce qui l'est. La difficulté principale est que, selon l'expression De Bos, « nul texte, et fût-ce même les paroles du Christ, ne lui sert jamais qu'à tailler et à sentir quelque nouvelle facette de son individualité propre » [65]

Curieusement, il refuse toute aide de la critique historique, niant la valeur de celle-ci quand il s'agit de croire au Christ et de le suivre. Cette position ne paraît logique que si l'on se souvient que c'est la valeur pratique de l'enseignement chrétien qui lui importe et non pas la théologie qu'en a dégagée l'Eglise, ni même la vérité historique des origines du christianisme.

L'Evangile est un petit livre, tout simple, qu'il faut lire tout simplement. Il ne s'agit pas de l'expliquer, mais de l'admettre. ..... Je prends les Evangiles tels qu'ils nous sont donnés et laisse aux exégètes le soin de chercher si telles lignes ne furent pas rajoutées par la suite... [66]

Résumant cette attitude caractéristique, il dit sans ambages :

Que m'importent les controverses et les arguties des docteurs ? Au nom de la science ils peuvent nier les miracles ; au nom de la philosophie, la doctrine ; et au nom de l'histoire, les faits. Ils peuvent mettre en doute l'existence même de Celui-ci.... Même il me plaît qu'ils y parviennent, car ma foi ne dépend en rien de cela. Je

64. *Journal*, pp. 604, 621.
65. Du Bos, *Journal*, III, p. 210.
66. *Journal*, pp. 588, 677.

tiens ce petit livre dans ma main et aucun plaidoyer ne le supprime ni ne me l'enlève.... Où que je l'ouvre, il luit d'une manière toute divine... C'est par là que le Christ échappe à ceux-là mêmes qui s'en viennent pour le saisir. [67]

Un des leitmotivs de sa méditation sur l'Evangile est l'histoire de Nicomède. En effet, *Numquid et tu... ?* est conçu à un certain moment comme un commentaire sur ce personnage biblique qui est assailli par le doute. Mlle Brée profite de cette circonstance pour suggérer que l'écrivain compte tirer un parti littéraire de ses méditations et que la création du « personnage » de Nicodème l'aide à se maîtriser et à sortir de sa crise. [68] Nous considérons que c'est prêter beaucoup trop d'importance à la chose, encore que la rédaction du carnet ait pu jouer un rôle dans la résolution de la crise. Mais Gide n'en est pas encore arrivé là. Il cite le texte anglais, « Except a man be born again, » qui est le point de départ pour ses considérations. [69] Par lui, dit-il, « j'ai pu mesurer... l'ombre affreuse que mon passé projetait sur mon avenir. » Est-ce une préfiguration curieuse du personnage malrauvien qui se sent la créature, voire la victime de son passé, jusqu'au moment où il sait s'en libérer par l'acte ? Gide élabore péniblement une notion du renoncement chrétien qui permettra la renaissance à la vie, cette renaissance que Nicodème ne peut pas comprendre. Rien de plus contradictoire chez cet être complexe que l'attirance de l'idée du renoncement. La parole revient d'innombrables fois sous sa plume. La plupart du temps il semble tant soit peu insincère lorsqu'il parle de « perdre sa vie. » Il utilise cette formule pour exprimer une conception de « réveil spirituel » qui est au fond on ne peut plus naturaliste. Mais au printemps de 1916 il veut véritablement écraser sa personnalité, se purifier, et « naître de nouveau. » « Certainement, » écrit-il paradoxalement, « c'est dans la parfaite abnégation que l'individualisme triomphe, et le renoncement à soi est le sommet de l'affirmation. » [70] Cette conception du renoncement, pour vague et individualiste qu'elle soit, joue un rôle heureusement unificateur dans la pensée gidienne : c'est

67. *Ibid.*. p. 587.
68. Brée, *op. cit.*, p. 240.
69. *Journal*, p. 535.
70. *Ibid.*, p. 541.

comme le foyer où convergent sa morale et son esthétique « classique. »

Il faut regarder de plus près le mince ouvrage baptisé *Numquid et tu...?* qui était rédigé quotidiennement comme une partie du *Journal*. Ce carnet de « recueillement, » que Charles Du Bos compara au *Mystère de Jésus* de Pascal [71] et qu'Emile Gouiran appelle un « livre névralgique dans la vie intérieure de Gide, » [72] présente de nombreux sujets de méditation, tous enchevêtrés. Nous tenterons d'en suivre les développements dialectiques et lyriques et de faire ressortir ainsi le progrès de la crise morale de Gide. Les méditations sont basées sur la lecture des Evangiles selon les principes que nous avons dégagés. Il prend un point de vue tout subjectif envers l'enseignement du Christ, considérant que cet enseignement est indépendant de toute théologie, de tout appui divin, même du personnage du Christ. C'est le contenu de l'Evangile qui est important ; aucune donnée extérieure ne peut prévaloir contre lui. L'attitude gidienne ressemble à celle de Michelet vis-à-vis de Jeanne d'Arc, héroïne quasi divine à ses yeux même si elle se trompait au sujet de son inspiration céleste. Gide réitère à plusieurs reprises cette pensée : « Il me serait aujourd'hui prouvé que le Christ n'a pas accompli ses miracles, ma confiance en sa voix n'en serait pas ébranlée. » En outre, il ébauche ici sa conception de l'Homme-Dieu, laquelle viendra au premier plan de sa pensée après la guerre. La divinité se crée en Jésus-Christ.

> Il ne s'agit pas tant de croire aux paroles du Christ parce que le Christ est Fils de Dieu — que de comprendre qu'il est Fils de Dieu parce que sa parole est divine et infiniment élevée au-dessus de tout ce que nous proposent l'art et la sagesse des hommes. Cette divinité me suffit.

Un autre passage met en valeur une source de cette divinité manifestée en Jésus. Gide explique que les paroles dans le jardin de Gethsémani révèlent d'abord sa grandeur (« Mon âme est troublée »), ensuite son côté humain (« Père, délivrez-moi de cette heure »), et enfin son essence divine qui l'emporte (« Mais c'est pour cela que je suis venu jusqu'à

71. Du Bos, *Journal*, II, p. 196.
72. Gouiran, *op. cit.*, p. 259.

cette heure. » En perdant sa vie, « le Christ renonce à l'homme ; ... il devient Dieu. »[73]

Quel est le secret divin qu'annonce aux hommes le Christ et qui rend son enseignement si supérieur ? C'est cette idée, que Gide affectionne beaucoup, du bonheur. Il n'y a ni prescription ni ordre dans l'Evangile, simplement la formule de la félicité. Prenant un point de vue qui sur le plan théologique est essentiellement protestant, il considère que les souffrances et le sacrifice du Christ ont été suffisants et que la notion de douleur qui ressort de la tradition moyenâgeuse est antichrétienne.

Joie... joie. Je sais que le secret de votre Evangile, Seigneur, tient tout dans ce mot divin : joie. Et n'est-ce pas là ce que, sur toutes les humaines doctrines, votre parole a de triomphant ? .... Tout chrétien qui ne parvient pas à la joie rend la passion du Christ inutile, et par cela même l'aggrave. Vouloir porter la croix du Christ, souhaiter épouser ses souffrances, n'est-ce pas méconnaître son don ? [74]

Et encore : « A participer à cette immensité du bonheur, oui, je sens que vous m'invitez, Seigneur. »

En plus, la félicité commence dès cette heure même. « C'est *dans l'éternité* que dès à présent il faut vivre. Et c'est *dès à présent* qu'il faut vivre dans l'éternité. .... La vie éternelle n'est pas seulement à venir. ... Nous la vivons dès l'instant que nous consentons à mourir à nous-mêmes... » [75] En prenant littéralement le texte évangélique, Gide réussit à démontrer la qualité subjective aussi bien que temporelle de la béatitude. Il s'oppose ainsi à tous ceux qui considèrent, comme Vigny, que le christianisme est une religion désespérante parce qu'il n'aspire qu'à l'éternité et désespère de la vie. Lorsque l'auteur des *Nourritures terrestres* discourt sur la conception chrétienne du royaume de Dieu, il arrive de même à une interprétation tout immanente des textes. « Le Royaume de Dieu est au-dedans de vous, » dit-il, insistant sur le côté subjectif de la récompense et de la béatitude.

C'est par le renoncement à soi que s'obtient la félicité.

Je fais abandon de ce qui fait ma vie, de mon âme, de ma personnalité, pour l'assumer à neuf... C'est le centre mystérieux de

73. *Journal*, pp. 588, 590, 601.
74. *Ibid.*, pp. 600-01.
75. *Ibid.*, p. 591.

la morale chrétienne, le secret divin du bonheur : l'individu triomphe dans le renoncement à l'individuel. ..... Résurrection dans la vie totale. Oubli de tout bonheur particulier. O réintégration parfaite. [76]

En attendant qu'il se convertisse au communisme, ces paroles nous éclairent sur le côté social de son credo évangélique. Et plus loin : « Celui qui naît de nouveau... qui renonce à soi pour *Le* suivre, celui-là fait son âme vraiment vivante, il renaît à la vie éternelle, il entre dans le royaume de Dieu. » [77] Quelques années plus tard, Gide se prononcera pour mettre au point son attitude envers l'Evangile :

Je tiens que l'abandon *de soi* au sens chrétien du mot et l'abandon *à soi* sont deux inconciliables. ... Il ne s'agit pas, pour le vrai chrétien, d'interpréter dans un sens ou dans un autre les paroles de l'Evangile, mais d'y croire et de les mettre en pratique. Ce qui ne veut nullement dire que je prétende l'avoir toujours fait. ..... Il m'arrive de m'écarter du Christ, de douter, non certes de la vérité de ses paroles, ni du secret de bonheur surhumain qu'elles enferment, mais bien de l'obligation de les écouter et de les suivre. [78]

Ces démarches dialectiques permettent à l'écrivain de négliger certains éléments surnaturels de la religion chrétienne qui rendent difficile sans doute son adhésion complète au christianisme et de voir dans l'Evangile un manuel de bonheur. Certes, son interprétation de ses versets de prédilection n'est pas complètement faussée, car souvent il suit de près le texte du Vulgate. Mais il ne considère pas de nombreux passages qui éclaircissent d'une façon toute différente l'enseignement du Christ, et il néglige délibérément l'apport de la tradition, se séparant ainsi non seulement des catholiques mais aussi de presque toutes les sectes protestantes.

Nous avons fait remarquer précédemment le sens esthétique que croit trouver Gide dans l'Evangile. Ce thème reparaît dans *Numquid et tu... ?* encore que ses préoccupations y soient en général d'un ordre religieux et moral plutôt qu'artistique. La signification esthétique des Ecritures se trouve par exemple dans l'idée du renoncement à soi, dans la notion d'être « fidèle dans les petites choses » pour l'être

76. *Ibid.*, p. 594.
77. *Ibid.*, pp. 604-05.
78. *Œuvres complètes,* XIV, p. 403.

aussi dans les grandes, et dans celle de devenir semblable à un petit enfant, de ne point juger, etc. Dans une lettre à Du Bos à ce sujet à peine quelques années plus tard, Gide dira, « Tout cela est applicable *exactement* à l'œuvre d'art.... Ce n'est pas au choix du sujet mais dans l'application profonde à son métier même des préceptes de l'Evangile, que je reconnais que l'esprit du Christ anime l'artiste. » [79] Voilà une affirmation quelque peu différente de l'attitude dont il faisait preuve plus tôt, lorsqu'il estimait qu'il ne pouvait y avoir d'art chrétien et que l'artiste était plutôt du parti diabolique.

Or, par ces diverses interprétations partielles ou fausses des Ecritures, Gide s'écarte à dessein de ce qu'il considère comme l'enseignement paulinien. Nous avons fait remarquer que dès avant la fin du siècle il s'est aperçu de l'antagonisme entre les données évangéliques et la théologie catholique qui repose sur Saint-Paul. Cet antagonisme n'a fait que grandir à ses yeux. En 1916 il considère Saint-Paul comme un traître au Christ, de même que Nietzsche estime tout son enseignement très néfaste. « Ce n'est jamais au Christ, c'est à Saint-Paul que je me heurte — et c'est en lui, jamais dans l'Evangile, que je retrouve tout ce qui m'avait écarté. Je crois au miracle plus facilement que je ne suis [ses] raisonnements... » [80] C'est surtout la notion de loi et de péché et celle de la justification par la foi qui le repoussent. Il estime que lorsque dans la théologie chrétienne, influencée par la loi juive, « le Commandement vint, le péché reprit vie avec elle. » Il rend Saint-Paul responsable d'avoir propagé le commandement, hérité du sémitisme, malgré que celui-ci tâche de démontrer, dans l'épître aux Romains, comment le Christ nous libéra de la loi. Il considère également que l'apôtre insiste trop sur la justification par la foi, méconnaissant l'unique loi de la charité. « Non pas la loi : la grâce. C'est l'émancipation dans l'amour et l'acheminement par l'amour vers une obéissance exquise et parfaite. Il faut y sentir l'effort de la tendre doctrine chrétienne pour faire éclater les étroites langes du sémitisme qui l'enserrent. » [81] Cette position sera énoncée encore une fois dans *La Symphonie pastorale*. Evidemment il existe d'autres in-

79. GIDE-DU BOS, *Lettres*, p. 121.
80. *Journal*, p. 599.
81. *Ibid.*, p. 589.

terprétations possibles de l'enseignement paulinien. Dans son étude de Saint-Paul, Albert Schweitzer suggère que cette importance accordée à la justification de la loi dans presque tous les commentaires sur l'apôtre est une illusion d'optique. Il ne relève dans les épîtres pauliniennes aucun complexe négatif comme chez Calvin. Et Louis Bouyer d'écrire à sa suite :

> Le paulinisme authentique devrait être redécouvert comme une mystique d'union au Christ, dominée non pas immédiatement par la perspective du péché et de sa réparation mais par la vision eschatologique de la résurrection et de l'entrée dans le Royaume en dépit de toutes les forces d'opposition vaincues par la croix. [82]

Toute différente est l'attitude de Gide. En particulier il ne serait pas d'accord sur le rôle de la croix, car il estime que la passion de Jésus est un accident malheureux qui contraria son ministère, au lieu d'être le moyen de rachat de l'humanité déchue.

Il critique donc Nicodème parce qu'il représente la loi et doute au nom de la loi. « J'ai trop longtemps aimé tes hésitations, tes probités, tes scrupules — l'appareil de ta lâcheté. ... Seigneur, donnez-moi d'être maudit par les orthodoxes, par ceux qui connaissent la loi. » [83] Au péché et à la loi il oppose l'amour. Ainsi que le fait remarquer pertinemment Martin-Chauffier,

> Gide déteste non le péché mais cette notion du péché qui lui paraît... une œuvre de l'Eglise, plutôt que de Dieu. .... Et quand il remonte la pente, ce n'est point le remords chrétien qui l'assaille, mais une humiliaton toute humaine, c'est l'amour qui le soulève et le porte directement à Dieu, sans intermédiaire. [84]

Il peut paraître surprenant que Gide n'ait pas songé davantage à dénoncer la doctrine de la prédestination, élaborée par Calvin qui la puisait chez Saint-Augustin et reprise par Jansenius, car aucun dogme n'est si propre à contrecarrer l'esprit de charité universelle et de félicité terrestre. Il est fort probable que l'écrivain connaissait mal Saint-Augustin, et pour ce qui est de Calvin, figure détestée,

82. Bouyer, *op. cit.*, pp. 59, 153.
83. *Journal*, p. 597.
84. *Œuvres complètes*, VIII, p. xxiii.

il préférait le tenir à l'écart et s'emportait plutôt contre la théologie paulinienne de la justification par la foi et du commandement, théologie qui est, au dire de Gide, à la base de tout développement chrétien subséquent.

Le lecteur peut s'étonner également que l'Evangile de prédilection chez le romancier à cette époque ait été celui selon Saint-Jean. Nul autre n'est si imprégné de mysticisme oriental et de théologie abstraite, auxquels il devait naturellement répugner. Mais il ne semble pas avoir été très conscient du rôle qu'a joué la tradition mystique orientale dans la conception de cet Evangile. De plus, il y appréciait de nombreuses paroles que ne rapportent pas les autres Evangélistes et qui créent effectivement un air d'authenticité et de vécu. Par conséquent, il préfère attribuer à Saint-Paul tous les éléments chrétiens qu'il considère comme infidèles à l'esprit du Christ. Bien plus tard il continuera à condamner certaines doctrines pauliniennes qui se trouvent aussi dans l'Evangile de Saint-Jean.

Quelles sont les conséquences des méditations gidiennes sur l'Evangile ? Libéré de l'idée de la loi, qu'il a considérée comme sa plus grande pierre d'achoppement, ayant écarté les problèmes de récompense céleste, de la Divinité, et de la nature de Jésus-Christ, Gide cherche à se baigner dans l'esprit évangélique pour naître de nouveau et sans doute pour se délivrer de sa détresse morale. La vie chrétienne telle qu'il la conçoit maintenant doit lui fournir une thérapeutique efficace. Nous lisons dans *Numquid et tu... ?* : « Oh ! parvenir à cet état de seconde innocence, à ce ravissement pur et riant. » Plus haut, rappelant André Walter, il écrit, « Seigneur, je viens à vous comme un enfant, comme l'enfant que vous voulez que je devienne... Je résigne tout ce qui faisait mon orgueil et qui, près de vous, ferait ma honte. J'écoute et vous soumets à mon cœur. » [85] Observons son attitude d'attention, comme s'il voulait se mettre en rapports directs soit avec l'esprit du Christ, soit avec Dieu le Père en qui il semble croire. Il exige plus que les préceptes évangéliques de charité ; il cherche de l'aide tangible contre sa faiblesse. A l'instar d'André Walter, écartelé par son vice et ses doutes, l'écrivain souhaite vraiment l'intervention surnaturelle de Dieu, ce que peuvent admettre seuls ceux-là

85. *Journal,* pp. 588-89.

qui croient à l'existence réelle et supraterrestre de la Divinité. Encore une fois nous pouvons constater que Gide veut y croire mais qu'il n'y arrive pas vraiment. D'ailleurs, sa faiblesse physique et le sentiment de culpabilité qui en résulte sont plus forts que l'effet thérapeutique souhaité des Ecritures. Il se dit, « Comment ne serais-tu pas vaincue d'avance, pauvre âme, si d'avance tu doutes de la légitimité de ta victoire ? Comment ne résisteras-tu pas mollement, quand tu doutes si tu dois vraiment résister ? » [86] Son élévation spirituelle ne peut donc aboutir qu'à une rechute.

Examinons les textes de *Numquid et tu... ?* qui révèlent ces étapes dans son développement spirituel. Le 12 mai 1916 il note :

> Plus rien écrit dans ce carnet depuis quinze jours. Abandonné mes lectures et ces pieux exercices que mon cœur, complètement sec et distrait, n'approuvait plus. N'y plus voir aussitôt que comédie, et comédie malhonnête, où je me persuadais de reconnaître le jeu du démon. Voilà ce que me souffle au cœur le démon. Seigneur ! ah ! ne lui laissons pas le dernier mot. Je ne veux plus aujourd'hui d'autre prière.

Quatre jours plus tard, il avoue l'échec de ses efforts pour se maîtriser et pour atteindre Dieu :

> Je ne sais plus ni prier ni même écouter Dieu. S'il me parle peut-être je ne l'entends pas. Me voici redevenu complètement indifférent à sa voix. Et pourtant j'ai le mépris de *ma* sagesse, et à défaut de la joie qu'il me donne, toute autre joie m'est ôtée. Seigneur ! si vous devez m'aider, qu'attendez-vous ? Je ne puis pas, tout seul. [87]

Ces phrases émouvantes et d'autres très semblables qui se trouvent dans *Numquid et tu... ?* attestent les antinomies dans le for intérieur de l'écrivain. Il se sent possédé du Diable, de sorte que « tous les reflets de Vous... se ternissent » et que Dieu s'est retiré de lui. Il prie Dieu de ne pas l'abandonner, de se souvenir qu'il l'aimait autrefois. « Tendez-moi la main. Conduisez-moi vous-même jusqu'à ce lieu, près de vous, que je ne puis atteindre. » Il tâche de croire à l'efficacité entière de l'amour. On lit dans *Numquid et tu... ?* ces paroles qui reparaîtront dans le carnet du pasteur

86. *Ibid.*, p. 590.
87. *Ibid.*, pp. 598-99.

dans *La Symphonie pastorale* : « Seigneur, enlevez de mon cœur tout ce qui n'appartient pas à l'amour.... C'est au défaut d'amour que nous attaque le Malin. » [88]

Son salut ne s'accomplit pas toutefois. Sa croyance et son amour ne sont pas assez profonds ; il y a une contradiction flagrante entre ses prières et ses désirs véritables. Il s'imagine que Dieu lui dit, « Pauvre âme, qui prétends élever ton péché jusqu'à moi. » Le passage suivant met en valeur l'échec de sa recherche religieuse :

> Sa main toujours tendue, que l'orgueil se refuse à saisir. Préfères-tu donc enfoncer... toujours plus profondément dans l'abîme ? Penses-tu que cette chair pourrie d'elle-même va se détacher de toi ? Non, si toi tu ne te détaches point d'elle. ..... — Pardon, Seigneur, le vrai, c'est que, cette chair que je hais, je l'aime encore plus que vous-même. ..... Je vous demande de m'aider, mais sans renoncement véritable. Malheureux, qui prétends marier en toi le ciel et l'enfer. [89]

Le dédoublement de la personnalité qui se voit dans ce passage révèle le conflit interne dont est victime Gide. Du Bos a fait remarquer, « L'état d'innocence dont il parle dans *Numquid et tu... ?* qui instaurerait le royaume éternel ici-bas est incompatible avec une convoitise quelle qu'elle soit... » [90] Gide s'aperçoit lui-même plus tard de cette incompatibilité. Pierre-Quint rapporte ces phrases de lui : « Peut-on être chrétien aussi longtemps qu'on est tenté par le plaisir ? Peut-on allier à l'amour de Dieu le désir des créatures ? » [91] Ce n'est pas qu'il abandonne complètement la lutte. Même après ce cri si intime, il continue à prier, à guetter le Malin en lui, à chercher l'esprit de l'Evangile. « Mon Dieu, » soupire-t-il quelques jours plus tard, « je viens à Vous avec toutes mes plaies qui sont devenues des blessures, avec tous mes péchés sous le poids desquels mon âme est écrasée. » [92] Commentant de nouveau certaines paroles du Christ, il y voit toujours le secret lumineux du bonheur. Mais il a pris conscience des inconséquences dans son approche de Dieu. Entre sa lucidité et son ingénuité, entre l'abandon à sa fatalité intérieure et la nostalgie d'un

88. *Ibid.*, pp. 572, 602-03.
89. *Ibid.*, pp. 572, 601-02.
90. Du Bos, *Journal*, II, p. 200.
91. Pierre-Quint, *op. cit.*, p. 25.
92. *Journal*, p. 603.

état d'innocence, ce sont les premiers qui l'emportent. Il abandonne enfin le Cahier vert.

Du point de vue hygiénique, ce cahier représente un échec. La résolution de la crise sensuelle de Gide ne vint pas de l'enseignement évangélique mais plutôt d'autres facteurs que nous examinerons ci-dessous. Il ne peut pas non plus mettre en pratique dans sa vie les principes éthiques qu'il y avait établis, et le proverbe de Blake qu'il aimait à citer est révélateur à cet égard : « Celui qui pense et n'agit pas engendre la pestilence. » Gide refusa d'accepter à la longue le dogme chrétien fondamental — que nous sommes responsables de nos convoitises et qu'il faut les dépasser. Le Cahier vert représente un échec du point de vue idéologique aussi, car quels qu'aient été les efforts de l'écrivain pour s'approprier la doctrine du Christ et pour hausser le prophète galiléen à une position équivoque d'Homme-Dieu, Gide ne croit pas au surnaturel et il n'a pas la foi en Dieu ; il désespère de Dieu. Un des paradoxes de cette tentative religieuse est qu'il souhaite une expérience mystique intensément personnelle, tout en refusant d'accepter l'irrationnel qui en est la base. S'il connaît l'épreuve de la crise religieuse, du doute, de l'angoisse, du sentiment de culpabilité, il ne connaît pas l'action de la grâce et l'acceptation de l'absurde qui doivent en être la seule solution proprement religieuse. Cette faillite spirituelle est significative, peut-être même symbolique. Allant du particulier au général, comme c'est sa méthode de prédilection, Du Bos a tiré de l'étude de Gide des conclusions sombres :

> Le tragique propre à l'homme moderne, c'est qu'il puisse vivre un mystère... que dans son cas le mystère puisse même anticiper sur une foi entièrement et solidement constituée, et que, cependant, le mystère vécu, il ne trouve pas en soi de quoi lui demeurer fidèle. .... Ce mystère, Gide l'a vécu. [93]

Il est utile de chercher d'autres causes du déclin de la ferveur religieuse du romancier. Puisque l'angoisse de la guerre avait joué un rôle dans sa crise, il n'est pas surprenant que, lors de la cessation des hostilités, un certain apaisement se fît dans l'esprit de Gide. Encore d'autres éléments permirent la fin de la crise sensuelle et détournè-

93. Du Bos, *Le Dialogue avec André Gide*, pp. 129-30.

rent sa pensée des choses religieuses. Au moyen de la concentration de son désir sur un seul adolescent, sa « mauvaise santé » fit place à un équilibre physique inespéré. Malgré la guerre il put voyager avec le jeune homme et fuir sa solitude obsédante. Cette liaison précipita, d'ailleurs, une brouille sérieuse entre lui et sa femme en 1918, brouille qui souleva beaucoup de problèmes personnels mais qui arrêta en quelque sorte l'influence édifiante et conservatrice qu'elle avait exercée sur lui et qui trancha son dernier lien avec la religion de son enfance. Cet événement et la nouvelle santé qu'il atteignit lui firent prendre une attitude critique envers la crise par laquelle il venait de passer.

Sans rejeter certains aperçus psychologiques très utiles — tel celui du Diable — il reconnut que son déséquilibre physique et son état d'âme très sombre avaient inspiré la crise de foi et qu'il n'avait cherché qu'une échappatoire, sans croire à la réalité transcendante de Dieu. Ainsi qu'il l'avait prévu, et que le Diable le lui avait soufflé, « Tu rougiras d'avoir cru devoir recourir à de tels moyens pour te guérir. » [94] Il était trop intelligent pour ne pas être conscient de la contradiction essentielle entre sa « croyance » et son comportement, entre ses prières et ses plaintes, ainsi qu'en témoignent ces lignes du *Journal* : « Un heureux équilibre a suivi presque aussitôt ma défaillance et ma détresse. Je voudrais y voir une réponse à mon appel, mais à l'instant que je poussais ce cri, déjà, je le sais bien, le meilleur de ma détresse était passé. » [95] Et il dut s'avouer — en manière d'excuse, peut-on ajouter — « Il est malséant de chercher à intéresser Dieu à des défaillances physiques dont une meilleure hygiène peut aussi bien venir à bout. »

En plus, sa mystique ne pouvait se réaliser parce qu'il ne croyait pas profondément à *la* mystique ; il n'acceptait pas l'irrationnel. Cela ressort d'un passage du *Journal,* daté le 30 janvier 1916, qu'il est important de citer en raison de sa doctrine de l'homme-Dieu.

Si j'avais à formuler un credo, je dirais : Dieu n'est pas en arrière de nous. Il est à venir. C'est non pas au début, c'est à la fin de l'évolution des êtres qu'il le faut chercher. Il est terminal et non initial. C'est le point suprême et dernier à quoi tend toute

94. *Journal,* p. 539.
95. *Ibid.,* p. 573.

la nature dans le temps.... C'est par l'homme que Dieu s'informe.... Voilà la suite de pensées qui me ramène à Dieu, à l'Evangile, etc. [96]

Vue cette perspective tout immanente, voire évolutionnaire, de la Divinité, il n'est pas étonnant que le mouvement vertical de Gide vers le Seigneur n'aboutît pas et qu'il se fatiguât bientôt de l'angoisse religieuse qu'il avait pour ainsi dire cultivée. En outre, il avait repoussé toute possibilité d'une foi raisonnée et s'était tenu à une foi fondée sur le sentiment ou l'intuition qui, toutefois, lui étaient suspects. Aucun critère objectif ne restait qui lui permît de se juger et de juger son progrès spirituel. Par conséquent, lorsque le sentiment, qui est intermittent, eut tari, la foi s'engloutit et se dispersa. Privé du soutien des sacrements, ne croyant que lorsque ses émotions l'y portaient, Gide se réveilla de sa crise religieuse comme d'un mauvais rêve.

La crise de 1916 prit donc fin ou plutôt s'éteignit lentement, laissant un document émouvant sur la spiritualité de l'auteur et sur l'intensité avec laquelle il avait fait face au problème de l'être humain qui ne peut pas renoncer à ses instincts et qui cherche néanmoins la pureté. Il emporta de cette crise une compréhension raffinée de certains versets du Nouveau Testament, une appréciation nouvelle du Christ, et plusieurs conceptions fort personnelles du développement du christianisme et de l'enseignement du Christ. Ces notions restèrent au premier plan de sa pensée pendant de longues années à venir — on peut presque dire jusqu'à sa mort. Il les fit entrer dans son roman *La Symphonie pastorale,* et elles jouèrent un rôle dans son attitude sociale à partir de 1930. Toute l'attitude religieuse de Gide après 1916 révèle l'influence des épreuves et de la dialectique de *Numquid et tu... ?* Néanmoins, ce petit ouvrage représente moins un sommet qu'une fin. C'est la dernière fois que l'écrivain fût tenté d'opter pour le christianisme. Il ne cessa dorénavant de s'éloigner du point de vue chrétien qu'il avait contemplé alors de si près.

Le fait que ce traité ne fut édité qu'en 1922 (dans un tirage de 70 exemplaires) ajoute à l'ambiguïté de la place qu'il occupe dans l'œuvre gidienne. A cette date l'écrivain ne ressentait plus ni l'inspiration religieuse ni la détresse morale qui l'avaient inspiré. Toutefois, il en envoya un

96. *Ibid.*, p. 533.

exemplaire à Claudel, ranimant ainsi son espoir d'opérer une conversion éclatante, et il le dédia à Charles Du Bos, qui s'attendait, malgré la conduite de son ami dans l'intervalle, à sa rentrée au bercail — ce qui est d'autant plus étonnant que, dans la préface que Gide y ajouta en 1926, il déclara :

> Je ne veux pas qu'on se trompe sur la valeur du témoignage que ces pages apporteront. Sans doute les signerais-je encore aujourd'hui de tout mon cœur. Mais, écrites durant la guerre, elles gardent un reflet certain de l'angoisse et du désarroi de ce temps, et si sans doute je les signerais encore, je ne les écrirais peut-être plus. [97]

Cette déclaration et d'autres dans la même préface révèlent suffisamment l'attitude critique qu'avait prise le romancier vis-à-vis de son angoisse religieuse de 1916, et sa résolution de ne plus laisser entrer dans sa vie de telles préoccupations, malgré son admiration pour le Christ et sa prédilection pour son enseignement. Ses amis catholiques ne lui pardonnèrent pas cette contradiction.

Reconnaissant ainsi les circonstances qui avaient favorisé sa crise religieuse, et sachant aussi qu'il s'était efforcé d'ériger une foi sur une position intellectuelle équivoque et pour des raisons égoïstes inspirées par sa faiblesse, Gide se rendit compte aussi de certains des sophismes qu'il avait employés dans son raisonnement sur la Bible. Il vit notamment le côté spécieux de la confusion qu'il avait faite entre la loi évangélique de la charité et le mot *amour*. Sur sa conscience des dangers implicites dans une telle confusion est fondé l'espect idéologique de son roman *La Symphonie pastorale* (1918), dont l'intrigue habitait depuis longtemps son esprit.

Ce récit, un des plus célèbres de Gide, n'est pas d'interprétation facile. C'est que l'auteur y fait entrer plusieurs contraires qui cohabitaient en lui et divers problèmes moraux assez complexes. Il trouve le moyen de créer une histoire émouvante et de faire en même temps l'examen d'une certaine attitude religieuse, ainsi qu'il l'a fait dans *La Porte étroite*. Il démasque le « piège des nobles sentiments » et le « jeu de mauvaises raisons » du chrétien moyen. [98] Il a

97. *Ibid.*, p. 606.
98. ARCHAMBAULT, *op. cit.*, p. 197.

transposé, dit Pierre Lafille, dans son personnage principal, un pasteur, « son propre combat et sa propre défaite, sa propre duperie sous les instigations du... diable... » [99] Encore une fois il fait la critique d'une attitude qui a été et qui reste essentiellement la sienne mais dont il reconnaît les pièges. Il protesta toujours contre ceux qui voulaient l'assimiler au pasteur. Au contraire, dit-il, « j'ai peint l'écueil où pouvait mener ma propre doctrine lorsque cette éthique n'est plus contrôlée sévèrement par un esprit critique sans cesse en éveil. » [100] En vrai artiste moderne, il sait satiriser ses propres penchants et sa propre idéologie. C'est un aspect important de sa fameuse « sincérité, » en même temps qu'un procédé créateur essentiel chez lui. Son étude rétablit l'équilibre idéologique qui a été perdu par suite de la position extrême prise dans *Numquid*. Quelques critiques considèrent que la part de théologie dans ce roman est un peu trop lourde, sans liens réels avec le drame réel qui s'y joue. L'auteur ne se sentait pas à l'aise pendant la composition du récit parce que le ton croyant qu'il fallait prendre ne lui convenait plus guère. Il écrivit en octobre 1918, « Pour tâcher de ranimer ses pensées [du pasteur] j'ai repris l'Evangile et Pascal. Mais tout à la fois je souhaite de retrouver un état de ferveur et je ne veux point m'y laisser prendre... » [101]

C'est l'histoire d'un pasteur suisse qui ramène un jour à son foyer une adolescente aveugle et hébétée qui a vécu dans la misère auprès d'une vieille grand'mère sourde. Pour la femme du pasteur, déjà chargée de plusieurs enfants, c'est plutôt une bête sauvage, et elle reproche à son mari de prendre sur lui le soin et l'éducation de l'enfant. Guidé par le principe de charité qui est pour lui l'essence du christianisme, le pasteur n'écoute pas ses reproches et se met à la tâche de ramener l'enfant à l'amour divin et de créer en elle une personnalité consciente. Le lecteur suit avec curiosité le récit de ses efforts pénibles. Grâce à eux, l'adolescente, Gertrude, s'épanouit comme une fleur. Sa douceur fait contraste avec le caractère de la femme du pasteur, qui semble acariâtre et qui ne connaît, selon son mari, qu'une

99. Lafille, *op. cit.*, p. 157.
100. Cité dans Mischa Harry Fayer. *Gide, Freedom and Dostoïevsky*. [Burlington, Vt. : Lane Press, 1946], p. 2.
101. *Journal*, p. 659.

charité bornée. « Elle regarde avec inquiétude... tout effort de l'âme qui veut voir dans le christianisme autre chose qu'une domestication des instincts. »[102] Le pasteur considère son élève comme la preuve vivante de l'idée évangélique : « Si vous étiez aveugles, vous n'auriez point de péché. » Personne ne renseigne Gertrude sur le mal ; elle ne s'imagine qu'un monde splendide, une éternelle « symphonie pastorale. »

Malheureusement, l'idylle ne peut durer ainsi. Le pasteur tombe amoureux de Gertrude, inconsciemment. La jalousie qu'il éprouve vis-à-vis de son fils Jacques ne lui enlève pas les écailles des yeux. Se blousant sur son sentiment véritable, et s'abritant derrière les commandements d'amour dans les Ecritures, il se livre à son amour égoïste. Lorsqu'il en devient enfin conscient, il s'excuse de nouveau par sa doctrine de charité. Ces lignes sont typiques de son raisonnement : « Le mal n'est jamais dans l'amour. ... Je cherche à travers l'Evangile, je cherche en vain commandement, menace, défense... Tout cela n'est que de Saint-Paul. ... Rien n'est impur en soi. »[103] Enfin il va jusqu'à aimer Gertrude charnellement. La jeune fille sent vaguement que leur amour est coupable mais elle ne se rend pas compte pourquoi. Le pasteur s'obstine dans sa confusion entre charité et amour. « S'il y a une limitation dans l'Amour, elle n'est pas de Vous, mon Dieu, mais des hommes. Pour coupable que mon amour paraisse aux yeux des hommes, oh ! dites-moi qu'aux vôtres il est saint. ... Non, je n'accepte pas de pécher, en aimant Gertrude. »[104] Se réfugiant dans une sorte de tour d'ivoire, il est isolé des autres par son sentimentalisme. Il manque tout à fait de l'esprit critique qui venait parfois au secours de l'auteur. Sur ces entrefaites, la jeune fille se fait opérer et regagne la vue. Revenant chez le pasteur, elle voit dans le visage de sa femme tout ce qu'elle a souffert, et elle comprend qu'en s'aimant, le pasteur et elle-même ont péché. De plus, apercevant le visage de Jacques, elle est saisie par l'idée que c'est lui qu'elle aime et non pas le pasteur. Encore une fois, la mort de l'héroïne est à peu près la seule issue possible. Ayant abjuré sa

102. André GIDE. *La Symphonie pastorale*. Paris : Gallimard, c. 1925, p. 61.
103. *Ibid.*, pp. 91, 101, 106.
104. *Ibid.*, pp. 124-25.

religion protestante, elle se tue, comme l'a fait peut-être Julie d'Etanges, qui elle aussi a été séparée de l'époux à qui la nature l'a destinée.

Tous ces événements sont présentés au moyen du carnet intime du pasteur, tenu au jour le jour. Il y note aussi ses réflexions personnelles sur le Christ, sur Saint Paul, et sur l'Eglise. D'une façon générale, elles reproduisent des idées que l'auteur a suggérées dans *Numquid et tu... ?*

Il renouvelle ici sa notion de la joie, qui est le but de la vie chrétienne, de l'amour, qui est préférable à la soumission involontaire, de la liberté, préférable à la contrainte, et du péché en tant que ce qui s'oppose à la joie. Ses raisonnements sur la charité évangélique sont assez convaincants, et on peut applaudir son effort sincère pour saisir l'esprit du christianisme et pour mettre en pratique dans sa vie la loi du Christ. Il exprime assurément ce que Gide considère comme l'*idéal* chrétien, qui n'est pas lui-même en butte à l'ironie de l'auteur. Dans son débat avec Jacques — formaliste et dogmatique — le pasteur a toute la sympathie de l'auteur. Mais son intention, pure tout au moins au commencement, ne peut excuser ni son manque de perspicacité ni sa conduite égoïste, voire hypocrite (si bien qu'il fait songer à Tartuffe).

Malgré l'opinion de l'écrivain que le christianisme véridique se trouve dans les Evangiles et non pas dans l'Eglise, le sens du livre est donc essentiellement conservateur. La loi unique de l'Evangile — la charité — ne conduit pas spontanément à l'accomplissement des devoirs moraux. L'ouvrage semble démontrer « l'insuffisance, pour la direction de notre vie, d'une morale à laquelle on a ôté le soutien du dogme. » [105] Une trentaine d'années plus tard, l'écrivain avoua à Robert Mallet :

> Cependant, je le reconnais, le dogme est nécessaire. Après le Christ, il faut Saint-Paul, que je n'aime pas mais dont je suis bien obligée d'apprécier l'œuvre dans le cadre de la mission de méthode qu'il s'était assignée. Saint-Paul, c'est la clé de voûte de l'édifice. [106]

Celui qui ne croit pas au péché ne le supprime pas pour autant. Il y a une loi éthique qu'on ne viole pas impuné-

105. BRAAK, *op. cit.*, p. 61.
106. Robert MALLET. *Une Mort ambiguë*. Paris : Gallimard, 1955, p. 43.

ment. Ce n'est pas une loi ecclésiastique ; c'est la loi de la raison humaine. Avant tout il faut être juste envers nos proches ; il faut scruter nos propres mobiles et éviter de nous aveugler. Un individualisme trop vaste est un leurre. Le fils du pasteur, qui se convertit au catholicisme comme Gertrude, exprime bien le point de vue selon lequel la licence et l'individualisme outré sont préjudiciables à l'homme. La religion doit l'en protéger. Gide, fatigué comme il l'était peut-être de ses efforts pour renouveler l'Evangile, dit que ce livre « avertisseur » dénonce « la libre interprétation des Ecritures. » [107] D'ailleurs, il laisse entendre peut-être — ce qu'il a maintes fois suggéré — que la loi chrétienne toute pure n'est pas praticable, dans une société humaine. Il faut à la longue accepter un code paulinien ou bien retourner au paganisme, à la vie naturelle.

Le romancier fait ainsi la critique de certains aspects de son évangélisme et de son individualisme. S'il ne veut toujours opter définitivement ni pour Saint-Paul, chez qui la notion de la loi flétrit toute spontanéité humaine et invite au pire conformisme, ni pour le catholicisme, religion dogmatique, il n'en voit pas moins l'aspect spécieux de son raisonnement sur l'amour et la charité et le danger lorsqu'on tire à soi les textes. Ainsi que le fait remarquer Mlle Brée, le débat se vide lui-même et le récit annonce à la fin la non-valeur des deux points de vue extrêmes. [108]

Nous pouvons donc boucler le cercle de la crise religieuse de 1916. Au cours des années 1917 et 1918 certaines préoccupations religieuses continuaient à inquiéter le romancier. Mais elles ne jouaient plus un rôle primordial dans sa pensée. Toutefois le problème de Ghéon était très inquiétant pour lui. Le nouveau converti l'assommait de lettres morigénantes et pieuses. Gide sentait qu'il avait perdu un de ses meilleurs amis, et en effet les rapports entre eux ne pouvaient jamais plus être intimes. « Il m'apparaît par instants que Ghéon est pour moi plus perdu que s'il était mort. Il n'est ni changé, ni absent ; il est confisqué. » Ses lettres réussissaient parfois à l'ébranler, mais une solution religieuse n'était plus possible pour lui. « Lettre de Ghéon des plus touchantes. Mais malgré quelques rares et timides vel-

107. *Œuvres complètes*, XIV, p. 408.
108. BRÉE, *op. cit.*, p. 245.

léités, mon âme reste inattentive et fermée — trop amoureuse de son péché pour consentir à s'acheminer sur la route qui l'en éloigne. »[109]

Il n'y aura plus de crise proprement religieuse dans la vie de Gide. En parlant de la crise de 1916, Martin-Chauffier fait observer, « S'il continue à sentir vivant l'Evangile, il devient insensible à l'attrait de la religion, en attendant qu'elle ne lui soit un objet de répulsion. »[110] Sa pensée continuera à évoluer mais uniquement sur un plan intellectuel. Ni le catholicisme, ni le protestantisme, ni aucune sorte de mystique transcendantale ne l'attirera plus. Enrichi néanmoins par les expériences religieuses qu'il a faites et par ses longues méditations sur le sens du christianisme, Gide se lança dans l'après-guerre sur une période féconde où paraîtront dans sa pensée plusieurs nouvelles optiques : des préoccupations sociales, un effort pour créer un roman complexe, l'étude approfondie de Dostoïevsky, le problème de la femme et de la famille, et une conception de Dieu comme le but, la cible de l'évolution humaine. Dans le chapitre à venir, nous examinerons cette nouvelle notion gidienne de Dieu, création de l'homme.

109. *Journal*, pp. 622, 627.
110. *Œuvres complètes*, VIII, p. xv.

VII

ZEUS ET PROMETHEE

Au vingtième siècle la période de l'entre-deux-guerres en France ressort nettement en raison des nombreuses innovations intellectuelles, artistiques, et politiques qui se produisirent alors. Dans une atmosphère d'idéalisme d'une part et d'amertume de l'autre, les jeunes gens, une sorte de « génération perdue, » et leurs aînés se mirent à la tâche de refaire l'Europe du point de vue politique, spirituel, et culturel. Il y eut une abondance de groupements littéraires et sociaux, et de nouveaux points de départ dans les arts, et des valeurs morales différentes parurent. Ce fut une époque de création et d'évolution intellectuelles.

André Gide, bien que plus âgé que la plupart de ceux qui se lançaient sur de nouvelles voies, sentait tout autant qu'eux le besoin d'un renouvellement artistique et politique. Dans sa vie personnelle même, l'année 1918 représentait la fin d'une ère. Toujours accueillant aux nouveautés, il s'intéressait après la guerre à des problèmes tels que le colonialisme, le rôle de la femme dans la société contemporaine, et le communisme. Il n'abandonnait pourtant pas d'anciennes questions comme la question sexuelle et la question religieuse. Il étudiait Montaigne, Gœthe, Blake, et Dostoïevsky, et profitait de l'enseignement de ces prédécesseurs si différents. Avec Roger Martin du Gard il méditait sur le genre romanesque ; son « roman expérimental, » *Les Faux-Monnayeurs,* est le résultat de cet intérêt renouvelé pour le roman. Il voyageait en Afrique et en Russie, et il établissait de nouveaux contacts avec des écrivains et des hommes politiques parmi les plus en vue.

Cependant, bien que cette période de l'évolution d'André Gide soit remplie de tentatives et d'essais, elle aide en même temps à indiquer certains traits définitifs de sa physionomie intellectuelle. Ses préoccupations, pour variées qu'elles soient, font foi de certains soucis permanents dans son esprit. En outre, plusieurs ouvrages de Gide dans cette période représentent sa dernière tentative dans le genre. Ainsi *Les Faux-Monnayeurs* sont à la fois son « premier » et son dernier roman complexe. Les deux ouvrages sur le Congo (*Voyage au Congo* et *Retour du Tchad*) et les mémoires de son séjour en Russie (*Retour de l'U.R.S.S.* et *Retouches*) ouvrent et clorent la période de « littérature engagée » chez lui. Après la trilogie de *L'Ecole des Femmes* (1929-1936), il n'écrira plus qu'un seul récit, *Thésée* (achevé en 1944), qui se sépare de ses autres récits en raison de son thème mythologique. La publication de son *Journal* et de ses *Œuvres complètes* au cours des années 1930 ajouta à son portrait un coup de pinceau définitif et sembla restreindre, pour la première fois peut-être, « le champ illimité du possible. » Et, au moyen des expériences littéraires et intellectuelles qu'il fit à l'époque, Gide avança vers une compréhension profonde du sens de son œuvre et de sa vie et vers la perfection de son propre portrait.

Le développement de la pensée religieuse du prosateur pendant l'entre-deux-guerres est fort intéressant. Moins neuve que ses considérations sociales et esthétiques, sa pensée religieuse prend appui sur toute sa méditation des années précédentes pour enfin s'affermir. Ayant écarté plusieurs fausses solutions, l'écrivain osait se prononcer d'une façon plus sûre au sujet de sa croyance. Il essayait délibérément de construire un credo humaniste, credo d'homme mûr, très sévère à l'égard des superstitions religieuses mais assez élastique pour permettre le développement de l'homme et pour servir de base à une morale exigeante. L'intervalle entre les guerres est donc capital dans le développement de Gide. On décèle alors une tentative de synthèse philosophique et un effort goethéen pour créer un humanisme positif, en même temps qu'une critique acharnée de la religion organisée. L'écrivain visait à la formation d'une philosophie satisfaisante pour l'homme.

Qu'on nous permette de digresser pour faire remarquer que cette période est unique dans la vie de Gide en raison de l'unité relative de sa pensée, malgré les nouvelles voies que prenait celle-ci. On constate maintenant bien moins de dialogue dans son esprit et dans ses écrits. Ceux-ci frisent quelquefois la polémique, étant singulièrement inféconds en points de vue antithétiques. L'écrivain, qui s'estimait un être adonné à la contradiction et au dialogue, dont la valeur gisait en sa complexité, fut en l'espèce presque infidèle à lui-même. Ce fut surtout entre 1930 et 1936, lors de son rapprochement avec le communisme et de son activité politique, que Gide s'écarta de son idéal de dialogue. Plus tard il se reprocha sévèrement son attitude dans cette période — pourtant caractérisée par la bonne volonté — où il avait sacrifié son art et la complexité de sa pensée à un engagement partiel. Il se rendit compte que les orthodoxies politiques autant que religieuses détruisent l'indépendance de l'art qu'il tenait à maintenir. De plus, les dernières années de sa vie virent dans son esprit une renaissance de contradictions et de dialogue, voire de dialectique. Les reproches que Sartre fit à Gide, lorsqu'il l'accusa de mauvaise foi parce qu'il refusait de s'engager, ne sont pas bien fondés si on juge l'auteur des *Faux-Monnayeurs* d'après sa propre vérité. « Mon rôle, » avait-il dit à la suite de Nietzsche, « est d'inquiéter. » C'est pendant les années 1930 à 1936 qu'il faillit trahir ce rôle en s'engageant trop.

Avant d'examiner de près l'évolution de la pensée religieuse de Gide depuis 1918 jusqu'en 1936 (date de l'échec de sa lune de miel communiste), il convient de faire un bref résumé des faits significatifs de sa vie et d'établir une bibliographie sommaire pour la période. Durant les premières années de l'entre-deux-guerres les rapports entre sa femme et lui restèrent tendus. Pendant qu'elle demeurait à Cuverville et, faute de famille, soignait des pauvres, des bêtes, et des plantes, son mari habitait la plupart du temps à Paris, dans l'intimité des Van Rysselberghe, de Roger Martin du Gard, et d'autres hommes de lettres. Il surveillait la publication de plusieurs livres, collaborait à la direction de la *Nouvelle Revue française,* et se tenait au courant de la vie littéraire du pays. Avec Claudel, Valéry, et Proust, il occupait dans ces années 1920 le premier rang dans la littérature française contemporaine. Son œuvre s'imposait. La jeune génération lisait avidement *Les Nourritures terrestres* et voyait en lui son maître — celui qui avait vanté la liberté de l'individu et exalté la riche vie des sens. Des critiques très hostiles — tels Henri Massis et Henri Béraud — multipliaient les anathèmes contre lui, ce qui en faisait une sorte de martyr laïque, ajoutant ainsi à sa gloire.

Dans cette situation fort enviable, l'écrivain voulut tenter le sort en publiant coup sur coup des ouvrages qui pour le moins prêtaient à la controverse et qui parfois étaient vraiment scandaleux. Après *La Symphonie pastorale*, il fit paraître *Numquid et tu... ?* (1922 et 1926), *Corydon* (1924), et *Si le grain ne meurt* (imprimé en 1924, mis en vente en 1926). Ces livres aidèrent à lui créer la réputation d'un possédé et d'un pervertisseur, réputation qu'il garda jusqu'à sa mort. Les conférences qu'il fit sur Dostoïevsky (1923) n'atténuèrent en rien sa réputation croissante de perverti dangereux.

Quelque dommage que ces livres, surtout *Corydon*, aient porté au renom de Gide et à sa réputation auprès des écrivains catholiques et même des libres-penseurs, sa gloire augmenta lors de la publication des *Faux-Monnayeurs* et du *Journal des Faux-Monnayeurs*, en 1926. Après avoir terminé ces ouvrages, le romancier séjourna au Congo, et lors de son retour il publia des comptes-rendus de son séjour qui révélèrent pour la première fois ses préoccupations sociales. Cette même année (1926) il participa à une série de conférences sur l'humanisme à l'abbaye de Pontigny.

Il sied de jeter un coup d'œil sur *Les Faux-Monnayeurs*, qui ne nous retiendront pas davantage par la suite. Ce roman, dont la technique est nouvelle, met en scène un monde sans Dieu, où les forces principales relèvent des domaines éthiques et esthétiques. Il présente en même temps une satire féroce du monde protestant où il avait vécu, de « cette religion, cette morale qui opprima toute sa jeunesse, ce rigorisme dont lui-même n'a jamais pu s'affranchir. » [1] Dévoilant l'hypocrise qui y règne, au moyen du portrait d'une pension protestante — portrait outré mais fondé sur la réalité — le romancier se moque également de certains dogmes religieux fondamentaux, tels ceux de la liberté et de la bonté humaines et de la bonté de Dieu. Le Diable semble tenir « les fils qui nous remuent, » selon le terme baudelairien. Il est curieux de noter que pendant les

1. *Œuvres complètes*, XIII, p. 12.

années 1930 un jeune israélite, Jacques Lévy, fut si impressionné par le désespoir de cet univers romanesque sans Dieu qu'il composa une longue explication du livre, montrant le sens religieux ou antireligieux de chaque personnage et de chaque événement. A la même date il se convertit au catholicisme. [2] Son interprétation nous paraît toutefois beaucoup trop subjective pour prendre place dans cette étude.

Au seuil de l'année 1930, André Gide et sa femme réussirent à se rapprocher de nouveau et, jusqu'à la mort de celle-ci en 1938, les époux passèrent ensemble une partie de leur temps. A d'autres moments, Gide demeura à Paris ou voyagea. Malgré ce rapprochement, l'auteur continuait à sentir que sa femme blâmait plus que jamais sa conduite, ses idées, et ses ouvrages. Cette désapprobation tacite qui s'était révélée lors de la querelle en 1918 avait augmenté après 1920. L'éloignement physique entre la femme et le mari correspondait ainsi à leur séparation spirituelle. L'écrivain accusait sa femme de retenir sa pensée en arrière, ainsi qu'avaient fait Ariane pour Thésée, Eurydice pour Orphée, et, disait-il, Mme Racine pour Racine. [3] A son tour, Madeleine semblait croire que l'œuvre de son mari n'obtiendrait jamais l'approbation d'un seul honnête homme. Par réaction sans doute, elle s'adonnait davantage à la religion et s'intéressait à la foi catholique, aimant sa beauté et craignant la pente vers la libre pensée et l'absence de mysticisme dans le culte calviniste. Jean Schlumberger nous assure qu'elle ne se convertit pas. [4] Mais Gide ressentait amèrement cet intérêt pour le catholicisme et cette dévotion qui lui semblait un défi et un reproche. Son anticléricalisme, déjà acerbe, ne fit qu'empirer. Il écrivit, « C'est dans la religion qu'elle chercha refuge... Libre à moi d'être jaloux de Dieu, ou de la retrouver sur le terrain mystique, le seul où elle acceptât que je communiasse avec elle. » [5] Il lui paraissait que par sa sévérité envers lui Madeleine voulait le ramener à Dieu, la seule issue qu'elle admît, de même qu'il

2. Jacques Lévy. *Les Faux-Monnayeurs d'André Gide et l'Expérience religieuse*. Grenoble : Cahiers de l'Alpe, 1954.
3. *Journal*, p. 859.
4. Jean Schlumberger. *Madeleine et André Gide*. Paris : Gallimard, [1956], pp. 241-42.
5. *Et nunc manet in te*, pp. 45, 51.

avait voulu la « convertir. »[6] Tandis que tous ses livres précédents avaient été écrits, affirmait-il, pour convaincre Em., pour l'arracher du christianisme étroit, il composa *Les Faux-Monnayeurs* pour Marc Allégret. Plus tard il avoua que l'amour pour le Christ restait commun entre lui et Madeleine, mais il ne cessait de penser — assez illogiquement, nous paraît-il — que Dieu lui avait volé sa femme. Malgré les liens profonds entre les époux, André ne pouvait partager les croyances de celle-ci, et, empruntant ses propres paroles, on peut se demander si « l'excès de piété de la femme peut enfoncer le mari dans l'athéisme, » et réciproquement.[7]

Entre 1930 et 1939 l'écrivain publia la triologie de *L'Ecole des Femmes* (qui est en partie une attaque contre l'Eglise), *Œdipe, Perséphone, Les Nouvelles Nourritures,* et les *Œuvres complètes.* Mais son activité créatrice languissait, et ces nouvaux ouvrages sont plutôt faibles. Ses préoccupations sociales, qui avaient gagné le premier plan dans sa pensée lors du voyage au Congo, le faisaient se rapprocher de certains groupes socialistes et communistes en France. Avec André Malraux, Jean Guéhenno, Romain Roland, Louis Aragon, Alain, Charles Vildrac, et encore d'autres écrivains renommés, il travaillait à de nombreux projets internationaux. Il contribuait des feuilletons aux journaux et prêtait son concours à des débats publics sur le communisme. Il était devenu une sorte de prophète socialiste, le porte-parole d'une génération consciente de ses responsabilités devant le monde entier.

Il n'est pas étonnant que pendant ces années qui virent l'éclosion de sa pensée sociale, il ait considéré les questions religieuses surtout quant au rôle de la société et des classes. Il est également naturel que son renom toujours croissant l'ait encouragé à se prononcer de nouveau sur le christianisme et à étudier encore une fois les problèmes de Dieu et de l'Eglise. Ses succès lui donnaient une audacité accrue et un sentiment de l'importance de son œuvre. Des considérations sur la croyance humaine foisonnent donc dans ses écrits intimes et dans certains ouvrages romanesques de

6. Voir SCHLUMBERGER, *op. cit.,* p. 199, et PIERRE-QUINT, *op. cit.,* p. 498.
7. *Journal,* p. 871.

l'époque. Le *Journal* surtout nous fournit des indices abondants du développement de sa pensée.

En examinant sa pensée après la guerre, on constate tout de suite une hostilité accrue vis-à-vis du catholicisme. Grâce en partie à la crise de 1916, l'écrivain était devenu même plus conscient de l'opposition entre lui-même et l'Eglise de Rome. Le problème du protestantisme ayant été écarté, sinon résolu, c'était le catholicisme qui continuait à représenter pour lui le christianisme et qui lui semblait une trahison de l'enseignement du Christ. Cette antipathie augmenta jusqu'à la fin de sa vie.

Les raisons de son hostilité se divisent en deux catégories qu'on peut appeler celle du fond et celle de la forme ou de la pratique. Sur les questions de pratique il querellait continuellement les catholiques militants de sa connaissance. Tout d'abord, les attaques auxquelles il était en butte pendant les années 1920 le convainquirent que la religion de Massis et de Béraud n'était pas une religion de charité. Ces gens-là, qui représentaient pour Gide toute l'Eglise, obéissaient minutieusement au code ecclésiastique, acceptaient les dogmes, condamnaient les apostats, mais violaient la loi unique de Jésus-Christ. Leur façon douteuse de se servir de la religion rendait suspecte toute croyance. Gide dit avec ironie que Massis et Béraud lui avaient montré que leur religion ne pouvait être la sienne.[8] Même ses amis convertis lui semblaient manquer de charité. A Claudel il écrivit, lors de la reprise de leur correspondance pendant un moment de détente,

> Que ne sont-ils pareils à vous, les catholiques, tous ! Vous me direz que les meilleurs se taisent. Hélas ! il en est trop qui parlent et mentent au nom de l'Eglise. Je pense trop souvent en les lisant. Non, nous n'adorons pas le même Dieu.[9]

A l'esprit de sacrifice évangélique avait succédé, d'après Gide, l'égoïsme des chrétiens modernes. L'Eglise avait trahi la loi du Christ en s'alliant avec les puissances tyranniques de l'Occident — à savoir, avec le capitalisme. Elle manquait

8. *Ibid.*, p. 606.
9. GIDE-CLAUDEL, *Correspondance*, p. 244.

ainsi de charité non seulement envers des individus mais aussi envers tous les peuples opprimés. [10]

Deuxièmement, Gide s'étonnait du facile accommodement des catholiques avec le mensonge et l'hypocrisie. A un pasteur qui avait publié une attaque très hostile contre lui, il répondit, « J'ai pu voir, et de très près, nombre de chrétiens... à qui la conviction religieuse semblait mettre un bandeau... sur les yeux... qui contraignent inconsciemment leurs proches à l'hypocrisie... » Ailleurs, il s'écria, « Etat de mensonge dans lequel peut vivre une âme pieuse... [on] ne cherche plus à voir ce qui est, [on] ne peut plus le voir. » [11] C'est que, selon le mot d'Eveline dans *L'Ecole des Femmes,* « L'Eglise ne se soucie que des dehors. » [12]

Troisièmement, l'ignorance de l'Evangile que professait Rivière avait empreint dans l'esprit de Gide l'idée que l'Eglise subordonnait les questions éthiques à celles du dogme et méconnaissait la parole du Christ au profit de la tradition. Et en quatrième lieu, Gide proteste contre le « mysticisme » de l'Eglise. « J'entends par mysticisme : toute croyance aveugle ; » ou bien, « ce qui exige et présuppose l'abdication de la raison. » [13] L'Eglise s'oppose aux questions et au doute ; elle nécessite un « assoupissement de l'esprit critique. » « Cette foi chrétienne, » affirme Gide, « est fait du renoncement de l'intelligence. » [14] Le catholicisme prétend posséder la vérité et s'oppose ainsi à la science qui déclare souvent que ses doctrines et ses miracles sont des superstitions puériles. Il cherche à imposer ses dogmes qui ne sont pas vérifiables selon la raison humaine; c'est-à-dire qu'il exige la foi. Pour Gide, ces mythes et cet aveuglement sont nocifs parce qu'ils empêchent l'homme de se servir de sa raison et de découvrir certains mystères naturels. Aussi dit-il que le progrès commence « où finit la crainte de Dieu. » [15]

Voilà les questions principales de pratique qu'objectait Gide à l'Eglise. Les objections de fond sont plus graves. Il

10. André GIDE. *Littérature engagée.* Textes réunis et présentés par Yvonne Davet. [Paris] : Gallimard, c. 1950, p. 25.
11. *Œuvres complètes,* XIII, p. 33 : XV, p. 533.
12. André GIDE. *L'Ecole des Femmes ; Robert ; Geneviève.* [Paris] : Gallimard, [1947], p. 70.
13. *Journal,* pp. 860, 1051.
14. *Œuvres complètes,* IX, p. 149.
15. *Journal,* p. 906.

y avait chez lui une opposition profonde aux dogmes chrétiens et à toute la croyance au surnaturel qui caractérise les religions monothéistes, quelque élevées qu'elles soient. Nous avons vu naître cette opposition pendant l'adolescence et les années d'apprentissage de l'écrivain. Elle avait retenu son élan vers le catholicisme lors de son rapprochement avec Claudel, et elle se fit sentir de nouveau au moment de la crise religieuse de 1916, annulant ses aspirations vers le mysticisme. Au fur et à mesure qu'il vieillissait, son incroyance à l'égard des mystères chrétiens et de Dieu lui-même s'accusait. Voici qu'après la guerre son acheminement vers la libre pensée semblait complet. Au moment de sa première révolte, il avait critiqué durement la croyance au surnaturel, après quoi il s'était ravisé peu à peu et avait pris une position uniquement éthique et esthétique. Au moment de la crise qui est racontée dans *Numquid et tu... ?* il put croire un moment que la foi renaissait en lui. Et pendant de longues années il avait essayé de marier en lui-même le chritianisme et l'immoralisme. Cette fois il ne put plus reculer devant la logique de son développement intellectuel. Les bases mêmes de la croyance monothéiste ne lui semblaient plus valables, et il dut comprendre qu'il lui était quasi impossible de concilier l'humanisme avec le christianisme. Plus loin le lecteur pourra voir à loisir les conséquences de cette hostilité gidienne à la révélation et à la croyance et son idée précise du concept de Dieu. Pour le moment il suffit de parcourir des textes comme celui-ci pour se rendre compte des arguments de fond qu'il opposait aux croyants : « Il ne m'est pas plus possible de penser sincèrement votre credo, que de croire à la rotation du soleil autour de la terre. » Quelques semaines après cette déclaration, il consigna dans le *Journal* ces paroles qui révèlent une antipathie qui n'est pas typique de lui :

> La conviction où je suis, où ils me forcent d'être, que leur doctrine est mensongère et que leur influence est néfaste, ne permet plus à mon esprit cette tolérance accommodante que l'on croit trop facilement compagne de la libre pensée. [16]

Ces lignes, écrites en 1929, révèlent l'outrance de la position gidienne à l'égard du problème de la croyance chré-

16. *Ibid.*, pp. 836, 921.

tienne et du catholicisme. Cette hostilité s'accrut pendant de nombreuses années à venir ; nous en verrons plus loin des échantillons. Gide considérait que le protestantisme français gardait une valeur de levain mais que le catholicisme, religion qui avait réussi à s'imposer à la fois sur le peuple et sur les intellectuels, n'avait pas même cette vertu. Il finit par vouloir protester contre tout ce que représentait l'Eglise de Rome : tyrannie intellectuelle, fanatisme, trahison de l'enseignement évangélique, et croyance digne des aborigènes. Sur ce dernier point, il est intéressant de noter qu'il compara l'étonnement des catholiques devant les religions indigènes en Afrique à sa propre incrédulité vis-à-vis du catholicisme. [17] Cependant, il dut avouer que sa rancune contre le rôle de l'Eglise catholique dépendait en partie des circonstances actuelles. En 1929 il dit,

> Il est possible que dans cinquante ans le problème se présente autrement et que l'offensive catholique à laquelle nous assistons ne soit plus rien. Mais je pense que l'esprit dogmatique et l'esprit mystique sont de tous les temps. Opposer la pensée libre à leur système... Cela reste une chose qui ne laisse pas encore de m'occuper aujourd'hui. [18]

Il est intéressant d'examiner les rapports entre Gide et ses connaissances catholiques entre 1920 et 1930. Comme on s'y attendrait, elles ne sont pas fort amicales. Ce n'est pas qu'il devînt tout de suite irrespectueux envers la piété; mais ses amis voulaient reprendre contre lui une offensive comme celle qu'avait entreprise Claudel avant la guerre. Après la publication de *Numquid et tu... ?* Charles Du Bos et Claudel croyaient tous les deux à la conversion imminente de Gide. Lorsqu'elle ne se produisit pas, Du Bos conclut à la « déspiritualisation » de son œuvre et à sa possession diabolique et le dénonça comme victime et propagateur de « l'inversion généralisée » des valeurs. [19]

Claudel avait écrit à Gide de loin en loin, à l'occasion de *La Symphonie pastorale* et de son *Dostoïevsky*. Lorsqu'il reçut *Numquid,* il se hâta de reprendre la conversation « interrompue depuis dix ans. » Il lui offrit des conseils sur la prière et tâcha de corriger son interprétation erronée de

17. *Ibid.*, p. 837.
18. Cité dans PIERRE-QUINT, *op. cit.*, p. 461.
19. DU BOS, *Le Dialogue avec André Gide,* pp. 301, 315, 317.

l'Evangile.[20] Il croyait comprendre que son ancien adversaire admettait maintenant la divinité du Christ, ce qui permettrait sa renaissance spirituelle. Le lecteur voit avec quel manque de prévoyance Gide avait agi en envoyant à Claudel son petit tract, qui ne correspondait plus à son état d'âme. Mais le prestige du poète était quasi enchanteur, et lorsque celui-ci lui écrivit, « Vous êtes certainement en proie à la grâce, » il répondit, « Je souhaite de vous revoir et — j'ai peur de vous, Claudel. ... Notre conversation ne peut être que grave, et votre parole me secoue terriblement. Toutes nos conversations restent présentes à mon esprit... » Etait-ce une faiblesse momentanée, un besoin de fraternité, ou de vieux remous d'un sentiment ancien qui remontaient à ses lèvres ? En tout cas, cette légère avance ne fut que passagère, et Claudel ne s'en aperçut que trop. A peine quelques jours plus tard il nota, après une conversation avec le grand immoraliste : « Il me dit que son inquiétude religieuse est finie, qu'il jouit d'une sorte de félicité basée sur le travail et la sympathie. Le côté goethéen de son caractère l'emporte sur le côté chrétien. » Ce fut la dernière entrevue des deux grands maîtres de la littérature contemporaine. A une lettre courtoise mais peu encourageante que Gide lui envoya en 1926, le poète répondit :

> Votre course n'est pas finie ; vous êtes de ces gens dont l'existence a une valeur de parabole, qui réalisent complètement une courbe dont d'autres esquissent le rudiment... Vous êtes l'enjeu, l'acteur, et le théâtre d'une grande lutte dont il m'est impossible de prévoir la conclusion...

Le poète se hâtait d'ajouter qu'il croyait que le meilleur en Gide finirait par l'emporter et qu'à cette fin, quantité de catholiques priaient pour lui. Cette lettre resta sans réponse et le dialogue ne fut jamais repris. Bien plus tard le grand dramaturge, peu tolérant et victime des manies de la vieillesse, tout comme Gide, accablait son ancien ami d'imprécations — le traitant d'empoisonneur et de démoniaque — et affirmait qu'il n'avait aucun talent littéraire.

L'attitude de certains autres catholiques envers Gide et la sienne vis-à-vis d'eux sont révélatrices. Les rapports entre Gide et Jammes étaient quasi inexistants à cette épo-

20. Gide-Claudel, *Correspondance*, pp. 240-49.

que. Le poète d'Orthez fit en 1931 une satire de son ancien ami intitulée *Lantigyde* mais ne le couvrit pas de reproches féroces comme le faisait Claudel. Gide souffrait beaucoup plus de la « perte » de son ami Ghéon et de la conversion de Jacques Copeau, qui lui aussi, à partir du jour où il s'approcha de l'autel, ne voulut plus ni apprendre ni discuter. L'ancien directeur du Vieux Colombier voulait plutôt réfuter en bloc la pensée de Gide, ce que celui-ci ne pouvait évidemment admettre, préférant l'échange d'idées. [21] Il faut dire à la décharge de Copeau que Gide non plus ne rendait pas facile la conversation entre eux, car il voulait absolument introduire les « sujets interdits » au lieu de rester sur un terrain neutre. [22] Jacques Maritain et Gide n'avaient jamais été intimes, mais le philosophe thomiste devait reconnaître l'importance de l'ancien calviniste. Avant la mise en vente de *Corydon*, Maritain, comme Du Bos et encore d'autres, vint essayer de persuader Gide de brûler l'édition, au nom du Christ et de la décence humaine. [23] On sait que la tentative échoua. Dans les années 1930 Maritain devint un des adversaires principaux de Gide, voulant combattre de bonne foi son enseignement nocif. Avec Gabriel Marcel il participa au « jugement » de Gide qui prit place chez l'Union pour la Vérité. On peut mentionner aussi les rapports tendus entre Du Bos et Gide lorsque celui-là, désespérant de la conversion de son ami, publia sur lui son étude magistrale mais fort défavorable.

Les rapports entre Gide et François Mauriac font exception. Seul Mauriac, qui lui aussi avait construit son œuvre sur les landes sablonneuses du péché et qui comprenait la force de la passion dans une âme pourtant chrétienne, ne dénonçait pas la corruption irréparable de Gide et n'abandonnait pas l'espoir que la grâce se ferait jour en lui. Mauriac garda cette attitude jusqu'à la mort de Gide, de sorte que les rapports entre les deux romanciers restaient amicaux. Gide appréciait sans doute à sa juste valeur cette tolérance de la part du grand romancier catholique. Mais certaine anomalie dans la pensée catholique l'amusait. Il se rendait compte que plus il s'égarait dans les horreurs du blasphème et du péché, révélant son tourment interne, plus

21. *Journal*, pp. 1014-15.
22. SCHLUMBERGER, *op. cit.*, p. 240.
23. *Journal*, pp. 773-74.

les catholiques s'attachaient à lui, le croyant en proie à la grâce. Mais lorsqu'il atteignait une sorte de sérénité laïque, on le lâchait, déçu.

Ils m'ont reproché d'avoir trouvé le calme et cette sérénité qui précisément me permettait de produire. C'est qu'ils... n'admettent point que l'inquiétude pût prendre fin ailleurs que dans le port où ils se sont ancrés eux-mêmes... [24]

A propos de ces amis catholiques, Gide dit, « Sans avoir précisément rompu avec eux, je me suis aussitôt persuadé que la conversion avec eux était devenue impossible. » [25] Il leur reprochait une étroitesse d'esprit et une fatuité qui l'écœuraient. « Il est curieux, » dit-il, « que chez les trois artistes convertis que j'ai connus le mieux, Ghéon, Claudel, et Jammes, le catholicisme n'ait apporté qu'un encouragement à l'orgueil. » Croyant tenir la vérité, l'artiste catholique se dispense de penser.

Abject, c'est le seul mot qui me vienne à l'esprit... en lisant le fragment du gros roman de Ghéon. Certainement, il apprécie, dans le catholicisme, cette permission illusoire de créer sans effort. ..... La foi comporte un certain aveuglement où se complaît l'âme croyante. [26]

L'écrivain catholique estime que tous les moyens de convaincre sont bons. Comme ses correligionnaires, il s'accommode trop facilement du mensonge et du compromis — ainsi Gabriel Marcel et même Mauriac. [27] Et le critique catholique est trop sûr de lui, trop confiant : « C'est au nom de Dieu que les critiques catholiques condamnent ; ils ne peuvent se tromper, car Dieu les inspire... » [28] Gide se sent poursuivi par les jugements défavorables des catholiques, et on ne s'étonne pas qu'il consacre de nombreuses pages de son *Journal* à sa propre défense. On connaît aussi son esprit de contradiction et son désir perpétuel de réagir. Il est certain que par réaction contre l'acharnement des critiques il est allé encore plus loin dans la voie anticatholique sur laquelle il s'acheminait depuis longtemps. Nous pouvons

24. *Ibid.*, p. 901 ; PIERRE-QUINT, *op. cit.*, p. 460.
25. *Ainsi soit-il*, p. 57.
26. *Journal*, pp. 742, 919.
27. *Voir Ibid.*, p. 946 ; *Œuvres complètes*, XV, p. 522 ; GIDE DU BOS, *Lettres*, pp. 178-79.
28. *Journal*, p. 931.

faire remarquer aussi que l'attitude du romancier envers ces catholiques était presque aussi butée que la leur envers lui. Il leur attribuait souvent des mobiles peu flatteurs. Ainsi que l'exprime Jean Schlumberger, « Il ne voulait plus voir partout où s'infiltrait le catholicisme qu'abdication d'intelligence et fléchissement du courage. » [29] Nous avons fait observer qu'il sentait que l'Eglise lui « confisquait » ses amis. Il estimait que toutes les conversions autour de lui étaient un produit de la guerre et du désarroi de l'après-guerre, qui faisaient dans les esprits des « fissures » par où le « gaz mystique » pouvait pénétrer. Lui-même avait failli succomber à ce poison, pensait-il.

Résumant sa position vis-à-vis des croyants, il rédigea vers 1937 une lettre à « quelques nouveaux convertis. »

> Si je dis que je vous suis reconnaissant, c'est en vérité que vous m'avez beaucoup instruit. J'ai compris pourquoi je ne peux ni ne veux être des vôtres. Mon cœur m'y portait, et cette sympathie que j'avais pour vous a été une des grandes faiblesses de ma vie. .... Vous cherchiez à m'amener à penser comme vous... à ne plus penser librement. .... Vous taxiez d'orgueil ma résistance... [30]

On voit que la rupture entre lui et les catholiques était complète.

Il est exact que pendant la décade de 1920 Gide semblait atteindre un palier de sérénité goethéenne qui lui était nouvelle. Avec l'évolution de son hostilité envers le christianisme, il se débarrassait de l'inquiétude qui l'encombrait à propos du péché et de sa destinée éternelle. L'âge et l'activité aidant, son complexe de culpabilité, qui avait été si puissant à l'époque de *Numquid et tu... ?* s'atténua. Que cette paix intérieure ne fût pas entière ressort de l'étude des dernières années de sa vie ; pourtant elle était réelle et le séparait certes désormais des grands tourmentés de son époque. Elle rendait possible son attitude aggressive envers l'Eglise à partir surtout de 1930. A plusieurs reprises l'écrivain fit savoir à ses amis que le souci religieux l'avait quitté et qu'il ne fallait pas le croire malheureux. S'il ne le disait pas tout haut, c'était de crainte de blesser davantage sa femme. [31] A Claudel il dit, « Je me suis complètement

29. Schlumberger, *op. cit.*, p. 240.
30. *Journal*, pp. 1283-84.
31. Pierre-Quint, *op. cit.*, p. 387.

désintéressé de mon âme et de son salut. » A Mauriac il écrit, « Cher ami, l'inquiétude n'est pas de mon côté, elle est du vôtre. ... Je ne suis pas un tourmenté. » [32] Dans une lettre à Du Bos écrite en 1928, il affirme,

> Il est vrai que depuis longtemps j'ai cessé d'aimer la recherche et l'inquiétude. Je crois qu'il est bon de l'avoir connue ; qu'il est mauvais de s'y tenir... C'est pourquoi Pascal aujourd'hui me touche moins que Gœthe — ou que Bossuet. [33]

Du Bos dut reconnaître que son ami n'avait guère besoin du pain spirituel du christianisme. [34] Qu'on ne nous mésinterprète pas toutefois : sa quiétude relative n'impliquait pas une paresse spirituelle ou l'acceptation passive d'une éthique toute faite. Elle était plutôt la conquête de l'angoisse métaphysique et la paix qui permet de ne pas s'accrocher à une foi. Même cette conquête n'était peut-être pas parfaite chez l'auteur de *La Porte étroite.* En 1927, Léon Pierre-Quint, qui n'est pas croyant lui-même, écrivit, « Il me semble que l'inquiétude ressurgit en Gide sous l'absence d'inquiétude ; que son esprit religieux n'est pas encore vaincu. » [35]

On ne peut étudier cette étape dans l'évolution gidienne uniquement sous un éclairage antichrétien. En 1931, l'écrivain, se prononçant sans ambages sur le sujet de son attitude changeante envers le christianisme, révéla l'empreinte qu'avait eue sur son âme cette religion et la nostalgie qu'il gardait encore pour elle. Cette déclaration peut étonner après ce qu'on sait de son anticléricalisme :

> Evolution de ma pensée ? Sans une première formation (ou déformation) chrétienne, il n'y aurait peut-être pas eu évolution du tout. Ce qui l'a rendue si lente et difficile, c'est l'attachement sentimental à ce dont je ne pouvais me délivrer sans regrets. Encore aujourd'hui je garde une sorte de nostalgie de ce climat mystique et brûlant où mon être s'exaltait alors... [36]

On continue à relever ainsi de temps en temps chez Gide des indices d'une empreinte chrétienne ineffaçable, et

32. *Œuvres complètes,* XV, p. 539.
33. GIDE-DU BOS, *Lettres,* p. 161.
34. DU BOS, *Journal,* I, p. 343.
35. PIERRE-QUINT, *op. cit.,* p. 392.
36. *Journal,* pp. 1051-52.

d'une profonde nostalgie pour la croyance. Il est évident aussi que sa révérence pour le Christ et son respect pour son enseignement durent en plein anticléricalisme ; il n'y a pas de solution de continuité entre son attitude vis-à-vis du Christ avant la guerre et celle de l'entre-deux-guerres. Malgré les déceptions spirituelles qu'il a subies, la perte de la ferveur religieuse, et l'aridité de son cœur en matière de croyance, son amour pour le Christ ne cesse pas après la crise de 1916. Ni la résistance jalouse de Nietzsche, ni le détachement de Gœthe envers le Christ ne lui semblent louables. Gide porte l'image du Christ dans son cœur tout le long de ses année de maturité. On peut même dire que cette conception de Jésus-Christ comme fils de l'homme, être divin en raison de sa charité suprême, et représentant de ce que peut atteindre l'homme, est un des noyaux de la pensée de Gide de 1920 jusqu'à la deuxième guerre mondiale. La crise racontée dans *Numquid et tu... ?* a été ainsi non seulement le chant du cygne de sa foi moribonde mais aussi une contribution précieuse et positive à sa nouvelle croyance humaniste. Il retenait en particulier de cette crise deux idées : qu'il faut se renoncer à soi pour se réaliser, et que le démon nous attrape par notre égoïsme.

Après la première guerre, le Christ commença à représenter pour Gide l'ami des opprimés et des pauvres, l'homme révolté contre les injustices sociales. « Tu tiens table ouverte, Seigneur Christ, et ce qui fait la beauté de ce festin de ton royaume, c'est que tous y sont conviés. » [37] Par moments il ne faisait que citer à l'appui de son humanisme l'exemple suprême de Jésus. A d'autres moments, notamment dans *Les Nouvelles Nourritures,* où paraissent le lyrisme et l'épanouissement sentimental des premières *Nourritures,* il s'adressait à lui comme à un Dieu surnaturel :

> Je reviens à vous, Seigneur Christ, comme à Dieu dont vous êtes la forme vivante. Je suis las de mentir à mon cœur. C'est vous que je retrouve partout, alors que je croyais vous fuir, ami divin de mon enfance. .... Le démon seul en moi nie que votre enseignement soit parfait, et que je puisse renoncer à tout, fors à vous, puisque dans le renoncement à tout, je vous retrouve. [38]

37. *Les Nourritures terrestres,* p. 225.
38. *Ibid.,* p. 221.

Si antithétiques que soient la conception religieuse et la conception humaniste du Christ, Gide était attiré par toutes les deux, de sorte qu'il osa dire en 1926, « Je ne suis ni protestant ni catholique ; je suis chrétien, tout simplement. » [39]

Cette insistance sur Jésus dont Gide se disait toujours le disciple, et le désir de se l'approprier comme communiste, ne firent pas peu pour agacer les critiques catholiques, qui protestaient comme si le Christ leur appartenait exclusivement. On l'accusait de se réfugier derrière le nom du Christ pour mieux justifier sa révolte et pour abuser ses lecteurs. Cette accusation n'est pas certes sans fondement. L'écrivain ne cessait d'étudier l'Evangile et certains commentateurs de la Bible pour appuyer sa propre idée que le Christ devait être séparé de sa croix et de sa mission, pour être considéré comme une figure humaine et révolutionnaire.

L'influence de Dostoïevsky s'exerce sur Gide après 1920 dans cette même voie chrétienne. On sait avec quel enthousiasme le romancier français avait lu dans les premières années du siècle certains ouvrages du grand Russe. Après la guerre il reprit l'étude de son devancier, notamment de certains romans de prédilection. Ses conférences sur Dostoïevsky faites en 1923 au Vieux-Colombier sont un chef-d'œuvre de critique subjective. Il pénétra, comme peu de Français l'avaient fait, certains aspects essentiels de l'œuvre du romancier russe. Paul Archambault en profite pour souigner encore une fois le fonds chrétien qui demeure en Gide et qui le rapproche de l'auteur de *L'Adolescent*.

Les rapports entre le monde de Dostoïevsky et le monde spirituel de Gide sont étroits. Il est malaisé de déterminer la part exacte d'influence directe d'ici. La parenté n'en est pas moins importante. Premièrement, les deux écrivains, séparés par plus d'une génération, par de vastes étendues de territoire, et par des traditions différentes, s'accordent pour voir dans le catholicisme romain une perversion de l'esprit évangélique et une espèce de complot de la part des riches et des puissants. Pour Dostoïevsky, le catholicisme est l'ennemi du peuple russe, qui doit maintenir ses liens séculaires avec la tradition chrétienne authentique, transmise dans l'Orient par l'Eglise orthodoxe. Le Christ, et non

39. *Journal*, p. 606.

le puissant évêque occidental, est l'ami du peuple. L'Eglise catholique a contribué à détruire en l'homme le sens de ses responsabilités et de sa liberté ; elle a également favorisé l'athéisme en liant partie avec le capitalisme. L'Evangile, et non pas la tradition romaine, contient la vérité, « Dostoïevsky, » écrit Gide, « a horreur des Eglises, de l'Eglise catholique en particulier. Il prétend recevoir directement et uniquement de l'Evangile l'enseignement du Christ. » [40] Ce sont précisément les prétentions de Gide.

Deuxièmement, au sujet du Christ, les deux écrivains sont près de s'accorder. Si Gide ne voit pas dans le Christ le Fils divin d'un Dieu surnaturel qui ordonne l'univers et gouverne les peuples, il ne cesse de le considérer comme l'homme qui s'est approché le plus près de l'idéal humain ou qui, plutôt, a créé d'un seul coup cet idéal. Le Christ est le modèle de tout développement de la race, l'expression de la divinité en l'homme. Bien que des deux écrivains l'un soit essentiellement conservateur, tourné vers le passé, trouvant l'essence de la vie humaine dans l'humilité, et que l'autre soit profondément libéral, tourné vers l'avenir et revenant aux paroles antitraditionnelles de l'Evangile, ils se rencontrent lorsqu'ils voient chez le Christ le modèle de l'humanité, et dans la charité l'unique règle de la vie.

Troisièmement, si les deux romanciers ne s'accordent pas à maints endroits sur le sens de l'Evangile, tout au moins Gide pense-t-il trouver chez le grand Russe certaines idées qui lui tiennent à cœur. Henri Massis a fait remarquer combien Gide fausse le sens de l'Evangile et même les idées de Dostoïevsky en les tirant ainsi à lui. [41] Négligeant l'importance que Dostoïevsky donne au péché, au repentir, et à l'expiation quasi mystique, Gide croit trouver dans ses romans une interprétation de l'Evangile pareille à la sienne propre. Il écrit par exemple, « *Dès à présent.* Certainement Dostoïevsky a été frappé lui aussi par cela, que la béatitude... promise par le Christ peut être atteinte immédiatement, si l'âme humble se renie ou se résigne elle-même. » [42] Il est vrai que le conférencier français se rend compte que ce bonheur est fondé sur l'humilité et le renoncement à soi. Il a vu que de nombreux personnages de Dostoïevsky sont pour

40. *Œuvres complètes,* XI, p. 264.
41. MASSIS, *Jugements,* pp. 64-65.
42. *Œuvres complètes,* XI, p. 260.

ainsi dire des saints parce qu'ils sont libres de tout égoïsme — ainsi Sonia dans *Crime et châtiment*. Il reconnaît la distinction évangélique entre les simples d'esprit — les saints — et les damnés. Mais il semble méconnaître le repentir religieux nécessaire à la béatitude. « C'est ici, dit-il, « le centre mystérieux de la pensée de Dostoïevsky et aussi de la morale chrétienne, le secret divin du bonheur. » Il ajoute, il est vrai, « L'individu triomphe dans le renoncement à l'individualité. »[43] Selon lui, pour Dostoïevsky ainsi que pour lui-même et pour Nietzsche, le royaume de Dieu est ici-bas et non pas dans l'au-delà ; c'est un état d'âme. Le royaume divin s'accomplirait dans la joie surhumaine qu'on rencontre à de rares instants dans la vie. Cette béatitude surhumaine existe effectivement dans l'œuvre du Russe — par exemple, dans les rapports entre le père Zossima et Alyosha Karamazov — mais le romancier russe reconnaît également l'immortalité de l'âme, à l'encontre de Gide, la croyant nécessaire pour redresser les injustices inévitables de la terre.

Un quatrième point de rencontre entre Gide et Dostoïevsky est la notion du Diable. Nous avons fait remarquer en passant dans le chapitre précédent les ressemblances entre le personnage du Diable chez Gide et ce même personnage chez Dostoïevsky. Dans plusieurs passages de *Numquid et tu... ?* et du *Journal* l'auteur et le Malin conversent entre eux tout comme le font Ivan Karamazov et le Démon. Cette ressemblance dans la psychologie des deux romanciers tient à ce que chez tous deux l'homme est multiple : ses passions, sa raison, et son âme s'entrebattent dans un conflit continuel. Le niveau de la raison et de l'intelligence est la couche la moins spirituelle de l'homme, la couche diabolique. Il est curieux que Gide, qui fait appel pendant cette période à la raison pour détruire les prétentions dogmatiques de l'Eglise, ait trouvé que cette même faculté critique était la faculté démoniaque. C'est que, tout comme Dostoïevsky, et comme les personnages qu'ils ont créés, lui aussi est complexe et paradoxal, se contredisant sans cesse.

On connaît la complexité des romans de l'auteur de *Crime et Châtiment* et l'étonnante complication d'âme chez

43. *Ibid.*, XI, p. 262 ; Pierre-Quint, *op. cit.*, pp. 141-42.

ses personnages principaux. Dans plusieurs ouvrages il présente des personnages maniaques qu'il charge de plaider une cause maudite dont il souligne ensuite la folie. Tels sont Raskolnikov, Kirilov, et Ivan Karamazov. Gide semble avoir été fort attiré par certains paradoxes énoncés par ces personnages qui, eux aussi, représentent leur auteur. Kirilov, par exemple, pose la question déchirante qui est aussi celle de Nietzsche et que Gide fait sienne : « Que peut faire un homme ? » Pour prouver qu'il est libre — ce qui équivaut à être Dieu — il se tue. De pousser ainsi à bout sa révolte contre les dieux, en appuyant sur sa liberté essentielle, fascine Gide, encore que cette issue puisse être condamnée par son absurdité même. Il est attiré par l'admirable logique de celui qui plaide la cause humaniste et qui doit par conséquent être athée. Comme Nietzsche, « Dostoïevsky l'a admirablement compris : c'est la négation de Dieu qui entraîne l'affirmation de l'homme. » [44] Du reste, de nombreux personnages chez le Russe sont tourmentés par ce problème de l'existence de Dieu. Par amour de l'humanité souffrante, Ivan Kamarazov rejette Dieu. Mais la logique de ce déni, qui lui fait dire, « Si Dieu n'existe pas, tout est permis, » montre les inconséquences philosophiques où s'enlise l'humaniste et démontre la nécessité de Dieu. Cette déclaration d'Ivan intéresse Gide et présente un défi évident au moraliste en lui qui essaye d'ériger une éthique sans Dieu. Ainsi les questions démoniaques n'ont-elles pas cessé d'inquiéter l'écrivain, et quoiqu'il dénonce le côté raisonneur de l'homme, il raisonne lui-même comme les personnages damnés de Dostoïevsky.

La réaction d'Henri Massis aux conférences faites par Gide sur le romancier russe est révélatrice de leur portée. Dans ses *Jugements,* Massis accusa le grand immoraliste de vouloir opérer, comme Nietzsche, une révolution dans les valeurs européennes et de trahir ainsi sa patrie et sa civilisation. Le critique thomiste comprit fort bien que Gide se révoltait contre le conservatisme de l'Eglise. Gide, voulant nous « décatholiciser, » semait à la suite de Dostoïevsky des « semences d'anarchie. » « Ce qui est mis en cause ici. » écrivit Massis, « c'est la notion même de l'homme sur la-

44. *Œuvres complètes,* XI, pp. 238-39.

quelle nous vivons. » D'après lui, la révolte gidienne était au fond une « révolte théologique. » [45]

Le critique ne croyait pas si bien dire. En effet, Gide protestait contre toute philosophie théocentrique, voire même contre toute la tradition occidentale, et il allait bientôt s'intéresser au communisme. Le lecteur verra incessamment que l'auteur des *Faux-Monnayeurs* dénonçait les fausses traditions de notre civilisation et cherchait à élever l'homme à une position suprême, maître de lui-même et de la nature, créature libre dans un monde où la Divinité n'intervient point. Il se séparait ici de Dostoïevsky, mais il se réclamait de lui, et Massis put condamner d'un seul coup les deux écrivains en raison de leur haine du catholicisme et de leurs prétentions à la vérité évangélique.

Dans ses conférences sur Dostoïevsky, l'auteur des *Caves du Vatican* ne manqua pas de mettre en valeur ces points de rencontre entre eux et encore d'autres. Cette influence permit à Gide de prendre conscience de sa psychologie de l'homme possédé et de mettre au point ses griefs contre le catholicisme, et sa conception du Christ. Avec Gœthe, dont il sera question plus loin, l'auteur des *Possédés* représente l'influence littéraire principale sur Gide entre 1920 et 1935. Il est pourtant utile de mentionner certaines autres influences qui s'exerçaient sur le romancier français à cette époque. Avec Nietzsche et Dostoïevsky, il groupa les poètes anglais William Blake et Robert Browning pour faire une « constellation à quatre étoiles. » Chez Blake l'écrivain français appréciait particulièrement la conception de la manifestation, voire de l'existence, immanente de la Divinité. On peut faire mention aussi de l'influence de Montaigne, laquelle était assez forte après la guerre. Bien que certaines attitudes de l'auteur des *Essais* l'ennuyassent (son ignorance du Christ et sa profession de foi *catholique* sans être *chrétienne*), Gide trouvait chez lui un exemple précieux de pensée humaniste. Car sans rejeter la tradition catholique, le grand moraliste avait construit une éthique personnelle fondée uniquement sur l'homme. Gide louait dans les *Essais* « la souriante liberté de la pensée païenne. » [46]

Ayant gardé de l'époque de *Numquid et tu... ?* son amour pour le Christ comme homme modèle, en qui se

45. MASSIS, *Jugements*, pp. 34-55, 69.
46. *Œuvres complètes*, XV, p. 61.

crée la divinité, Gide avance vers une philosophie humaniste où l'éthique généreuse du Christ (et de Prométhée dans la culture grecque) s'oppose à la volonté aveugle et cruelle du monde naturel, selon cette formule : « Dieu = nature ; Christ = surnature. » [47] La notion chrétienne de Dieu cède la place à une dichotomie entre les forces naturelles et l'égoïsme de l'homme naturel d'une part — forces qu'on ne saurait assimiler à un bon Dieu, dit Gide, sans se heurter à des contradictions — et d'autre part les vertus humaines qui expriment la divinité : la charité, la liberté, le sacrifice. Tout comme Vigny, Gide admet la possibilité d'un Dieu premier mobile qui ait créé le monde avec ses lois. Gide, comme son devancier, n'accepte pourtant cette possibilité qu'à condition qu'on admette qu'il s'en soit désintéressé par la suite et qu'il ne puisse plus ou ne veuille plus changer ces lois. [48] Ce premier mobile n'intéresse pas l'humanité. Pour nous autres hommes le vrai Dieu est celui que nous créons ; c'est la somme des qualités humaines, le but de l'évolution de la race. Prométhée crée une divinité qui s'oppose à la méchanceté des hommes et à Zeus, le principe naturel.

Dans son étude de la littérature française contemporaine, Helmut Hatzfeld fait valoir que, grâce aux recherches anthropologiques et à l'étude de la religion comparée pendant notre siècle, la religion a regagné du prestige. Par conséquent les agnostiques et les athées ont dû devenir des anti-théistes et coucher leur révolte dans le langage de Prométhée, à la différence des matérialistes des deux siècles précédents qui ne daignaient même pas considérer l'idée d'une Divinité. Ces anti-théistes ont dit à l'Eternel, « Même si tu existes, tu ne le mérites pas. » Les protestations de Gide sont de ce genre. Comme d'autres humanistes de l'époque, et à l'exemple de Nietzsche, il s'intéresse beaucoup au problème de Dieu et fait un refus conscient de Dieu. Il fait se dresser Prométhée contre un Zeuz indifférent aux hommes ; il élève la créature aux dépens du Créateur. [49]

47. *Journal*, p. 905.
48. *Ibid.*, pp. 1189-90.
49. Voir Helmut HATZFELD. *Trends and Styles in Twentieth-Century French Literature*. Washington, D.C. : Catholic University Press, 1957, p. 6 ; et Auguste ETCHEVERRY. *Le Conflit actuel des Humanismes*. Paris : Presses Universitaires de France, 1955, pp. 192-94.

Encore que cette position soit un développement du Gide mûr, dès 1897 des lignes prophétiques de son évolution annoncent l'attitude gidienne : « Qu'il soit de Prométhée ou du Christ, l'acte de bonté est un acte de protestation contre Dieu que Dieu punit. »[50] Dans un brouillon d'une lettre datée de 1941, l'écrivain résume le point de vue humaniste qu'il fait sien définitivement dans les années 1920. Cette lettre met en valeur notamment l'antagonisme important entre « Zeus » et « Dieu » :

> Tout l'effort de l'homme pour ériger une vertu susceptible de triompher des forces brutales, effort qui trouve en le Christ sa représentation la plus haute, s'oppose à cet ensemble des lois naturelles où je ne puis reconnaître aucune intervention surnaturelle. Le « Eli, Eli, lama Sabachtani » du Christ, ce cri désespéré, désespérant, nous pourrions le pousser sans cesse, dès que nous cherchons à retrouver Dieu ailleurs que dans le domaine moral.

Afin de souligner, ainsi que le fait Vigny dans « Le Mont des Oliviers, » cette indifférence, voire cette cruauté du « Dieu » naturel envers les hommes, Gide continue,

> Ces deux mondes, le physique et le moral, demeurent en antagonisme constant. Je ne puis croire à deux dieux. Je ne puis reconnaître aucun des attributs susceptibles de rendre Dieu adorable (mais redoutable seulement) dans le monde physique.[51]

L'écrivain dira plus tard que ce « cri tragique de toute âme, qui mit sa confiance en un Dieu qui n'existe pas, » ne prouve pas qu'il n'existe pas un premier mobile, mais dissocie de Dieu le Christ et montre que tout l'enseignement surhumain du Christ se passait en dehors de Dieu.[52] Et il fait dire au vieux La Pérouse dans *Les Faux-Monnayeurs*, « ...Ce qu'il a fait de plus horrible, c'est de sacrifier son propre fils pour nous sauver .... La cruauté, voilà le premier des attributs de Dieu. »[53] Cette optique gidienne est basée sur une des intuitions les plus fondamentales du monothéisme, intuition que Gide fait retourner contre la religion : pour être adorable, pour commander notre loyauté et notre obéis-

50. GIDE-JAMMES, *Correspondance*, p. 300.
51. *Feuillets d'automne*, p. 264.
52. André Gide, « Deux interviews imaginaires », *Arche*, III, no. 11 (nov. 1945), p. 55.
53. André GIDE. *Les Faux-Monnayeurs*. Paris : Gallimard, c. 1925, p. 498.

sance, il faut que Dieu soit bon et aimable. Ce serait retomber dans le paganisme que de consentir à adorer un Dieu qui nous ferait trembler par sa puissance arbitraire et par sa cruauté. Pour l'homme qui ne voit pas la main bienfaisante de Dieu dans la nature, il est difficile de reconnaître des rapports personnels entre lui-même et la divinité.

Une sorte d'ambiguïté se voit dans l'attitude gidienne à cette époque — ce qui ne surprend pas chez l'auteur de *Thésée*. D'une part, il oppose la loi naturelle à l'idéal chrétien d'abnégation et semble opter pour celui-ci. En 1929 il écrit, « La grande supériorité du christianisme sur le paganisme : Zeus crucifie Prométhée. Dieu offre son fils pour qu'il soit crucifié par les hommes. » [54] A plusieurs reprises il insiste sur la vérité de l'enseignement du Christ et cherche à récupérer du christianisme faussé l'essence des paroles de Jésus. Le Dieu qu'adorent les chrétiens et qui, même s'il n'existe pas, a inspiré le sacrifice du Christ, représente pour lui l'expression la plus haute de l'humanité. D'autre part, quelquefois il rejette l'idéal chrétien en faveur d'un idéal païen qui, estime-t-il, est peut-être moins haut mais qui est plus pratique et naturel. Dans une lettre à René Schwob écrite en 1928, il explique cet autre point de vue. D'abord il met en valeur l'opposition entre le christianisme et l'idéal naturel :

> Comment ne voyez-vous pas le danger d'assimiler la vie chrétienne à un phénomène *naturel*.... Vous ne trouverez dans la nature entière... que précisément la recherche du plaisir ; et la grandeur du christianisme est précisément de s'opposer à la Nature. Pour adorer le Christ il faut résolument tourner le dos à Cérès.

Ensuite il explique sinon sa position définitive du moins une attitude très valable :

> Je sais fort bien que je ne puis me rapprocher du *Naturel*, et de Gœthe, et du paganisme, qu'en m'écartant du Christ et de son enseignement. ... Il m'importe de reconnaître que tout ce qui appartient au Christ est du domaine du *surnaturel*. La question, pour moi, est de savoir si le *naturel* n'est pas préférable et s'il exclut toute idée d'abnégation dans l'amour, de sacrifice, de noblesse, et de vertu, dont *je ne puis me passer*... [55]

54. André Gide. « Pages retrouvées », *Nouvelle Revue française*, XXXII (avril 1929), p. 499.
55. André Gide, « Lettres », *Nouvelle Revue française*, XXXII (janv. 1929), pp. 57-58.

Retenons ce dernier aveu ; il est d'une importance considérable. A présent il est essentiel de voir que le choix humaniste a deux faces. On peut élire un idéal de sacrifice, modelé sur la vie de Jésus, ou bien on peut opter pour l'idéal païen, qui comporte la vertu mais vise également à une vie saine et naturelle. Ces deux aspects de la question humaniste représentent deux côtés de la personnalité gidienne, dans laquelle ne cessent de dialoguer d'une part l'idéal évangélique et d'autre part l'idéal païen des *Nourritures terrestres* et l'idéal esthétique. A la longue cet écartèlement tend chez Gide à la synthèse, et dans les années 1930 il arrive effectivement à une sorte d'éthique où sont mariés l'enseignement du Christ et tout ce que le paganisme a produit de meilleur. Il pense pouvoir unir l'idéal grec et l'idéal chrétien — ces deux traditions qui à son propre dire ont une influence égale sur lui. [56]

Gide se propose donc de remplacer l'ordre chrétien avec son Dieu transcendant et ses vertus telles que l'humilité, le renoncement à la joie (« une sorte de lâcheté » [57]), et la résignation, par une nouvelle éthique humaniste qui aboutira à une meilleure société et qui réveillera toutes les possibilités latentes de l'homme. Cette éthique se réclamera du Christ mais ira de préférence à ses qualités humaines et trouvera chez lui non pas la rédemption mais bien plutôt l'amour et la joie. L'Eglise, réitère-t-il, s'oppose depuis toujours à cet humanisme évangélique. Il affirme d'une façon catégorique que le christianisme organisé a fait banqueroute dans le monde occidental. La doctrine évangélique, qui aurait pu réussir, a été faussée par l'Eglise de Rome. Maintenant, suggère-t-il, seule une doctrine révolutionnaire et socialiste pourra assurer la justice dans le monde. « Nous sommes à un âge où tout doit être remis en question. Aucun progrès de l'humanité n'est possible, que celle-ci ne secoue le joug de l'autorité et de la tradition. » [58] Par suite de sa doctrine de l'immortalité, le christianisme invite trop à l'acceptation pour enfanter les révolutions qui sont à présent nécessaires. [59] L'humanisme que préconise Gide se doit par conséquent de devenir un socialisme révolutionnaire.

56. *Journal*, p. 1037.
57. *Les Nourritures terrestres*, p. 264.
58. *Journal*, p. 1037.
59. *Littérature engagée*, p. 45.

Ce nouvel humanisme sans Dieu insistera à la fois sur l'individualisme et la vie commune. Par son culte de l'individu, l'enseignement évangélique apportera à l'humanisme un riche levain. « Sans en avoir l'air, la religion chrétienne... est une école d'individualisme, peut-être la meilleure école d'individualisme que l'homme ait jusqu'à ce jour inventée. » [60] Ailleurs l'écrivain parle de « cette extraordinaire école d'individualisme par laquelle [le christianisme] féconda le monde. » [61] Mais la conception du progrès social héritée du dix-huitième siècle remplacera l'indifférence et la passivité du christianisme à l'égard de l'organisme social.

Fort de l'enseignement authentique de l'Evangile — la joie, le bonheur, l'amour, et l'individualisme — mais libéré des entraves d'un culte mystique comme celui de l'Eglise, l'homme moderne pourra s'acheminer, d'après Gide, vers une nouvelle éthique humaniste qui triomphera de la lutte pour la vie darwinienne. Au fond ce credo humaniste est optimiste. Gide aurait pu dire avec Camus,

> Nous nous refusons à désespérer de l'homme. Sans avoir l'ambition déraisonnable de le sauver, nous tenons au moins à le servir. Si nous consentons à nous passer de Dieu et de l'espérance, nous ne nous passons pas si aisément de l'homme. [62]

L'auteur de la nouvelle *Ecole des Femmes* offre son programme pour l'homme et pour la réalisation de Dieu :

> Notre plus digne effort est de parvenir à maîtriser pourtant [le monde physique] par la science, la connaissance de ses lois, puis d'appliquer cette connaissance à l'exercice toujours plus efficace de vertus toujours plus généreuses. Je consens à appeler Dieu le faisceau de ces vertus inventées par l'homme et cet amour qui rayonne dans l'Evangile ; mais c'est alors pour le dresser de toute ma force humaine à l'encontre de ce Zeus, de cet impitoyable et mécanique ensemble des lois qui régissent notre univers. Le drame constant de l'humanité, c'est celui qui se joue entre Prométhée et Zeus, entre l'esprit et la matière, entre l'amour et la force brutale... [63]

Dans ce programme pour l'humanité nouvelle qui doit apprendre à se passer d'un Dieu préalablement créé et d'une

60. *Œuvres complètes,* XI, p. 132.
61. *Feuillets d'automne,* p. 234.
62. Cité dans ETCHEVERRY, *op. cit.,* p. 6.
63. *Feuillets d'automne,* p. 264.

échelle de valeurs toute faite, Gide présuppose la possibilité pour l'homme de créer lui-même ses lois et ses valeurs et de mener une vie morale sans le secours des « garde-fous » que lui impose la religion. A la différence de Voltaire, disant « Si Dieu n'existait pas, il faudrait l'inventer, » le patriarche de Cuverville estime que Dieu n'est nullement nécessaire comme donnée. Plutôt que de l'inventer, on peut le créer, ce qui n'est pas la même chose. Comme Tarrou dans *La Peste* de Camus, l'auteur des *Nourritures terrestres* demande, « Peut-on être un saint sans Dieu, c'est le seul problème qui m'intéresse. » Et à cette question muette il offre une réponse affirmative. « Est-il nécessaire, pour suivre les préceptes du Christ... de croire qu'il est né d'une vierge, qu'il est ressuscité le troisième jour, etc. ? » [64] Pour Gide, il est possible à l'homme de « faire l'ange » sans « faire la bête. » Selon lui, le martyr laïque « reste le plus admirable : celui que... ne soutient ni ne récompense, fût-ce en espérance, aucun dieu. » [65]

Si c'est l'homme qui est responsable de Dieu et qui le crée en opposition aux lois de l'univers naturel, Dieu se trouve au bout de l'évolution humaine au lieu de se placer au commencement. Cette perspective évolutionnaire a paru chez Gide, nous l'avons vu, dès la crise de 1916. Après la guerre elle devient plus importante dans sa pensée, grâce en partie sans doute à ses méditations sur la société, qu'il voit comme un organisme évoluant. Dans les *Feuillets* qui suivent le *Journal* de 1921, on trouve une excellente mise au point de cette notion :

> Vous soutenez et démontrez que des suites de siècles se sont écoulés avant que n'ait pu se former l'homme ; et, pour l'Etre suprême, vous n'admettez point qu'il faille plus de temps encore ? Comprenez-vous que Dieu est l'aboutissement, non le départ, de la création tout entière. Ce qui n'empêcherait point, du reste, la création tout entière d'être son œuvre. Mais il n'est accompli qu'après nous. Toute l'évolution doit aboutir à Dieu. [66]

Cette position reste plus ou moins constante, puisque dans les années 1940 il dit, « Je... [considère] Dieu comme une invention, une création de l'homme, que l'homme com-

64. *Littérature engagée*, p. 45.
65. *Feuillets d'automne*, p. 239.
66. *Journal*, p. 725.

pose peu à peu... à force d'intelligence et de vertu. C'est à Lui que la création parvient. » [67] A la même époque il soutient le paradoxe que « ' Nul ne vient au Père... que par moi. ' A commencer par Dieu lui-même. C'est par le Christ que Dieu se fait. » [68] Il existe ici toutefois une contradiction, car Gide confond la notion d'origine et celle de fin, voyant le mouvement évolutionnaire de l'homme tendu vers Dieu mais supposant aussi Dieu comme le commencement. C'est la confusion d'un point de vue traditionnel avec un point de vue personnel. L'écrivain ne cherche pas à la résoudre. Il confond Dieu et l'idée de Dieu, début et fin.

La démarche philosophique qui consiste à reporter à l'avenir et à l'aboutissement de la création la réalisation de Dieu se situe facilement dans le cadre idéologique contemporain. Cette attitude jaillit de la Renaissance et de la philosophie optimiste du dix-huitième siècle, quand on croyait inévitable le progrès humain et estimait que l'homme pourrait être, en principe, maître de l'univers. Elle implique une base naturaliste. Elle se retrouve chez les hégéliens et chez les marxistes qui considèrent que l'histoire entière avance vers un but certain, qui est l'apothéose de l'homme et l'établissement d'une société idéale (créée, selon les marxistes, par la révolution du prolétariat). Peut-être est-ce là une des raisons pour lesquelles Gide accueillait si facilement certains éléments de l'idéologie communiste à partir de 1929 environ. Chez certains penseurs du dix-neuvième siècle, tel Auguste Comte, la conception d'un ordre supérieur mais toujours naturaliste, vers lequel s'achemine l'humanité, ressemble à la doctrine évolutionnaire de Gide ; et l'historien Strauss aboutit à la même conclusion gidienne : que l'humanité tout entière est Dieu. Etant de formation chrétienne, l'auteur de *Numquid et tu... ?* couche dans des termes religieux certaines vérités humaines et sociales qui sont de proches parentes des idéologies progressistes des deux siècles précédents.

La conception évolutionnaire de Dieu qu'adopte Gide sert à montrer combien il s'est éloigné de l'idéal chrétien de sa jeunesse et avec quelle candeur il a remplacé l'optique théocentrique par une orientation anthropocentrique. De

67. « Deux interviews imaginaires », p. 50.
68. *Feuillets d'automne*, pp. 265-66. Voir aussi *Les Nourritures terrestres*, p. 211.

considérer la divinité comme la somme des vertus humaines et comme une dépendance de l'humanité équivaut à la déification de celle-ci. Qu'on la baptise idôlatrie ou humanisme, cette perspective est manifestement à l'extrême opposé de la croyance religieuse. Elle se range parmi les humanismes athées dont les racines remontent tout au moins au dix-huitième siècle et qui ont trouvé leur expression la plus récente dans l'œuvre de Jean-Paul Sartre.

L'humanisme que revendique Gide pendant l'entre-deux-guerres — cet humanisme qui se veut classique et équilibré — se réclame par-dessus tout de Gœthe. Il sied donc d'examiner soigneusement l'influence du grand Allemand qui se fit sentir sur Gide dès le lycée et qui atteignit une sorte d'apogée après 1930, ainsi qu'en font preuve les lignes suivantes : « La grande influence que peut-être j'ai vraiment subie, c'est celle de Gœthe... » [69] Dans ses feuillets intimes et dans des études sur Gœthe, celui qui découvrit *Faust* au lycée exprime son admiration pour son grand prédécesseur. Premièrement il loue son attitude envers la nature et l'homme. Gœthe voit l'homme dans une perspective naturelle ; le monologue de Faust dans la nature est significatif à cet égard. Il éprouve un sentiment de révérence devant l'univers physique, qui est sa divinité à lui. Gide fait ressortir ce panthéisme goethéen :

> Mourant, [il] se résorbe en Dieu comme en une suprême harmonie. ... Les seules prières qu'il se permette sont des actions de grâces. Le seul Dieu qu'il reconnaisse se confond avec la nature ; c'est le Tout, dont lui-même, Goethe, fait partie. Et c'est en tant que partie du Tout divin que Goethe se respecte et s'honore. [70]

En deuxième lieu, Gide apprécie chez son devancier le refus de la foi et de la théologie. « Il n'admet ni Dieu personnel, ni révélation, ni miracle. » Le grand poète a montré, au dire de son commentateur français, que l'homme peut rejeter « les langes... de la crédulité » enfantine et adopter le scepticisme sans devenir pour autant nihiliste. [71]

Troisièmement, le côté proprement humaniste de Gœthe attire l'auteur de *Thésée*. D'après Gœthe l'homme n'est pas déchu ; il fait partie du royaume naturel, il n'a nul besoin de sauveur, et il doit avancer vers la création et la sé-

69. *Journal*, p. 859.
70. *Interviews imaginaires*, p. 153.
71. « Goethe », p. 369.

rénité au lieu de l'abdication et l'angoisse. Gœthe en veut au christianisme d'avoir sacrifié le réel — qui est l'homme dans le monde naturel — au profit d'un idéal imaginaire. Dans un beau passage qu'on pourrait sans trop exagérer appliquer à Gide lui-même, celui-ci dira, « Nous restons reconnaissants à Gœthe, car il nous donne le plus bel exemple, à la fois souriant et grave, de ce que, sans aucun secours de la Grâce, l'homme, de lui-même, peut obtenir. »[72] Gide renchérit sur cette idée en nous apprenant que par la lecture du *Prométhée* de Gœthe, il sut que « rien de grand ne fut tenté par l'homme, qu'en révolte contre les dieux. »[73]

En quatrième lieu, Gide admire la tolérance de l'humanisme gœthéen. Il le considère capable de renfermer tout ce que l'homme a fait de beau et de vertueux, et d'accepter toute une gamme d'optiques diverses sur l'univers. Cette tolérance attire beaucoup l'écrivain français parce qu'il estime que notre ignorance relative est un élément essentiel de la condition humaine et que tout dogme catégorique est partiel et donc faux. Gœthe et lui-même veulent garder tout ce que le christianisme a créé de meilleur, de même qu'ils désirent récupérer l'enseignement des Grecs. Par moments Gide estime que Gœthe ne comprend pas bien le vrai christianisme, celui de Jésus-Christ, à la différence de Nietzsche, qui en reconnaît la force émancipatrice. Chez Gœthe, Gide voit « tout naïvement et spontanément les valeurs païennes de la Grèce antique s'opposer aux valeurs chrétiennes... »[74] Plus tard l'écrivain français se ravise et dit que Gœthe reste sensible à la piété sincère et aux hautes manifestations de la spiritualité humaine qu'on trouve dans le christianisme.[75] Malheureusement, les chrétiens ne peuvent imiter cette tolérance ; ils rejettent l'humanisme gœthéen. Dans son *Journal*, Gide élargit cette idée :

> La difficulté vient de ceci, que le christianisme... est exclusif et que la croyance à sa vérité exclut la croyance à toute autre vérité. ... Et l'humanisme au contraire tend à comprendre et à absorber toutes formes de vie... même celles qui le nient, même la croyance chrétienne. La culture doit comprendre qu'en cherchant à absorber

72. *Interviews imaginaires*, pp. 153-54, 165.
73. « Gœthe », p. 375.
74. *Journal*, p. 1282.
75. *Interviews imaginaires*, p. 152.

le christianisme, elle absorbe quelque chose de mortel pour elle-même.[76]

Faisant allusion à l'humanisme gœthéen, Gide écrit dans *Les Nouvelles Nourritures :*

> Je suis prêt à appeler Divin tout ce à quoi Dieu lui-même ne pourrait rien changer. Cette formule, qui s'inspire... d'une phrase de Goethe, a ceci d'excellent : qu'elle n'implique point tant la croyance en un Dieu que l'impossibilité d'admettre un Dieu qui s'opposerait aux lois naturelles...[77]

Voilà de nouveau le paradoxe : Gide opte cette fois pour un principe divin qui s'exprime dans la nature, ainsi qu'il l'avait fait à l'époque des premières *Nourritures.* Le lecteur a vu toutefois qu'il a fait ailleurs une distinction entre le Zeus des forces naturelles qu'il considère comme implacable, et le Dieu de bonté et de bonheur, somme des vertus humaines. Dans maints passages des *Nouvelles Nourritures,* qui sont une reprise de son « hédonisme naturaliste, » il revient à un panthéisme dans lequel sont confondus, voire mariés, le principe naturel et le principe surnaturel. Nous examinerons à loisir plus loin ce panthéisme. Pour le moment il suffit de faire ressortir comment l'idéal d'un Dieu naturel jure avec ses imprécations contre la cruauté de la nature. Mais l'exemple de Gœthe lui est précieux ici. Il est probable même que Gide arrive intellectuellement, grâce à ce modèle gœthéen, à faire une synthèse entre la notion d'un Dieu naturel et celle d'une Divinité humaine, à voir dans la nature, malgré tout, l'amie de l'homme, le cadre dans lequel sa vie prend un sens. Il semble atteindre aussi, à l'exemple de Gœthe, une synthèse entre l'idéal chrétien de discipline et l'idéal dionysiaque de l'expression de soi. L'homme pourra trouver un heureux équilibre entre ces deux extrêmes, se procurant ainsi la santé morale.

Nous avons souligné la conviction chez Gide que l'homme peut se créer une morale laïque — l'éthique de l'athée d'un Diderot, la morale d'honneur d'un Vigny — qui supplée aux morales à base religieuse. Il affirme, « Tout mon effort, depuis que je me suis échappé de ma première enveloppe chrétienne, a été de me prouver que je pouvais

76. *Journal,* pp. 816-17.
77. *Les Nourritures terrestres,* p. 236.

m'en passer. »[78] En croyant cela possible, Gide s'oppose à tous ceux, tant libres-penseurs que croyants, qui estiment que seule une échelle de valeurs divine peut garantir la conduite morale de l'homme. « Si Dieu n'existe pas, tout est permis, » avait dit Ivan Karamazov. Dans un certain sens, c'est vrai : nous sommes libres devant le « champ illimité du possible. » Mais il s'agit non pas de nous plonger dans l'anarchie mais plutôt de définir le « permis » en termes de l'humanité tout entière. Ainsi que Stendhal et Nietzsche avant lui et que Camus et Saint-Exupéry après lui, Gide tâche d'ériger une morale humaniste qui permette à chaque individu une vie significative et à la race une amélioration continuelle.

Il est curieux d'observer la différence d'opinion entre Gide et Martin du Gard, qui discutaient ensemble la question de la morale laïque. L'auteur des *Thibault* niait qu'elle fût possible. Gide lui objectait sa propre honnêteté, honnêteté d'athée, et il écrivit,

> Il me paraît monstrueux que l'homme ait besoin de l'idée de Dieu pour se sentir d'aplomb sur terre ; qu'il soit forcé de consentir à des absurdités pour édifier quoi que ce soit de solide ; qu'il se reconnaisse incapable d'exiger de lui-même ce qu'obtenaient de lui artificiellement des convictions religieuses.[79]

Il dut admettre ailleurs : « Evidemment la question morale est plus simple pour ceux qui ont une croyance religieuse. »[80] Mais il ne voulait pas qu'on se satisfasse de cette facilité. A la manière d'Auguste Comte, il estimait que « cette idée de Dieu sert peut-être à établir l'édifice... mais la voûte une fois parfaite elle se passe de soutien. »[81] Ce qu'on pourrait facilement reprocher à Gide ici est que, du point de vue pratique aussi bien que du point de vue philosophique, la position de la morale laïque est faible. En pratique, il est très difficile d'établir une éthique élevée sans le soutien des dogmes. Seule y parvient l'élite, ces « happy few » pour qui Stendhal écrit et à qui Gide aussi s'adresse plus qu'au lecteur moyen. Quant à la théorie, il est évident que la morale sans Dieu doit se fonder sur l'homme, c'est-à-dire sur quelque chose de flottant, de relatif. Elle sera en

78. *Journal*, p. 810.
79. *Ibid.*, p. 854.
80. Cité dans Pierre-Quint, *op. cit.*, p. 498.
81. *Journal*, p. 832.

fin du compte subjective. Comment donc l'apprécier à sa juste valeur et l'imposer sur d'autres, ou même la leur enseigner ? « Il est bon, » dit Edouard dans *Les Faux-Monnayeurs,* « de suivre sa pente, pourvu que ce soit en montant. » [82] Mais qui va décider si nous montons ou descendons ? Quelle est notre pente ? Cette morale qui naît avec l'homme et aboutit à l'homme pose un problème philosophique insoluble. Gide pourrait y répondre simplement, avec Valéry, « Il faut tenter de vivre. »

Puisque l'humanisme que préconise Gide est un défi évident aux églises, il est révélateur dans notre étude. Tâchons donc de dégager certains principes de la morale athée qu'il érige. Il faut nous hâter de dire qu'il ne dresse nulle part de code définitif. Tout chez lui est essai et tentative ; tout est relatif, une fonction des circonstances dans lesquelles il écrit. Loin d'opter pour des valeurs certaines et universelles, il ne se sert des mots « le bien » et « le mal » que faute d'autres. [83] Il ne cherche pas à imposer un système à ses lecteurs ; on connaît du reste son horreur des systèmes. Nous pouvons toutefois grouper un certain nombre de déclarations sur le problème religieux et éthique dans lesquelles l'auteur fournit des points de repère possible dans la quête de la vérité morale et intellectuelle.

Premier principe : ne rien accepter pour vrai qu'on n'ait vérifié soi-même d'abord. Cette exaltation de la pensée humaine s'apparente nettement à toute la tradition cartésienne et à la tradition scientifique qui en dérive. Tout en refusant les systèmes rationalistes, souvent aussi factices et tyranniques que les mythologies, Gide choisit comme cour de cassation de tout arrêt sa raison, quelque faible qu'elle soit. Nous avons vu que, comme Gœthe, il rejette tout « mysticisme » et qu'il estime que la révélation et la tradition, sur lesquelles est fondée l'Eglise, interdisent toute liberté de pensée. « Toute science a pour point de départ un scepticisme, contre lequel s'élève la foi. » [84] Ce scepticisme doit être universel, et même la vérité que détermine notre raison n'est que relative. Il ne faut ni aspirer vers l'absolu ni accepter aucune philosophie à base moniste. La vie ne saurait se réduire à un principe unique, fût-ce la raison.

82. *Les Faux-Monnayeurs,* p. 449.
83. *Journal,* p. 810.
84. *Ibid.*, p. 947.

Se mettant dans le sillage de tout un groupe de prédécesseurs — Montaigne, Stendhal, Vigny — Gide écrit, « Je me passais fort bien de certitude, dès lors que j'acquis celle-ci : que l'esprit de l'homme ne peut en avoir. » Et ailleurs : « L'on peut aimer la vérité d'autant plus que l'on ne croit pas pouvoir atteindre jamais à un absolu vers lequel pourtant cette vérité fragmentaire nous achemine. » [85] On ne risque d'atteindre que des vérités d'ordre scientifique par l'étude des sciences naturelles. Même ces vérités resteront partielles, mais Gide, qui garde toujours vif son amour pour la nature et plus spécialement pour la botanique, voit dans la recherche de ces vérités une source de progrès humain et un remède à l'ennui, à l'angoisse — un « divertissement » pascalien.

Deuxième principe : nos premiers devoirs sont ceux envers nous-mêmes, et si nous y restons fidèles, nous nous approchons de la vertu. Au fond, il n'y a pas de devoir envers Dieu ; il n'y en a qu'envers notre propre humanité. Mais il faut être exigeant envers soi-même aussi. C'est là un troisième élément de la morale gidienne sans Dieu. « Qui donc osera dire que l'homme sans Dieu est capable d'une moindre vertu, d'un moindre effort ? » [86] Gide introduit même dans sa pensée le principe d'héroïsme, qui représente l'exigence la plus complète envers soi-même. Voilà pourquoi il « admire toutes les formes de la sainteté » et voilà par où il peut sympathiser avec son Alissa, tout en l'abandonnant dans le désespoir. [87] Tout comme Bergson, Gide estime que l'homme doit se défendre contre la pesanteur et, regardant au-dessus de son humanité, doit chercher à imiter le héros ou le saint. Tant qu'elle n'aboutit pas au fanatisme, il apprécie dans le christianisme cette impulsion héroïque. Chaque fois qu'il trouve cet héroïsme chez un incroyant, par exemple chez Saint-Exupéry, il l'estime d'autant plus admirable. Lorsque son idéal païen tend vers l'hédonisme, ainsi que chez certains disciples, il le renonce en faveur de l'ascétisme, de ce même ascétisme qui perce de temps en temps au cœur même des *Nourritures terrestres*. Le romancier estime que la spiritualité humaine n'est pas le monopole du catholicisme. « Je ne puis admettre, » affirme-

85. *Ibid.*, p. 946 ; *Les Nourritures terrestres*, p. 251.
86. *Journal*, p. 1090.
87. *Ainsi soit-il*, p. 162.

t-il, « qu'on appelle, comme Gabriel Marcel, ' déspiritualisation ' tout effort de l'esprit qui n'aboutit pas au mysticisme religieux... » [88]

Quatrième élément d'une morale expérimentale : il ne faut à aucun prix se duper pour se consoler ; il faut rester lucide et tirer de soi toute sa ferveur et tout son courage, encore que ce soit bien plus difficile que de vivre selon une morale toute faite. La religion présente une consolation facile, consolation des lâches. A ceux qui ont gâché leur vie, elle conseille d'attendre la béatitude éternelle, au lieu de les encourager à lutter ici-bas. N'est-ce pas la morale de Nietzche et de Michel l'Immoraliste qui reparaît dans cette attitude gidienne ? La femme de Michel lui avait dit que sa doctrine était bonne pour les forts mais supprimait les faibles. Gide suggère ici un idéal qui a certes de la valeur mais qui n'est guère pratique. Il est vrai qu'il reconnaît l'utilité de la religion qui rend la vie possible pour les pauvres âmes. Et selon un point de vue pragmatique, toute religion est valable si elle fournit à l'homme une vie plus riche. Mais Gide n'est pas pragmatique. Il renonce à la paix spirituelle pour chercher la lucidité. Par sa doctrine du « désespoir, » il est en bonne compagnie, avec Vigny, Nietzsche, Malraux, Montherlant, et Camus. Comme un colloraire de ce principe, on peut mentionner le refus du mensonge, même du mensonge qui console. Bien naïf celui qui croirait que dans sa vie privée Gide ait été fidèle à ce principe de lucidité et de vérité absolues. N'empêche que de nombreux passages dans ses écrits annoncent la venue d'un homme d'intégrité comme le Meursault de Camus.

Un cinquième point de cette morale laïque, c'est qu'elle est toute gratuite, exigeant le bien pour le bien et non pas dans l'espoir d'une récompense éternelle. Cette idée de gratuité qui a fait si mauvaise fin dans la personne d'Alissa rentre dans l'éthique laïque. Maintenant Gide va plus loin. Exclue même en est la notion d'immortalité. D'ici jusqu'à sa mort Gide ne cessera d'attaquer ce dogme. Il le juge peu probable selon nos connaissances et notre raison et souvent pernicieux dans la morale. Du point de vue pratique, la doctrine de la vie éternelle peut avoir des résultats heureux, mais elle peut encourager aussi la passivité et la résigna-

88. *Journal*, pp. 921, 1153.

tion. D'ailleurs, elle parle à ce qu'il y a en nous de plus égoïste. Selon l'intelligence, il semble déraisonnable que l'âme aille vivre éternellement, à moins qu'elle n'ait jamais eu de commencement non plus. La métempsychose est tout aussi probable que l'immortalité et semble même nécessaire à celle-ci. [89] Rien n'indique l'immortalité, d'ailleurs ; il faut en croire la révélation. Si l'on objecte le sentiment de leur immortalité que portent dans leur cœur presque tous les hommes, ou tout au moins leur désir d'une vie éternelle, Gide répondra que c'est là un espoir trompeur, une lâcheté de ceux qui n'acceptent pas la condition humaine. S'il reconnaît la valeur consolatrice de la doctrine, il en veut à ceux qui pensent devoir assombrir cette vie-ci pour prêter plus d'éclat aux espoirs d'une vie éternelle. Du reste, il ne veut pas de consolation ; on l'a vu. En outre, comme Vigny il estime que l'idée de vertu et de récompense est assez primitive. L'homme vraiment vertueux fera le bien pour l'amour du bien, tout en sachant que lui-même va mourir éternellement et que son œuvre, pour lequel il a beaucoup sacrifié, peut périr aussi. En somme, Gide oppose au sentiment et à la croyance des autres son propre sentiment qui lui dit qu'il n'y a pas d'immortalité. Il essaye d'en combattre l'idée au moyen de la raison mais finit en fin du compte par se référer à son sentiment.

Il serait trop long et un peu hors de notre sujet d'étudier d'une façon détaillée les points qui relient cet humanisme gidien aux autres humanismes du siècle. Il suffit de dire que, s'apparentant tantôt au rationalisme, tantôt au marxisme, tantôt à l'existentialisme, il se range parmi les humanismes athées — doctrines qui refusent de « dépasser les horizons de la science par une extrapolation quelconque... exaltation de l'homme, seul artisan de sa pensée, maître de la nature et mesure suprême de toutes les valeurs. » [90] Toutes ces doctrines, y compris celle de Gide, méritent le nom d' « humanisme anthropocentrique » que leur donne Maritain. Ce sont des doctrines qui proclament la non-valeur, pour l'homme, de tout autre monde que celui-ci et qui se limitent donc à l'étude et à la réhabilitation de l'humanité. Mais l'héritage chrétien continue à s'y

89. *Feuillets d'automne*, p. 266.
90 .ETCHEVERRY, *op. cit.*, p. 34.

faire sentir, car les idéals auxquels vise cet humanisme athée sont bien des idéals chrétiens.

Avant d'aborder le sujet de Gide communiste, il est utile de considérer de plus près l'attitude précise de l'écrivain vis-à-vis du concept de Dieu, attitude qui gouverne en partie toute sa pensée à cette époque. Elle est, bien entendu, plutôt négative. Jamais auparavant dans sa vie, Gide ne s'est montré moins accueillant envers la notion de la Divinité. A l'encontre de son attitude pendant les années 1890, où son refus de Dieu se caractérisait par la révolte, il ne semble plus rebelle contre le Dieu sévère des puritains ; il est tout à fait froid dans son indifférence, comme si la notion de la Divinité ne correspondait plus à quoi que ce soit dans son esprit. Cette incompréhension foncière s'installe lentement dans sa pensée à partir de la fin de la première guerre mondiale. Le Christ reste fort réel pour lui, ainsi qu'on l'a vu, mais malgré son « panthéisme, » Dieu — le Dieu transcendant, éternel, et personnel — lui est devenu complètement étranger. « Je crois plus facilement aux dieux grecs qu'au Bon Dieu. Mais ce polythéisme, je suis bien forcé de le reconnaître tout poétique. Il équivaut à un athéisme foncier... L'hypothèse chrétienne — inadmissible. » [91]

S'il parle de Dieu, c'est en tant qu'une divinité naturelle ou humaine et subjective, qui n'a rien à voir avec le Dieu de la tradition judéo-chrétienne. Cela ressort de ces lignes des *Nouvelles Nourritures :*

> Lorsque je considère et pèse ce mot Dieu que j'emploie, je suis forcé de constater qu'il est à peu près vide de substance, et c'est bien là ce qui me permet d'en user si commodément. C'est un vase informe... qui contient ce qu'il plaît à chacun d'y mettre. Si j'y verse la toute-puissance, comment n'aurais-je pas pour ce récipient de la crainte ? et de l'amour si je l'emplis d'attention pour moi-même et, pour chacun de nous, de bonté ? [92]

Le mot « Dieu » a été de tout temps pour l'homme le miroir de ses propres qualités, bonnes et mauvaises. L'homme crée Dieu à sa propre image. Par exemple, le Jéhovah de l'Ancien Testament reflète certaines mauvaises qualités de la nation israélite aussi bien que d'admirables. Dès lors

91. *Les Nourritures terrestres*, pp. 248-49.
92. *Ibid.*, p. 241.

il s'agit de comprendre l'origine immanente de la Divinité, d'y mettre tout ce que nous concevons de meilleur, et de nous modeler sur Elle, afin que ce Dieu soit à la fois vrai et idéal — l'image de nous comme nous sommes et comme nous nous voulons.

> Prudence, conscience, bonté, il ne m'est point possible d'imaginer tout cela, n'était l'homme. Que l'homme, détachant tout de soi, imagine tout cela, très vaguement, à l'état pur, c'est-à-dire abstraitement, il le peut ; il peut même imaginer que Dieu commence, que l'être absolu précède et que la réalité soit motivée par lui, pour le motiver à son tour ; enfin que le créateur a besoin de la créature...

Aussi Gide aurait-il pu faire siennes ces paroles qui expriment la position philosophique d'un idéaliste comme Léon Brunschvicg :

> C'est au-dedans de lui-même que l'homme doit chercher Dieu. Il prend conscience d'une valeur qui s'érige en lui et par lui ; une vision de plus en plus spirituelle de l'infini... [Dieu] est la vérité et l'amour... Il est la valeur qui nous permet de connaître et d'aimer...[93]

On peut donc considérer Dieu comme l'abstraction des valeurs humaines. Mais il ne faut pas établir un culte à ce Dieu qui est uniquement immanent. Et ceux qui attribuent à leur Dieu des qualités enfantines ou désagréables faussent l'image de la Divinité. Gide se moque du « Dieu le père à barbe blanche » de Francis Jammes et attaque les rites superstitieux, que ce soit parmi les catholiques ou les indigènes africains.

Puisque l'écrivain ne croît pas à la transcendance de Dieu, il ne distingue pas entre l'être de Dieu et la représentation que les hommes s'en font. Dieu et les autres concepts métaphysiques n'ont pas d'objectivité. Certains commentateurs croient voir que Gide admet la possibilité d'un Dieu objectif qui corresponde à notre idée subjective, dans un rapport platonique. L'homme avancerait vers l'union transcendante des deux images, subjective et objective. Nous estimons au contraire que le romancier nie cette existence objective ; les passages cités ci-dessus semblent l'indiquer.

De même que Gide a rejeté autrefois, au nom de la subjectivité humaine, certaines preuves de Dieu, il se met à présent à en démolir quelques autres qui sont très cou-

93. Etcheverry, *op. cit.*, p. 32.

rantes. S'attaquant notamment à l'idée que les martyrs démontrent ou tout au moins suggèrent la vérité de la croyance pour laquelle ils sont morts, il cite les martyrs pour la cause hitlérienne et se demande quel Saint-Pierre les attend. [94] Toutes les religions, même les plus folles, ont eu leurs fanatiques, répète-t-il à la suite de Voltaire. Ce fanatisme ne crée pas la Divinité. Tout au plus peut-on dire que si un homme meurt pour une cause qui est véritablement noble, il démontre la puissance de l'esprit et il aide à réaliser l'avènement de son idéal qui est en quelque sorte son dieu. Ensuite, Gide étend son refus de Dieu jusqu'au « jeu complaisant » des explications téléologiques :

> Il n'est rien dans la vie d'un peuple, aussi bien que dans notre vie particulière, qui ne puisse prêter à une interprétation mystique, téléologique, etc., où l'on ne puisse reconnaître, si l'on y tient vraiment, l'action contrabattue de Dieu et du démon ; et même cette interprétation risque de paraître la plus satisfaisante...[95]

Il ne peut pas admettre que notre planète soit le centre de l'univers, ni qu'il y ait une Divinité spéciale qui s'occupe de nous.

En 1927, Gide lut le récit d'un naufrage de sous-marin dans lequel moururent beaucoup de passagers. De même que Voltaire fut ébranlé par le tremblement de terre de Lisbonne, l'auteur de *Si le grain ne meurt* le fut par cet accident qui lui semblait démontrer d'une façon irréfutable la cruauté de la nature et la méchanceté de la Providence. Les prières qu'on faisait pour les passagers emprisonnés dans le noir, sous l'eau et sans ravitaillement, lui paraissaient dérisoires. « Espérait-on fléchir la colère d'un Dieu courroucé... l'inviter à revenir sur l'arrêt de sa justice... ? Et, s'il n'apaisait pas la tempête, était-ce donc qu'Il n'était pas assez puissant... ou les enlisés ne méritaient-ils pas cette grâce ? » [96] Tout ce système monstrueux de prières jamais exaucées qui n'adoucissent pas la condition humaine lui faisait douter de la bonté du Ciel et faisait faire à sa pensée un pas de plus vers le refus complet de Dieu. Il voulait éliminer de sa vie et de la vie de tous cette foi en la Providence qui n'est qu'une déception. Après avoir mentionné le

94. *Ainsi soit-il*, p. 44.
95. *Œuvres complètes*, XIII, p. 131.
96. *Journal*, pp. 864-65.

naufrage de sous-marin dans son *Journal*, il ajoute, « Je voudrais qu'on élève l'âme de manière qu'elle ne se sente pas acculée au désespoir en apprenant... que Dieu lui manque. ... Le meilleur moyen d'empêcher qu'Il ne nous manque, c'est bien d'apprendre à se passer de Lui. » En somme donc, Gide n'a plus de croyance en un Dieu bénéfique, et il rejette même toute notion de transcendance. Examinant son odysée spirituelle, il comprend comment il a employé le nom de Dieu. «Je reconnais que je me suis longtemps servi du mot Dieu comme une sorte de dépotoir où verser mes concepts les plus imprécis. » Cette conception a perdu de plus en plus sa réalité pour lui :

> Cessé-je de le penser, il cessait d'être. Seule mon adoration le créait ; Elle pouvait se passer de lui ; Lui ne pouvait se passer d'elle. ... Mais, tout de même, ce que j'appelais Dieu, jadis, ce confus amas de notions, de sentiments, d'appels et de réponses, qui... n'existaient que par et qu'en moi, tout ceci me paraît aujourd'hui... beaucoup plus digne d'intérêt que le reste du monde... [97]

La Divinité est un idéal entrevu, l'abstraction de l'homme comme il se veut, l'expression la plus haute de sa spiritualité.

Pour qui connaît la complexité gidienne, il n'est pas étonnant qu'un élément de panthéisme soit resté dans sa pensée lors même qu'il se pose en ennemi de Dieu et du mysticisme. En même temps qu'il vante la supériorité de l'homme, voleur de feu, sur la nature, il trouve une sorte de divinité dans cet ensemble des lois naturelles du cosmos. Ainsi l'opposition entre Zeus et Prométhée ne tient-elle pas toujours, ainsi que nous l'avons fait remarquer à propos de Gœthe et de Gide. Il y a une étroite unité entre esprit et matière ; au vrai, les deux ne font qu'un. Dans *Les Nouvelles Nourritures*, l'auteur dit, « Que la matière soit pénétrable et ductile et dispose de l'esprit ; que l'esprit ait partie liée avec la matière jusqu'à se confondre avec elle — je veux bien appeler religieux mon étonnement devant cela. » [98] Au fond, cet « étonnement » est le contraire de l'attitude chrétienne qui distingue entre l'esprit et la matière et qui établit une hiérarchie où celui-là est nettement supérieur.

97. *Les Nourritures terrestres*, p. 245.
98. *Ibid.*, p. 236.

Mais la position gidienne n'est pas sans rapports avec l'adoration religieuse de la création. Affirmant un credo qui n'est ni tout à fait chrétien ni tout à fait athée, il écrit, « Il est bien plus difficile qu'on ne croit de ne pas croire à Dieu. Il faudrait n'avoir jamais vraiment regardé la nature. La moindre agitation de la matière — pourquoi se soulèverait-elle ? Et vers quoi ? » Excès de lyrisme, dira-t-on. *Les Nouvelles Nourritures* en sont effectivement pénétrées. C'est aussi par une sorte de jeu logique qu'il parvient de nouveau au panthéisme : « Du moment qu'il y a quelque chose, ce ne peut donc être que Dieu. » Mais ceci nous mène à la déclaration suivante : « Si donc j'appelle Dieu la nature, c'est pour plus de simplicité et parce que cela irrite les théologiens. Car tu remarqueras que ceux-ci ferment les yeux sur la nature... » [99]

Ce n'est donc pas le Dieu des chrétiens que découvre Gide dans la nature. Il affirme même que le Dieu chrétien ne saurait s'y trouver. Ce qu'il admire dans la nature est la belle régularité qui, selon lui, est contraire à la notion d'un Dieu personnel et n'est pas véritablement surnaturelle. Il met en scène un Dieu qui refuse de rien changer aux lois naturelles qui, dit-il, ont procédé de lui tout naturellement d'après quelques données premières. Ce Dieu refuse également d'intervenir auprès de l'homme, préférant lui laisser toute sa liberté. Mais l'homme se place aussi dans ce schéma naturel. « Dieu me tient ; je le tiens. ...Je ne fais qu'un avec la création entière ; je me fonds et m'absorbe dans la prolixe humanité. » [100]

Le panthéisme qui reparaît chez Gide vers 1930 est donc une union de l'homme et de Dieu dans la nature. Ce passage le résume bien. C'est Dieu qui parle :

> Le moindre bourgeon, en se développant, m'explique mieux à moi-même que toutes les ratiocinations des théologues. Diffus dans ma création, tout à la fois je m'y dissimule et me perds et je m'y retrouve sans cesse, au point que je me confonds avec elle et doute si, sans elle, j'existerais vraiment... Mais plutôt encore, c'est dans le cerveau de l'homme que tout l'épars prend nombre ; car sons, parfums, couleurs, n'existent que dans leur relation avec l'homme... [101]

99. *Ibid.*, p. 296 ; *Journal*, p. 881.
100. *Les Nourritures terrestres*, pp. 236, 238-39, 242.
101. *Ibid.*, p. 239.

Dieu et l'homme demeurent « en relation et dépendance... parfaites. » C'est l'antithèse de la dichotomie Zeus-Prométhée que l'écrivain a avancée plus tôt. Le critique Göran Schildt profite de ce panthéisme renouvelé pour nous assurer que Gide reste chrétien en pleine période agnostique. [102] C'est méconnaître tout ce qui le sépare des chrétiens sur le plan de la croyance. Il est exact pourtant que l'influence de l'Evangile et de la pensée chrétienne continue à se faire sentir chez lui, notamment dans le domaine éthique.

L'idéal humaniste exige de l'action. Un des plus grands problèmes de l'humanisme de Gide, depuis la guerre de 1914 jusqu'à la fin de sa vie, est celui de décider comment réaliser plus complètement la vertu de l'homme. Précédemment l'écrivain, restant fidèle à la tradition individualiste française, a vu dans l'individu la clé de l'énigme éthique. C'est dans l'homme lui-même, et partant dans chaque individu, que se crée la spiritualité humaine. Chacun est plus important que tous, selon sa formule. Cependant, au cours des années 1920, grâce en partie à son voyage désabusant au Congo, Gide commence à changer d'avis sur la question de l'individualisme. Il doute qu'on puisse jamais reconstruire l'homme — l'individu — à moins que la société ne soit d'abord refaite. Les problèmes sociaux, auxquels il s'intéresse depuis sa jeunesse, sont plus importants donc que les problèmes de la morale individuelle. Quoi d'étonnant qu'après avoir observé les abus de la colonisation, Gide sente que l'état actuel des choses est intolérable et commence à s'intéresser aux expériences sociales qui doivent produire une nouvelle humanité, libre de l'esclavage social que nous a légué la révolution industrielle. L'année 1927 voit ainsi chez lui une nouvelle hardiesse de pensée et une nouvelle orientation sociale. Sa conscience sociale aiguisée se révèle dans ces lignes écrites après le séjour en Afrique : « Tout bonheur me paraît haïssable qui ne s'obtient qu'aux dépens d'autrui... » [103] Cette conscience sociale commence bientôt à se faire sentir dans les écrits imaginatifs de Gide aussi bien que dans le *Journal* et des essais. Léon Pierre-Quint estime même que ce qui l'a conduit au communisme c'est la perte de son ardeur créatrice aussi bien que la perte de

102. SCHILDT, *op. cit.*, p. 144.
103. *Les Nourritures terrestres*, p. 226 ; *Journal*, p. 1167.

la foi chrétienne et le besoin de trouver de quoi la remplacer.[104]

La ferveur socialiste de Gide parut au moment où le communisme russe semblait réussir au-delà de tous les espoirs. Ainsi qu'un grand nombre d'intellectuels européens, Gide fut attiré par l'expérience bolcheviste. Pendant six années, de 1930 à 1936, il s'intéressa avec passion à la nouvelle société russe et s'associa à certains groupes communistes en France. L'absence de dogme religieux chez les communistes l'attirait tout spécialement. Cet épisode de sa vie nous intéresse moins en soi qu'en raison de la hardiesse particulière qu'il donnait à sa pensée religieuse. Il faisait éclore en quelque sorte son athéisme latent et aidait à se développer même davantage son évangélisme et son hostilité envers l'Eglise. Sous l'orientation communiste, son étude des croyances humaines quitta le cadre individuel pour devenir fonction de la sociologie. Il allait opposer à la religion non seulement des arguments de psychologue et de moraliste mais aussi de sociologue et de révolutionnaire. Bref, cette période vit l'épanouissement de l'humanisme anthropocentrique gidien.

Un passage du *Journal* de Gide écrit en 1928 présente les leitmotivs de ses considérations sur les problèmes sociaux :

> Immensité de la misère humaine. En regard de quoi l'indifférence de certains riches ou leur égoïsme me devient de plus en plus incompréhensible. .... Quand nous aurons compris que le secret du bonheur n'est pas dans la possession mais dans le don... nous serons plus heureux nous-mêmes. Pourquoi, comment, ceux qui se disent chrétiens n'ont-ils pas compris davantage cette vérité initiale de l'Evangile ? [105]

On voit que l'Evangile est toujours la pierre de touche des jugements que prononce Gide. Il veut que les promesses de l'Evangile soient réalisées. Nous savons que selon lui l'Eglise est coupable d'avoir trahi le Christ. Cette hostilité envers le catholicisme, que nous avons déjà mise en valeur, devient plus marquée vers 1930. Au lieu d'enseigner à l'humanité de s'élever, l'Eglise, dit-il, a « lié partie avec les pires puissances de ce monde. » Dans une conférence faite

104. PIERRE-QUINT, *op. cit.*, p. 250.
105. *Journal*, p. 868.

devant l'Association des écrivains révolutionnaires en 1933, Gide affirme que le catholicisme soutient le capitalisme et l'impérialisme nationaliste dans leur oppression des peuples — critique favorite des communistes. [106] Lors du débat sur lui-même et le communisme, il suggère qu'il n'y a plus de société chrétienne digne de ce nom, d'où le besoin de la révolution communiste, qui permettra la réalisation terrestre du royaume divin.

Pourquoi, tandis que les autres religions ont pu former des peuples à leur image, pourquoi cette banqueroute, cette inadéquation ? N'est-il pas surprenant que les peuples chrétiens seuls aient été capables de créer la civilisation la plus distante de l'Evangile ? [107]

Judas même a moins trahi le Christ, affirme-t-il, que ceux qui au nom de l'Eglise et de l'idéal « démocratique » font des vrais chrétiens leurs dupes et qui réussissent à identifier foi et patriotisme et à armer ainsi les peuples les uns contre les autres. « Ils préfèrent l'humanité malheureuse à la voir heureuse sans... leur Dieu. » Ils y réussissent grâce à la doctrine de l'immortalité. Enlevez-la-leur, dit Gide, et vous aurez la révolution. [108]

Le vrai évangile se retrouve, d'après Gide, dans le communisme. La charité envers les autres, l'espoir en l'humanité nouvelle lui semblent caractériser les efforts révolutionnaires et créateurs des Russes. En face de la décadence de l'Europe (car sans avoir étudié de près Spengler, Gide voit que le monde occidental se précipite à sa ruine par la lutte des idéologies et des classes) la solution communiste est la seule solution positive et la seule qui puisse réussir.

Pour cette réussite, il faut combattre les Eglises qui en sont les ennemis. La tolérance de la « superstition, » des dogmes, et de l'acceptation passive n'est plus de mise, « dès que l'ennemi s'en fait fort et qu'on voit prospérer ce que l'on considère décidément comme mauvais. » Il faut combattre même le principe de la Vérité révélée, lequel divise les hommes, à la différence de la raison, et mène inévitablement au fanatisme. Hâtons-nous de dire que cette attitude militante, qu'il partage avec tous les communistes, ne

106. *Littérature engagée*, p. 25.
107. « Pages retrouvées », p. 501.
108. *Journal*, pp. 1125, 1131, 1235.

devient pas chez lui véritablement agressive. Il ne conseille jamais d'avoir recours aux armes dans la bataille contre le catholicisme. On ne doit combattre que spirituellement. Il néglige même de préciser les moyens de lutter. Mais nous savons que cette lutte spirituelle sera acharnée. En 1931 il consigne dans son *Journal* ces mots : « ' Volonté de détruire toute religion ' dans une assemblée du Comité national d'études... dont je lis le compte rendu ; douloureusement, mais de tout mon cœur avec eux... » Il applaudit aux efforts des communistes pour empêcher les prêtres de « malaxer les cerveaux des enfants. » Tout ce que fait l'Eglise, même les œuvres de charité, est empoisonné par son dogmatisme. Par exemple, la charité est basée sur la croyance à l'ordre existant ; on ne songe nullement à réparer le fond des choses. Le prêtre s'évertue à perpétuer l'ordre divin et à assurer sa place de privilégié. Gide va jusqu'à dire, « Nous tenons que le travail des prêtres est néfaste, même accompli par les plus dignes et les plus charitables des hommes. .... Tout ce qu'ils font de bon en tant que prêtres est mauvais. » Son anticléricalisme devient si fort qu'il affirme que ceux qui deviennent prêtres le font « par paresse, par ladrerie ; » son Abbé Bredel de *L'Ecole des Femmes* est destiné à en faire la démonstration. Il appert par conséquent qu'on doit combattre l'égoïsme des chrétiens puissants et la résistance passive des humbles. Il faut leur enseigner à se passer de la Providence, à ne rien accepter que ce qui se peut démontrer, et à travailler sans égoïsme pour l'amélioration de ce monde. « Voir ce que peut donner un état sans religion... sans mythologie, sans famille. La religion et la famille sont les deux pires ennemis du progrès. » [109]

Gide veut cependant que l'homme révolté garde devant ses yeux l'image du Christ, le révolutionnaire par excellence, qui se rangeait du côté des pauvres et qui n'est pas responsable de la tyrannie de ceux qui se disent ses disciples. Gide fait observer que c'est Lénine lui-même qui parle de « l'esprit démocratique révolutionnaire » du christianisme primitif. » [110] Malheureusement, cet idéal véritablement chrétien comporte des inconvénients. Car puisque depuis dix-huit cents ans l'image de Jésus-Christ est toujours associée à l'institution humaine de l'Eglise, avec son cortège de

109. *Ibid.*, pp. 1057-58, 1066, 1117, 1195 ; *Littérature engagée*, p. 46.
110. *Journal*, p. 1228.

dogmes, il est malaisé de les séparer l'une de l'autre. Tout en se plaçant sous l'égide du Christ, il faut rejeter toute trace de mysticisme, de théologie, et de vérité révélée. Voilà qui n'est pas facile. En voulant assurer leur monopole de l'enseignement évangélique, les chrétiens ont réveillé chez les communistes un antagonisme envers ce même enseignement qui est si pareil au leur, selon Gide. De là le refus chez les communistes, dans leur guerre contre la religion, de laisser subsister la moindre nostalgie pour le Christ et de s'arrêter en deça de l'athéisme absolu. En outre, le fait que Jésus a prêché l'acceptation, semblant livrer ainsi l'opprimé à l'oppresseur, ennuie les bolchevistes.

Cet abandon du Christ en Russie attriste l'auteur de *Numquid et tu... ?* Le besoin de dévotion est profondément enraciné dans l'homme, il le sait, et il regrette que la suppression de la foi chrétienne soit nécessaire. Au plus fort de son agnosticisme, il se sent formé par l'Evangile et il sait que certaines lois des Ecritures sont devenues des lois profondes de son être. Ainsi parle-t-il des « raisons sentimentales qui me font m'efforcer de trouver un terrain de conciliation, d'accord possible, entre le christianisme et le communisme. » Et, précise-t-il ailleurs,

> Parfois j'en viens à me demander si ce ne serait pas aussi que, sans vouloir me l'avouer, sans même le savoir ou m'en rendre compte, précisément je n'aurais jamais cessé tout à fait d'y croire [au Christ]. Oui, de croire en lui, à sa toute-présence immanente... [111]

Cette nostalgie, cet amour pour le Christ dans l'âme de Gide, suffirait à le faire honnir des communistes. Mais il y tient. C'est bien le Christ et non Marx, affirme-t-il, qui l'a amené au communisme. « Communiste, de cœur aussi bien que d'esprit, je l'ai toujours été... » [112] Ramon Fernandez a fait remarquer que le communisme gidien n'est que « la transposition des croyances chrétiennes dans un monde purement humain. » [113]

Le romancier ne put jamais lire *Le Capital,* pas plus qu'*Ainsi parla Zarathoustra.* Le matérialisme dialectique l'ennuyait et lui semblait une considération tout à fait secondaire. Il n'aurait jamais pu accepter la thèse marxiste

111. *Ibid.,* pp. 1131, 1156-57, 1176.
112. *Ibid.,* pp. 1132, 1176.
113. *André Gide et notre temps,* p. 70.

fondamentale : que l'histoire, qui est toute-puissante, marche dans une direction invariable vers un but précis, et que tout ce qui approche l'avènement de la société sans classes (fin de l'histoire) est justifié, que ce soit les guerres et les camps de concentration ou simplement la littérature de propagande. Gide écrira plus tard, « ' La fin justifie les moyens. ' C'est de cette spécieuse doctrine que... naissent... les plus abominables erreurs. »[114] Claude Naville a bien fait de montrer dans son livre sur Gide et le communisme comment celui-là a été naïf en croyant au « communisme chrétien » qui n'a vraiment que peu à voir avec le communisme véritable.[115] Plus tard l'auteur d'*Œdipe* se rendra compte effectivement que, si le communisme et l'évangélisme peuvent quelquefois se ressembler par leurs résultats, ainsi qu'il arrive en Russie, ils ne s'accordent guère sur le plan théorique. Pour le moment, laissant de côté toutes ces considérations philosophiques et historiques, il se passionne pour le progrès social des Russes et salue dans leur doctrine l'amour du prochain, qui reste son idéal. Comme maints communistes, il porte même dans cette nouvelle loyauté toute la ferveur, toute la dévotion qui caractérisaient autrefois sa croyance en Dieu. « Le bolchevisme de Gide, » écrit René Schwob, « est la parodie de l'Eglise. »[116]

Ainsi que nous l'avons fait remarquer, la période communiste de Gide est peu féconde du point de vue littéraire. Les textes de propagande, dont certains ont toutefois un style admirable, restent très inférieurs à la production imaginative de l'écrivain ; de même pour *L'Ecole des Femmes,* ce récit qu'il a achevé à contre-cœur. La pièce *Œdipe,* qui parut en 1931, se distingue pourtant des écrits médiocres de l'époque. Comme *Philoctète* et *Thésée,* cette adaptation d'un mythe grec est traitée dans un style sobre et frappant. Ainsi que dans *Thésée,* le ton d'*Œdipe* est souvent léger, ayant une allure désinvolte qui fait contraste avec le message sérieux du fond. Cette pièce reflète les préoccupations de l'auteur à l'époque. Elle révèle combien le domaine de la foi lui est à présent fermé. Commentant le mythe, l'auteur dit, « Œdipe est le surhomme. Il a pris conscience de sa

114. *Ainsi soit-il,* p. 58.
115. Claude NAVILLE. *André Gide et le Communisme.* Préface de Pierre Naville. Paris : Librairie du travail, [1936], pp. 40-41.
116. SCHWOB, *op. cit.,* p. 344.

grandeur par sa victoire sur le Sphinx. ....Celui qui déclenche la tragédie, c'est... le représentant de la religion établie. » [117] Il précise que la lutte entre l'individualisme et la soumission à l'autorité religieuse est un des sens les plus importants du mythe. « Le drame reste... l'opposition entre le perspicace antimystique et le croyant, entre l'aveugle par foi et celui qui cherche à répondre à l'énigme ; entre celui qui se soumet à Dieu et celui qui oppose Dieu à l'homme. » [118]

On constate tout de suite dans cette pièce théâtrale un certain anticléricalisme, qui ne paraît que peu dans les ouvrages précédents de Gide. A l'instar de Jocaste, dans la tragédie de Voltaire, Œdipe se pose ici en adversaire du prêtre Tirésias et méprise la superstition du peuple. A son avis Tirésias profite de la lâcheté de la foule, à qui il enseigne aisément la crainte des dieux, afin de la dominer. Il obtient que le peuple reste veule et soumis, ne connaissant ni liberté ni progrès. Œdipe se moque de l'explication mystique que donnent le grand-prêtre et le peuple au fléau de Thèbes. « Le peuple préfère toujours à l'explication naturelle l'interprétation mystique. » [119] Même la foule, qui se croit pieuse, ne mérite pas le respect du lecteur, car le chœur se range du côté des autels moins par une pitié véritable que par un désir égoïste de se protéger et, en l'espèce, de chasser le fléau. Le chœur est-il symbolique des capitalistes chrétiens dont la foi est plutôt de l'intérêt, de la mauvaise foi ?

Deuxièmement, le lecteur constate dans la pièce le refus du destin et la revendication de la liberté humaine. Œdipe se révolte contre la destinée qui lui a été préparée de toute éternité : « Crime imposé par Dieu, embusqué par Lui sur ma route. Dès avant que je fusse né, le piège était tendu, pour que j'y dusse trébucher. Car, ou ton oracle mentait, ou je ne pouvais pas me sauver. J'étais traqué. » [120] L'homme doit surmonter le destin antique ou la prédestination chrétienne, même s'il faut pour cela se faire violence. Ainsi qu'Ivan Karamazov et Kirilov, Œdipe désire que l'homme façonne sa propre destinée. Il doit vaincre la

117. Cité dans PIERRE-QUINT, *op. cit.*, pp. 459-60.
118. *Journal*, pp. 1106-07.
119. *Théâtre*, p. 261.
120. *Ibid.*, p. 295.

crainte religieuse et conquérir sa propre humanité sans le secours des dieux.

Troisièmement, à la foi en la révélation Œdipe oppose la foi en l'homme. Les lignes suivantes, éloquentes à cause de leur simplicité, présentent d'une manière précise le credo humaniste qui est celui non seulement de Gide mais aussi de toute une phalange d'écrivains français au vingtième siècle. Œdipe parle à ses fils :

> Tirésias nous embête avec son mysticisme et sa morale. .... [Il] n'a jamais rien inventé et ne saurait approuver ceux qui cherchent et inventent. Si inspiré par Dieu qu'il se dise, avec ses révélations, ses oiseaux, ce n'est pas lui qui sut répondre à l'énigme. J'ai compris... que le seul mot de passe, pour n'être pas dévoré par le sphinx, c'est : l'Homme.

Et de continuer à la louange de l'homme et plus particulièrement de l'individu (inconséquence du communisme gidien) :

> Car comprenez bien, mes petits, que chacun de nous, adolescent, rencontre, au début de sa course, un monstre qui dresse devant lui telle énigme qui nous puisse empêcher d'avancer. Et, bien qu'à chacun de nous, mes enfants, ce sphinx particulier pose une question différente, persuadez-vous qu'à chacune de ses questions, la réponse reste pareille..., que cette réponse unique, c'est : l'Homme, et que cet homme unique, pour chacun de nous, c'est : Soi. [121]

Une autre préoccupation gidienne qui se voit dans le drame d'Œdipe est la vieille question du renoncement. Œdipe s'est cru invincible, guidé par un dieu. Par la dure épreuve de l'assassinat, de l'inceste, et de la découverte, il en vient à douter de soi et à haïr son acte, chose qu'il a crue impossible. « A présent je ne me reconnais plus dans mes actes. Il en est un, sanglant, pourtant bien né de moi, que je voudrais désavouer... » [122] Comme son prototype, il se crève les yeux dans un geste que Tirésias interprète comme l'expression du repentir, mais qui représente bien plutôt la conscience chez le héros du mal, de la nécessité de renoncer à son égoïsme pour obtenir de la joie, et du dépassement possible dans le sacrifice. Le roi se rend compte aussi de la valeur de la solidarité humaine. Lorsque la peste a quitté

121. *Ibid.*, pp. 283-84.
122. *Ibid.*, p. 296.

Thèbes, grâce à son expiation, il dit, « Quels qu'ils soient, ce sont des hommes. Au prix de ma souffrance, il m'est doux de leur apporter du bonheur. » [123] Quoi qu'en dise le grand-prêtre, cet acte ne montre pas le triomphe des dieux ; il n'a aucune portée transcendantale. Il symbolise l'avènement futur d'une humanité nouvelle, née de la souffrance, guidée par la généreuse Antigone qui quitte les autels pour suivre son père. Il est intéressant de noter que ce thème est présenté au moyen du symbole de la cécité : la cécité physique qui permet l'illumination spirituelle. Ce motif, très ancien dans la pensée de l'auteur, n'a évidemment pas été épuisé dans *La Symphonie pastorale.*

Il est utile de mentionner un dernier thème de l'ouvrage : l'idée de Dieu. Il est évident qu'Œdipe n'y croit pas et que Tirésias y croit ou tout au moins en fait semblant. Mais placés entre eux sont Antigone et Polynice, qui discutent le problème de Dieu. Polynice présente une vue bien gidienne : « Dieu, » dit-il à sa sœur, « c'est tout simplement ce que tu mets au bout de cet élan de ta pensée. ....[C'est un] simple reflet de tes vertus. » [124] *Œdipe* présente ainsi plusieurs aspects de la pensée religieuse de l'auteur dans les années 1930. Conçu lors de la naissance de sa ferveur communiste, il n'est heureusement pas simplement une œuvre de propagande politique.

Toute la pensée gidienne reste imbue de l'influence communiste pendant les années 1930 à 1936. Même la délicieuse *Perséphone* (jouée en 1934) contient un message humanitaire. Il est vrai que dès 1933 l'écrivain nota que le communisme était une orthodoxie et qu'il lui était donc suspect. Mais ce n'est que lors de son voyage en Russie en 1936 que les écailles commencèrent vraiment à lui tomber des yeux au sujet du communisme et de l'expérience russe. Dans les notes de voyage qu'il composa après son retour, on voit clairement tout ce qui le séparait des bolchevistes sur le plan idéologique et sur le plan pratique. Déjà en 1933 il avait écrit dans son *Journal* un passage qui accuse les communistes de ne savoir distinguer entre le Christ et l'Eglise. « Le Christ, » dit-il, « est des vôtres. » Tout en niant la divinité du Christ (même la divinité immanente), les

123. *Ibid.*, p. 304.
124. *Ibid.*, p. 274.

bolchevistes devraient admettre son humanité supérieure. [125] Or, il n'en était rien. Après son voyage, il avoua sa déception devant l'attitude butée des communistes :

> Je doute que l'U.R.S.S. ait été bien habile dans la conduite de cette guerre d'anti-religion. Il était loisible aux marxistes de ne s'attacher ici qu'à l'histoire et, niant la divinité du Christ et jusqu'à son existence si l'on veut, rejetant les dogmes de l'Eglise, discréditant la Révélation, de considérer tout humainement et critiquement un enseignement qui, tout de même, apportait au monde une espérance nouvelle et le plus extraordinaire ferment révolutionnaire qui se pût alors... Il était loisible de dire en quoi l'Eglise même l'avait trahi... [126]

Au lieu de quoi, le gouvernement russe supprimait le plus possible l'influence de l'Evangile. Visiblement Gide ne cherchait pas à comprendre pourquoi les bolchevistes ne s'intéressaient pas au Christ et ne pourraient jamais songer à réhabiliter son enseignement. Des considérations qui étaient loin d'être éthiques motivaient l'attitude des chefs communistes. Même chez les révolutionnaires les plus fervents on s'intéressait à des progrès matériels et à la lutte des classes plutôt qu'à une morale individuelle. D'ailleurs en Russie il aurait été manifestement fantaisiste de vouloir faire abstraction de l'Eglise orthodoxe en ne tenant compte que du Christ.

Ayant les yeux dessillés sur de nombreux points de la doctrine et de la pratique communistes, Gide revenait peu à peu à des habitudes qui, si elles n'étaient pas traditionnelles, révélaient plus d'esprit critique et étaient plus fidèles à sa pensée en général. Dans le domaine religieux il affirmait encore une fois l'importance extrême de l'Evangile dans la culture humaine et pour la formation d'une nouvelle humanité. Tout en condamnant la superstition et le dogmatisme, il écrit, « L'ignorance, le déni de l'Evangile et de tout ce qui en a découlé ne va point sans appauvrir l'humanité, la culture d'une très lamentable façon... » [127] Il s'était aperçu que le communisme russe était aussi une orthodoxie qui pourrait être même plus tyrannique que la

125. *Journal,* p. 1178.
126. André Gide. *Retour de l'U.R.S.S.* et *Retouches à mon Retour de l'U.R.S.S.* [Paris] : Gallimard, [1950], p. 89.
127. *Ibid.,* p. 90.

bigoterie religieuse et qui détruisait la liberté esthétique — considération majeure.

Au dire des critiques catholiques, la méprise de Gide au sujet du communisme démontrait la fausseté de sa position humaniste. D'après les marxistes, cette expérience révélait tout simplement la mauvaise foi de Gide et la décadence de la bourgeoisie française qui ne saurait accepter la révolution. Pour ceux qui étudient la pensée religieuse gidienne, cet épisode de son évolution est illuminant. Il en sortit légèrement désabusé, mais tout compte fait en 1936 son attitude envers Dieu et l'Eglise était beaucoup plus radicale que celle de 1925 ou même de 1930. Plusieurs points de vue qu'il n'avait fait qu'effleurer avant 1930 s'étaient développés et avaient pris un rôle important dans son dialogue intérieur sur la question religieuse. Le rejet de l'Eglise, même de toute son action bienfaisante, fut accompli dans la décade de 1930 où il consacra beaucoup de temps, ainsi qu'on l'a vu, à la réflexion sur la croyance humaine et sur les cultes établis. Sa haine des rites et des superstitions avait augmenté. Il ne niait pas la valeur du mot Dieu pour désigner les forces naturelles ou bien l'idéal éthique, mais il refusait de reconnaître quoi que ce soit de bon et de créateur dans un culte organisé et dans la croyance à un Dieu transcendant. Il prit position sur l'alliance de l'Eglise avec les puissances conservatrices, voire opprimantes, de la terre, la dénonçant violemment. Dans une déclaration catégorique, il affirma que « l'athéisme seul peut pacifier le monde aujourd'hui. » [128] A partir de l'expérience communiste et jusqu'à sa mort il ne cessera de considérer la question de l'utilité et de la validité des croyances religieuses en rapport au bien-être de tous, aussi bien qu'à celui de l'individu. Il avait décidé que les problèmes d'éthique et de croyance individuelles ne pouvaient plus être séparés des questions sociales.

Au cours des quinze années que nous avons examinées dans ce chapitre, Gide s'est construit un humanisme athée et a dit non, sans ambages, aux sectes chrétiennes et à toute croyance en Dieu. Cette position se prolongera au-delà de la déception communiste et restera un des pôles de sa pensée jusqu'à sa mort en 1951, encore que d'autres points de vue

128. *Journal*, p. 1131.

attirent alors aussi son attention. Les années 1930 à 1936 représentent probablement le sommet de son anticléricalisme et de son hostilité à toute croyance. Cette attitude extrême s'adoucira quelque peu sur la fin de sa vie, et elle se revêtira de plusiurs nuances nouvelles. La victoire de Prométhée sur Zeus dans sa pensée a été toutefois complète, et ainsi qu'entre 1920 et 1936, dans les années de la deuxième guerre mondiale et ensuite, toute sa pensée et toute sa production littéraire se placeront sous le signe de l'Homme.

VIII

THESEE, CONTEMPTEUR DES DIEUX

En 1946, André Gide répondit à un jeune homme qui lui avait demandé des conseils, « Catholicisme ou communisme exige, ou du moins préconise, une soumission de l'esprit. .... Le monde ne sera sauvé, s'il peut l'être, que par des insoumis. » Il ajouta, « Ils sont, ces insoumis, ... les responsables de Dieu. Car je me persuade que Dieu n'est pas encore et que nous devons l'obtenir. » [1] Ces quelques phrases exposent la position de l'écrivain depuis sa déception communiste jusqu'à sa mort en 1951. Pendant ces quinze années l'auteur, regrettant son engagement partiel pour le communisme et gardant sa méfiance des cultes, lutta pour l'individualisme et l'éthique personnelle et laïque. C'était, pensait-il, au moyen de la réalisation individuelle et ensuite collective d'un haut idéal moral et intellectuel que Dieu serait créé.

Dans ce chapitre, le dernier de notre étude, nous nous proposons d'examiner les traits principaux de la pensée religieuse de Gide pendant cette période finale de sa vie. Nous étudierons son attitude envers Dieu, l'Eglise, le Christ, l'Evangile, et le protestantisme. Nous verrons également sa position vis-à-vis du problème éthique et de la question de l'au-delà. On apprendra ce qu'il entend par les « insoumis » comme Thésée qui doivent sauver l'homme et par ce « Dieu » que l'homme doit obtenir. Après quoi nous présenterons un résumé de l'évolution de la pensée religieuse de Gide et tâcherons de dégager la signification de cette pénible odysée spirituelle.

1. André GIDE. *Journal 1942-49*. Paris ; Gallimard, c. 1950, p. 253.

Il importe de jeter un coup d'œil sur la vie publique et privée de Gide dans ces dernières années de sa vie. Tout en se retirant des organisations à tendance communiste, il continuait à s'intéresser à certaines causes sociales. De temps en temps il faisait paraître un discours ou une lettre au sujet du militarisme, des ouvriers, ou de la politique, et il parlait fréquemment à la radio. Il profitait de ce que son nom avait un certain poids pour condamner publiquement toute tyrannie, quelle qu'elle soit. Pourtant, dans les dernières années de sa vie il publia bien peu d'écrits importants. Après l'édition du *Journal* avec les *Œuvres complètes,* dont le dernier tome parut en 1939, l'auteur continuait à faire paraître de nouveaux cahiers du *Journal* mais ils manquent de spontanéité et ils sont par endroits faibles. Ses deux dernières pièces, *Le Treizième Arbre* et *Robert ou l'Intérêt général* (avec son message socialiste et son anticléricalisme) sont nettement médiocres. Ses essais, tels qu'*Interviews imaginaires, Ainsi soit-il,* et les articles recueillis dans *Feuillets d'automne,* ont plus d'originalité mais laissent croire quand même à un tarissement de l'inspiration gidienne. Seul *Thésée* fait voir son ancienne maîtrise de la langue, son esprit, et l'envergure originale de sa pensée. Ce récit résume du reste presque tout le message gidien, car l'auteur y loue tout à tour l'individualisme, la liberté, l'éthique personnelle, l'aventure, l'anti-traditionalisme, et le dépassement de soi. Ce « testament » intellectuel parut quelques années avant la nomination de l'auteur comme lauréat Nobel en 1947 et la condamnation formelle de tout son œuvre par l'Eglise, le 24 mai 1952.

La femme de Gide mourut en 1938. Comme au moment de la mort de sa mère, il se sentit désemparé, car il est certain qu'une des sources d'inspiration les plus profondes de sa vie et de son œuvre avait disparu. Il se rapprocha même davantage de sa « seconde famille, » Mme Théo Van Rysselberghe et sa fille Elisabeth. Lorsqu'éclata la guerre, il passa quelques temps dans le Midi et alla ensuite jusqu'à Tunis, où il habitait chez des amis. Après la libération il s'installa de nouveau chez Mme Théo, habitant avec elle tantôt à Paris, tantôt sur la Côte-d'Azur. C'est dans cette famille qu'il mourut en 1951. Il fut enterré à Cuverville après une cérémonie religieuse contre laquelle Roger Martin du Gard et d'autres protestèrent avec force.

Il existe une continuité remarquable entre la pensée religieuse de Gide dans l'entre-deux-guerres et sa position définitive. La mort de sa femme, au lieu de changer le fond de sa pensée, lui permettait simplement de se prononcer sans scrupules sur la question chrétienne. S'il changeait momentanément d'avis au sujet de l'Eglise, ainsi qu'on le verra, trouvant utile sa lutte contre l'hitlérisme, il ne manquait pas de revenir bientôt à son anticléricalisme. L'orientation générale de sa pensée resta libérale, et il ne cessa de vanter un humanisme gœthéen, sans culte, et une éthique laïque. Cette hardiesse dans sa pensée est remarquable, étant donné l'affaiblissement inévitable de ses pouvoirs et le fait que la vieillesse est d'ordinaire très conservatrice.

Cependant on constate que l'humanisme gidien se nuance légèrement après la déception communiste. Le lecteur a vu que déjà lors de son retour de Russie, le romancier se prononça sur la nécessité de la spiritualité dans la vie humaine et sur la valeur unique des préceptes de l'Evangile. Au cours de la deuxième guerre mondiale, et même avant cette guerre, dans la noire incertitude qui pesait sur l'Europe, il reconnaissait que l'Occident se désagrégeait parce qu'on avait abandonné les idéals évangéliques en faveur d'un matérialisme vulgaire et de l'ambition égoïste. Après la guerre, lorsqu'il était témoin du désordre social et politique laissé dans le sillage du désastre, il ne cessait de dire que l'homme était à refaire et que seule une nouvelle spiritualité pourrait fournir le levain nécessaire. Gide tenait donc à son humanisme sans culte, sans théologie, mais faisait valoir davantage l'importance de l'éthique d'abnégation telle qu'elle est prêchée dans le Nouveau Testament et hésitait à se donner le nom d'athée.

Examinons de près l'attitude de l'auteur de *Thésée* envers Dieu et envers d'autres questions religieuses. Qu'on nous permette de répéter qu'il n'existe pas de solution de continuité entre la position qu'il prit dans l'entre-deux-guerres et sa dernière attitude. Comme à l'époque de sa lune de miel avec le communisme, il affirme qu'il ne croit pas en Dieu dans le sens orthodoxe. Après la deuxième guerre, il dit à Léon Pierre-Quint, « Aujourd'hui quand je parle de Dieu je dis non catégoriquement » [2] Et il écrit

2. PIERRE-QUINT, *op. cit.*, p. 507.

ailleurs : « J'aurai beaucoup fait si j'enlève Dieu de l'autel et mets l'homme à sa place. »[3] Son attitude vis-à-vis de Dieu comprend divers éléments. Tout d'abord on remarque qu'il souligne de nouveau le décalage entre le naturel et le surnaturel, entre l'univers mécanique et l'esprit de générosité et d'amour qui est divin. Il affirme qu'il se sépare des croyants par « la confusion que le catholicisme tente d'établir entre un dieu-maître de la nature et un dieu-providence (ou simplement un dieu réalisé humainement dans le Christ). »[4] Ailleurs il déclare,

> Il ne peut être question de deux dieux. Mais je me garde, sous ce nom de Dieu, de confondre deux choses très différentes : ... D'une part, l'ensemble du cosmos et des lois naturelles qui le régissent ; matière et énergies ; cela c'est le côté Zeus ; et l'on peut bien appeler cela Dieu mais c'est en enlevant à ce mot toute signification morale et personnelle. D'autre part, le faisceau de tous les efforts humains vers le bien, vers le beau... ceci, c'est le côté Prométhée, et c'est le côté Christ aussi bien, c'est l'épanouissement de l'homme, et toutes les vertus y concourent.[5]

Ce Dieu de la vertu, nous assure Gide, « doit lutter à la fois contre le Zeus des forces naturelles et contre la malignité des hommes. » L'homme pourra maîtriser la nature pour permettre son propre progrès ; mais Dieu n'est pas la donnée naturelle première. A Robert Mallet Gide dit, « Le panthéisme est assez enfantin. J'étais panthéiste. »[6] Dieu est plutôt le bout de l'homme et dépend de lui. « Ce bout, cette extrémité, je tâche de me persuader que c'est Dieu. »

Dieu est peut-être aussi l'origine du genre humain, dit Gide, mais non pas de la façon que s'imaginent les croyants. Sa conception de Dieu comme origine est vague et ambiguë, surtout parce qu'il le considère comme fin aussi. Dans ce passage-ci il tâche d'éclaircir sa position :

> Je me persuadais à la fois que Dieu ne s'accomplissait que par l'homme et qu'à travers lui ; mais que si l'homme aboutissait à Dieu, la création, pour aboutir à l'homme, partait de Dieu, de sorte qu'on retrouvait le divin des deux bouts... Je ne consentais plus à dissocier

3. *Journal 1942-49*, p. 275.
4. *Feuillets d'automne*, p. 264.
5. « Deux interviews imaginaires », p. 53.
6. MALLET, *op. cit.*, p. 57.

l'un de l'autre ; Dieu créant l'homme afin d'être créé par lui ; Dieu fin de l'homme ; le chaos soulevé par Dieu jusqu'à l'homme, puis l'homme se soulevant ensuite jusqu'à Dieu. .... Il ne s'agissait plus d'obéir à Dieu, mais de l'animer, de s'éprendre de lui, de l'exiger de soi par amour et de l'obtenir par vertu. [7]

De nouveau on constate que la position gidienne repose sur une confusion entre l'existence objective et l'existence subjective de Dieu, ou plutôt sur la rencontre de ces deux points de vue. L'écrivain ne rejette pas ici la possibilité de la réalité ontologique de la Divinité. Il semble accueillir également ici la notion d'une manifestation téléologique possible de cette Divinité mystérieuse. Il est vrai que souvent il attaque la notion de la finalité dans la nature, estimant que les explications téléologiques sont un jeu gratuit. On lit dans son *Journal* ce passage :

Je me refuserai à considérer la finalité dans la nature. Selon les conseils des meilleurs, je remplacerai partout, systématiquement, le pourquoi par le comment... Dans la nature... il n'y a pas de problèmes, il n'y a que des solutions. [8]

Cette optique peut être féconde du point de vue scientifique mais en l'élisant on escamote des questions essentielles. D'ailleurs, en discutant ce problème de l'origine de l'homme, qu'il ne saurait éviter, l'écrivain doit reconnaître que quelque chose de mystérieux a favorisé le développement de la race.

Obtenir l'homme... des milliards de siècles n'y auraient pu suffire par la seule contribution du hasard. ... L'esprit ne peut s'en tirer qu'il n'admette une propension, une pente, qui favorise le tâtonnant, confus et inconscient acheminement de la matière vers la vie, vers la conscience ; puis, à travers l'homme, vers Dieu.

Plus loin le prosateur avoue que plus incompréhensibles même que la conscience sont les sentiments désintéressés. [9] Or, ce sentiment désintéressé, cette pente qui favorise le développement de l'homme, est-ce Dieu ? Au fond, pour Gide c'est une question insoluble que de déterminer la précédence de Dieu (l'idéal) sur l'homme ou l'homme sur l'idéal.

7. *Journal 1942-49*, p. 11.
8. *Ibid.*, pp. 272-73.
9. *Ibid.*, pp. 12, 275-76.

Et étant donné cette confusion, il est également impossible de déterminer la réalité ontologique de Dieu.

Somme toute, à la longue Gide esquive le problème. « D'où viennent le beau et le bien ? » Il sait seulement que, d'une façon ou d'une autre, « l'homme est responsable de Dieu. » Dieu est en l'homme et se réalisera par lui. Il est vrai que l'écrivain se contredit radicalement au moins une fois sur cette question, ce qui n'est pas étonnant à quiconque le connaît. Par exemple, il dit, « Un Dieu ne s'identifie à rien, sinon à lui. Il n'*est* pas ce qu'il crée. Dieu n'*est* pas l'homme, il le fait. » [10] Mais d'habitude sa position est antithétique à celle-là : « Je ne crois pas à un autre Dieu que celui qui se forme dans leur esprit et leur cœur [des hommes]. » [11] Dieu est vertu, il est cette abnégation que le Christ nous a enseignée en voulant sauver l'humanité et qui nous sauve en effet.

L'Evangile demeure pour l'auteur de *La Porte étroite* le grand manuel de bonheur et de vertu. Tout le long de sa vieillesse il répète des louanges de la Bible qui auraient pu sortir de la bouche d'André Walter. Elle « contient meilleur conseil qu'aucun autre livre du monde. » L'écrivain dit y avoir trouvé une « instruction secrète qui m'a enrichi, guidé, déterminé. » [12] Néanmoins, au lieu de considérer le Nouveau Testament comme un document sacré, d'inspiration miraculeuse, il y puise seulement des préceptes moraux de portée humaine et un modèle de la vie éthique la plus haute. Puisqu'il n'admet l'enseignement de l'Evangile qu'en dehors de l'Eglise, celle-ci ne saurait l'approuver. Il écrit, « Il y a plus de lumière dans les paroles du Christ qu'en toute autre parole humaine. » Mais il ajoute, « Cela ne suffit pas, paraît-il, pour être chrétien ; en plus de cela, il faut croire. Or, je ne crois pas. » [13] D'ailleurs, le Christ est en quelque sorte un modèle *surhumain*, de sorte que sur un plan plus pratique, le modèle, affirme Gide, reste Gœthe.

Le refus du « mysticisme » et de la foi demeure un élément important du dernier credo de Gide. « Mon esprit refuse accueil à ces assertions mystiques. Ce n'est point de ma part incompréhension mais désassentiment et protesta-

10. MALLET, *op. cit.*, p. 57.
11. *Journal 1942-49*, p. 152.
12. « Deux interviews imaginaires », p. 49 ; *Journal*, p. 1286.
13. *Ainsi soit-il*, p. 174.

tion devant cette ' flatteuse erreur '... où je sens trop de complaisance. »[14] Tout en avouant que le mysticisme favorise le lyrisme, il le rejette parce qu'il estime à présent que l'état lyrique est un peu enfantin, que c'est quelque chose qu'il faut dépasser. Et comme après la première guerre, il dit non catégoriquement aux dogmes et aux croyances qui nécessitent l'abdication de la raison. Il dénonce « l'effort de la foi pour arrêter le progrès de la connaissance, et la croyance aux dogmes de l'Eglise [qui s'oppose] aux recherches de la science. » A la foi, il préfère la recherche pénible de la vérité selon les principes de la logique. Lorsqu'un ami lui déclara qu'il n'avait pas la pensée libre parce qu'il était esclave de la logique, voici ce qu'il répondit :

> J'accordai qu'il fallait une singulière liberté de pensée pour croire aux miracles et à tout ce qui s'ensuit ; et que je voyais bien que son esprit à lui ne répugnait pas à admettre ce qui... me paraissait contraire à la raison. C'est même là le propre de la foi. .... La foi soulève des montagnes ; oui, des montagnes d'absurdité. Je n'oppose pas à la foi le doute mais l'affirmation : ce qui ne saurait être n'est pas.[15]

Un autre passage reprend avec insistance cette même thèse :

> Vous savez bien que la croyance en un Dieu personnel, en la Providence, implique une abdication de tout ce qu'il y a de raisonnable en nous. Je préfère même, et de beaucoup, le Quia absurdum à tout l'effort raciocinant de certains pour rattacher au plan divin les efforts hasardeux des forces et des lois naturelles, ou les folies criminelles des hommes.[16]

Il voudrait donc enseigner au monde à renier les doctrines théologiques, qui entravent la pensée, et à se passer de la croyance à la Providence, qui nous déçoit. Tout en regrettant après la guerre « la faillite générale de ce qui nous paraissait sacré, de ce qui nous invitait à vivre... nous sauvait du désespoir, » il affirme néanmoins qu'il est lâche de s'en tirer en fermant les yeux, en croyant à quelque pouvoir surnaturel qui redressera la balance.[17] Il faut plutôt

14. *Journal 1942-49,* p. 210.
15. *Ibid.,* pp. 208, 237-38, 272-73.
16. « Deux interviews imaginaires », p. 50.
17. *Ainsi soit-il,* pp. 156-57.

faire face à la réalité et prendre sur soi de hâter le règne de la justice.

L'auteur de *Si le grain se meurt* continua jusqu'à sa mort à attaquer la doctrine de l'immortalité. Sur ce compte les déclarations abondent. La plupart d'entre elles sont des refus catégoriques de la notion de l'au-delà. L'idée d'une récompense éternelle lui semblait inadmissible. Il niait même la possibilité de la survie après notre mort dans une sorte d'Esprit impersonnel et absolu. Lors de la mort de sa femme il affirma qu'il ne croyait pas à l'immortalité des âmes, et même à la veille de sa propre mort il dit non à cette croyance. Il ne croyait, disait-il, qu'à la survie dans la mémoire des hommes et à la vie « éternelle » ici et maintenant. En 1943, après avoir parlé de la doctrine orientale du Nirvana, il écrivit dans le *Journal* :

> A vrai dire je ne puis même parvenir à souhaiter vraiment... cette résorption qu'ils cherchent et obtiennent de l'individu dans l'éternel. Je tiens éperdument à mes limites et répugne à l'évanouissement des contours que toute mon éducation prit à tâche de préciser... [18]

L'écrivain révèle ici l'empreinte de son éducation individualiste française et plus particulièrement protestante. Cet individualisme extrême, qui semble tant soit peu orgueilleux, s'oppose au fond non seulement à la philosophie orientale mais aussi au christianisme, qui enseigne qu'on sera ressuscité corporellement mais libre des impuretés de la chair, des défauts de l'égoïsme.

Ce doute au sujet de la survie (doctrine que Gide appelle « inacceptable, instinctivement et intellectuellement ») provient en partie de ce que l'écrivain ne croit plus à l'existence de l'âme dans le sens chrétien. Il semble que sur la fin de sa vie il se soit particulièrement efforcé d'éclaircir sa position sur cette question qui sans doute le préoccupait. Il se sert du mot « âme, » dit-il, pour désigner « ce faisceau d'émotions, de tendances, de susceptibilités dont le lien n'est peut-être que physiologique. » En parlant de sa femme, il dit paradoxalement, « C'était son âme que j'aimais, et cette âme, je n'y croyais pas. » [19] L'âme est au corps,

18. *Journal 1942-49,* p. 195.
19. *Ibid.,* pp. 25, 310-11.

d'après lui, ce qu'est la lueur du phosphore à ce phosphore qui la produit. Cette âme d'origine tout immanente ne saurait évidemment survivre à sa demeure charnelle. C'est pourquoi d'ailleurs l'Eglise insiste sur la résurrection de la chair. Le romancier doit avouer que sa façon personnelle de « comprendre » l'âme ne résout pas le problème de la spiritualité humaine, de l'amour, de l'idéal, du désir de l'absolu. Mais ceux qui croient à une âme séparée du corps ne le résolvent pas non plus.

Pour ce qui est du catholicisme, les déclarations que fait l'auteur des *Faux-Monnayeurs* vers la fin de sa vie sont très tranchantes. Il est curieux de voir qu'en 1938 il loue « le spectacle de la résistance immatérielle de l'Eglise » au fascisme, appréciant ses efforts pour prendre au pied de la lettre le commandement de tendre l'autre joue. Il loue aussi les ressources spirituelles de l'Eglise. « Gœthe n'enseigne pas l'héroïsme et nous avons besoin de héros. Le christianisme peut nous mener à l'héroïsme, dont une des plus belles formes est la sainteté. » [20] Dans les années qui précèdent la guerre il lui semble que l'Eglise a de nouveau pris conscience de sa mission véritable et qu'elle s'oppose dès lors à ceux qui cherchent dans la religion « une assurance confortable. »

> Le flanchage du communisme restitue au christianisme sa portée révolutionnaire. Le catholicisme trahit dès qu'il se fait conservateur... de titres, de fortunes, de privilèges. .... Que quelques catholiques le sentissent, je n'en ai jamais douté. Mais il semble aujourd'hui que l'Eglise même le comprenne... Certains (dont Péguy d'abord, puis Maritain, Marcel, Mauriac, Berdiaeff, Bergamin) y ont beaucoup aidé. [21]

Gide reconnaît ici comme il l'a fait très rarement la valeur spirituelle du renouveau catholique en France et la hauteur de l'exemple d'un Péguy, d'un Gabriel Marcel. Il voit le rôle que l'Eglise pourrait jouer dans la reconstruction de l'Europe et la juge donc d'une grande utilité sociale, sinon spirituelle.

Se ravisant bientôt cependant, il retourne à son anticléricalisme. On décèle plusieurs raisons pour cette nouvelle volte-face. En premier lieu, au cours de la guerre il dut se

20. « Deux interviews imaginaires », p. 46.
21. *Journal*, pp. 1321, 1326-27.

rendre compte, ainsi que de nombreux Français, que l'idéal chrétien de la non-résistance, quelque admirable qu'il soit, ne saurait servir dans les conflits nationaux. Avant la guerre Gide avait fait partie de plusieurs comités pacifistes, mais, si le pacifisme restait préférable en théorie, il devint évident après la défaite de la France qu'il fallait résister ou bien perdre toute la tradition française de liberté et de démocratie. Dans les *Feuillets d'automne,* il écrivit, « L'idéal chrétien défie toute prudence humaine. Aussi bien ne paraît-il guère de mise en un temps où tendre la joue gauche... risquerait d'entraîner la perte affreuse... de la patrie. » [22] Et, remarque-t-il, la notion de justice, si importante de nos jours, n'est pas à proprement parler évangélique. Cette conscience chez Gide que l'éthique de l'Evangile ne pourrait répondre seule à cette guerre le fit peut-être revenir de sa position favorable à l'Eglise.

Deuxièmement, il était écœuré par les « armes truquées ou douteuses » qu'employait l'Eglise pour réaliser ses propres fins. L'honnêteté et l'intelligence critique de l'auteur ne pouvaient approuver une tactique qui lui paraissait injuste : le dogmatisme, l'intolérance, le « lavage du cerveau. » Troisièmement, il n'admettait pas que la foi fût la seule façon de s'opposer au despotisme. C'était un remède aussi dangereux, croyait-il, que le mal qu'il prétendait guérir.

> Chercher à restaurer en nous le sens du sacré et à obtenir de nous une soumission de l'esprit sans examen ni contrôle, à une autorité intangible, à des vérités reconnues d'avance et échappant à la discussion... cette route... est aussi dangereuse pour l'esprit que celle même de l'hitlérisme... C'est au nom des vérités admises et indiscutées que l'Eglise condamnait naguère Galilée... Tout l'effort d'un Descartes, d'un Montaigne même sera-t-il à recommencer ? [23]

Tout compte fait, donc, le « mysticisme » irrationnel de l'Eglise, son dogmatisme, l'influence de son clergé, et ses prétentions à la vérité exclusive — des choses qu'il lui reprochait depuis longtemps — détruisirent de nouveau la sympathie que l'écrivain avait éprouvée pour les catholiques. C'est ainsi qu'il dit à Martin du Gard en 1949 :

> Non, non ! Les Eglises et la Foi ont vraiment fait trop de

22. *Feuillets d'automne,* pp. 233-34.
23. *Journal 1942-49,* p. 15.

mal. Je ne peux pas rester indifférent ; jusqu'au bout je me refuserai à accepter cela. Il faut détrôner les Eglises ! Déjouer leurs ruses ! Arracher l'homme à leur envoûtement. Vous êtes trop conciliant... La tolérance, c'est donner des armes à l'adversaire. Si l'on renonce à combattre, autant capituler tout de suite... Moi, je ne veux pas laisser faire. Tant que j'aurai un souffle, ce sera pour crier : Non ! aux Eglises. [24]

Ce cri vraiment voltairien fait preuve d'une intolérance de mauvais aloi chez le vieillard qui n'existait pas chez le jeune homme. Mais l'anticléricalisme aggressif de Gide n'est pas uniquement une obsession de vieillard ; c'est le résultat d'une évolution intellectuelle logique, basée sur des convictions sincères.

Encore une fois il faut jeter un coup d'œil sur l'attitude de Gide envers les écrivains catholiques dans l'intimité desquels il avait travaillé et même vécu, car cette attitude est révélatrice. Vis-à-vis de Claudel et de Jammes (mort en 1938) l'auteur des *Caves du Vatican* éprouvait une sorte de ressentiment, qui était toutefois loin d'égaler le leur. En particulier l'ascendant de Claudel et de ses jugements tranchants semblaient l'obséder. Il estimait que la publication de sa correspondance avec les deux poètes catholiques et avec Du Bos le justifieraient à leurs dépens. Par moments pourtant il trouvait assez comique le spectacle du vieux poète des *Odes* acharné contre lui, et quelquefois on a l'impression qu'il ne lui déplaisait pas d'être la victime des anathèmes claudéliens. Il appréciait d'une façon assez juste l'esprit souvent étroit de Claudel (et soulignait en même temps sa propre position) :

Rien ne m'est plus étranger que cet esprit de domination de Claudel. ...Etant bien prouvé par « les Ecritures » que je n'ai aucun talent et que je ne saurais en avoir, toute attention qu'on m'accorde ne peut être due qu'à l'intrigue... Grande analogie avec le culte communiste ; l'on n'entre dans la maison sans laisser à la porte... bon sens et esprit critique, toute liberté de pensée.

Gide se croyait beaucoup plus tolérant envers les catholiques qu'ils ne l'étaient envers lui. « Au lieu de m'opposer à l'adversaire, j'use mes forces à comprendre. .... Mais ils ne

24. Roger Martin du Gard. *Notes sur André Gide, 1913-51.* Paris: Gallimard, [1952], p. 150.

sont pas de bonne foi, force est, hélas, de s'en convaincre. » [25] Se défendant contre les accusations de Claudel, il s'enorgueillissait également du nombre de conversions qu'il avait inspirées ou aidées, surtout parmi la jeune génération. Il dit du reste à Jean Lambert, « Des spécialistes m'ont assuré que j'étais plus chrétien que lui [Claudel]. » [26]

A la même époque où Gide critiqua constamment le catholicisme, sa position vis-à-vis du protestantisme en France semblait s'adoucir. Sa rancune adolescente étant disparue depuis longtemps et son anticatholicisme ayant augmenté, il commença à trouver dans l'Eglise réformée en France un levain, un « sel » évangélique, précieux. Selon lui, le protestantisme encourageait à la fois l'individualisme et la discipline de soi — deux choses qu'il réclamait de plus en plus. La grande initiative individuelle des Anglo-saxons venait de leur formation protestante, croyait-il. Il admirait l'austérité, la noblesse, la résignation qui semblaient caractériser les écrivains protestants de langue anglaise. A la différence de l'Eglise romaine, le protestantisme ne lui paraissait pas un credo facile, refuge des paresseux. « Je crois... la morale des peuples protestants plus virilisante que celle des catholiques, encourageant mieux l'effort. » [27] Dans le bercail protestant se trouvaient peut-être quelques-uns de ces « insoumis » qui devaient sauver la terre. Il affirme donc,

> N'était cette sacrée question de croyance devant laquelle se hérisse irréductiblement ma raison, je m'entendrais bien avec [les protestants], quant aux vertus du moins qu'ils préconisent [et] dont très souvent ils se persuadent que la foi leur permet de se passer.[28]

Il ne cessait pas pour autant de critiquer « la rigueur puritaine. »

L'éthique gidienne montre à partir de 1936 la même continuité avec son attitude précédente qu'on constate dans sa position vis-à-vis de Dieu et du Christ. Le romancier revendiquait toujours une éthique exigeante fondée sur la discipline de soi et sur l'amour plutôt que sur une croyance

25. *Ainsi soit-il*, pp. 58, 153-54.
26. Jean Lambert. *Gide familier*. Paris : Julliard, c. 1958, p. 134.
27. *Journal 1942-49*, pp. 27, 108.
28. André Gide. *Journal 1939-1942*. Paris : Gallimard, c. 1946, pp. 21-22.

religieuse. Comme auparavant, il était hanté par le besoin d'une morale qui pût à la fois discipliner ses élans, lui fournir un idéal, et justifier ses actes. L'empreinte chrétienne et calviniste chez Gide ne se voit jamais mieux que dans ce besoin foncier d'une éthique. Louis Bouyer parle de la « totale intériorisation du sens de l'obligation qui, loin de diluer [la conscience] arrive à la rendre obsédante, » phénomène typiquement calviniste et aussi gidien.[29] Pour ceux qui éprouvent cette obsession de la conscience, il faut trouver une morale laïque lorsque disparaît la base religieuse de la morale.

Or, le croyant ne voit dans le rejet des commandements divins qu'une invite à la licence. Si c'est vrai, dit Gide, il faudra garder Dieu et la « crainte sacrée. » Mais il ne consent pas à croire que sans Dieu l'homme soit incapable de vivre d'une façon morale. « N'est-il pas de dignité possible hors de la religion chrétienne et de ce qu'elle comporte de refus, de sacrifices inhumains ? »[30] Dans son *Journal,* il demande, « L'homme ne peut-il apprendre à exiger de soi, par vertu, ce qu'il croit exigé par Dieu ? » Il estime même que la justice, l'amour, et le progrès se réaliseront beaucoup mieux sans la croyance en Dieu. Quant à lui-même, il déclare, « Dès l'instant que j'eus compris que Dieu n'était pas encore, mais devenait, et qu'il dépendait de chacun de nous qu'il devînt, la morale, en moi, fut restaurée. »[31] De même qu'il a pu voir la valeur spirituelle de la doctrine chrétienne, il met en valeur les ressources humaines de la libre pensée :

> Tout héros n'est pas nécessairement un chrétien. .... La libre pensée ne garde pas toujours le sourire indulgent de Renan, sarcastique de Voltaire, ou désinvolte de France. Le non-acquiescement à des dogmes a pu mener certains jusqu'au martyre.... Sans aller plus loin, disons que la dignité humaine et cette sorte de tenue morale... où nous rattachons aujourd'hui nos espoirs, se passe volontiers du soutien et du réconfort de la foi.[32]

Gide suggère d'une façon provisoire que ce qu'il entend par vertu est ce que l'individu peut obtenir de soi de meil-

29. Bouyer, *op. cit.,* p. 115.
30. Claude Mauriac. *Conversations avec André Gide.* Paris : Albin Michel, c. 1951, p. 189..
31. *Journal 1942-49,* pp. 11, 274.
32. « Deux interviews imaginaires », pp. 46-47.

leur. En apprenant à exiger de soi toujours davantage, l'homme s'acheminera vers l'abnégation, l'amour, et l'amélioration de la société actuelle. Il est important de remarquer cette mystique de l'amour et de la pitié universelle qui survit à la déception communiste. Tout ce qui retarde l'avènement du règne de l'amour est mauvais ; tout ce qui le hâte est bon. Dans la première catégorie se situent la superstition, la résignation, et le fanatisme religieux.

Malheureusement, Gide doit se rendre compte que cette révolution spirituelle qu'il souhaite n'est pas facile à accomplir. Pour maintenir l'état d'athéisme complet, ou simplement pour l'atteindre, il faut beaucoup de courage d'un genre qui est rare. L'humanité tient toujours au réconfort que fournissent les croyances et se sent prise de vertiges devant l'espace à franchir pour arriver à la vie libre, où la morale n'aura pas de soutien religieux. Parlant de l'après-guerre, il admet, « Le monde n'était décidément pas mûr pour pouvoir se passer de Dieu. » [33] Cependant sa foi en l'humanité l'emporte en fin de compte. De même qu'il croit que l'homme s'est formé lentement, péniblement, à travers des milliers de siècles, il estime que le genre humain saura enfin rejeter les langes de la croyance en un Transcendant hypothétique, qu'il se conduira quand même d'une façon morale, et qu'alors Dieu sera finalement obtenu sur terre.

L'auteur de *Thésée* opte ainsi pour une éthique humaniste, sans base théologique, qui vise à la création, à la réalisation de Dieu, latent en nous. Ceux qui ont remarqué la tendance chez Gide vieillard à se servir continuellement du mot Dieu l'ont cru obsédé par l'idée de la divinité et ont souligné l'élément chrétien qui survivait dans son âme et sa nature religieuse spontanée. Paul Archambault écrit, « Gide nous découvre un Gide que le Christ obsède, inquiète, et peut-être importune. » [34] D'après René Schwob c'est cette nostalgie de Dieu dans l'âme de Gide qui a inspiré la conversion de tant de ceux qui l'entouraient. [35] Et Jean Cocteau écrivit, « C'est sans doute cette profonde tentation de Dieu qui fait que les désordres de Gide sont un ordre. » [36] Plus

33. *Ainsi soit-il,* p. 183.
34. ARCHAMBAULT, *op. cit.,* p. 173.
35. SCHWOB, *op. cit.,* pp. 30, 42.
36. Jean COCTEAU. *Gide vivant.* Paris Amiot-Dumont, [1952], p. 58.

que tout autre, François Mauriac estimait que Gide était un chrétien qui s'ignorait. Mauriac lui avait dit en 1939, « Vous êtes des nôtres, vous êtes une brebis rétive. » Et Claude Mauriac nous dit, « Avec une sorte d'entêtement Gide revient sur les questions religieuses. ... ' Il a peur, ' me dira mon père. ' Il n'est pas rassuré. Son athéisme lui paraît inconfortable. ' » Claude Mauriac fait remarquer également qu'après 1940 Gide se contredisait sans cesse sur la question chrétienne, tantôt parlant de l'inexistence de Dieu, tantôt parlant de son désir d'être chrétien. [37] Ainsi que le lecteur le verra plus loin, l'écrivain était lui-même conscient de ce souci religieux et de son sentiment du sacré. Il les résuma en avouant, « Je ne puis m'accomoder d'une spiritualité irrationnelle et n'ai que faire d'un matérialisme exclusif de toute spiritualité. » [38] C'est là la position ambiguë qu'il maintint jusqu'à sa mort. Il est vrai que ce que Gide appelle spiritualité ne semble pas telle à tout le monde, car tout en parlant de sa croyance à l'élément spirituel de l'homme, il réitère l'idée que cet élément n'est en rien surnaturel mais est plutôt un aspect essentiel de notre condition physique, et que le monde physique et le monde spirituel existent dans une interdépendance entière. En revanche, il affirme à plusieurs reprises que l'homme sans Dieu peut s'élever à une sorte de béatitude spirituelle, basée sur la vertu, qui remplace l'extase religieuse. C'est un état d'âme, un sentiment de communion, qui enrichit la vie. C'est un effort « vers je ne sais quoi d'adorable, vers un état supérieur où l'individuel se fonde et résorbe, à quoi je ne vois quel autre nom donner que celui même de Dieu. » [39]

Aussi est-ce que Gide continue à parler de Dieu et de viser à la vertu « divine. » Le mot Dieu semble représenter pour lui, ainsi que l'a suggéré Robert Mallet, une notion à laquelle il sait se référer sans s'y incorporer. Néanmoins il ne veut pas qu'on l'appelle croyant ou même déiste. Dans une conversation avec Mallet, il affirma,

> Je ne suis pas déiste au sens où l'on entend ce mot généralement. Je ne crois en aucun dieu. Mais je pense que l'homme doit chercher à s'élever de ses propres mains, à trouver en lui-même ses

37. Claude Mauriac, *op. cit.*, pp. 124-25, 149.
38. *Journal*, p. 1293.
39. *Journal 1939-42*, pp. 151-52.

forces de perfectionnement. Et alors, si vous voulez, j'appelle cet effort de dépassement ou de surpassement une divinisation de l'homme. [40]

Il n'est donc déiste ou croyant qu'à sa propre manière. Mais il n'aime pas non plus l'étiquette d'agnostique ou d'athée. Voici un point extrêmement important dans l'étude de Gide. Il est vrai que dans la plupart de ses dernières déclarations au sujet de la religion, Gide hésite entre une position agnostique, qui affirme notre ignorance de l'au-delà et de Dieu, et une position athée, qui affirme qu'il n'y a ni Dieu ni au-delà. Cependant l'écrivain n'aime pas ces qualificatifs parce qu'ils impliquent, tout au moins dans le langage courant, une attitude négative : le rejet de la spiritualité. On comprend qu'il ne saurait approuver ce négativisme. Il ne consent donc à employer le mot athée que lorsqu'il le faut absolument pour empêcher qu'on ne le mette dans le camp des chrétiens. L'écrivain sait que tout comme le protestantisme et le catholicisme, l'athéisme peut devenir une formule limitante. Le nom de sceptique ne lui plaît pas non plus. Encore une fois on constate que, d'un certain point de vue, il semble se ranger parmi les sceptiques : il dit douter de tout, de Dieu, de l'idée de Dieu, de son doute même. « Croyez ceux qui cherchent la vérité, doutez de ceux qui la trouvent ; doutez de tout, mais ne doutez pas de vous-même. » [41] Il estime que l'interrogation est la seule solution qui échappe à l'absurde — encore qu'elle-même devienne absurde aussi à la longue. Mais le scepticisme implique l'indifférence aux manifestations divines possibles et, trop souvent, la servitude de l'homme à une sorte de nihilisme. On connaît sa haine des rationalismes étroits : « A quelque orthodoxie que ce soit mon esprit refuse de se soumettre. » [42] Il veut maintenir une attitude d'humaniste où se coudoient le scepticisme, le relativisme, la tolérance de tout (sauf l'intolérance), la morale, et la spiritualité.

Au fond, l'auteur du *Retour de l'Enfant prodigue* se voudrait chrétien, à sa façon. Nous voulons citer deux passages qui éclaircissent la part chrétienne chez Gide. Le pre-

40. Mallet, *op. cit.*, pp. 47, 182.
41. *Ainsi soit-il*, p. 174.
42. « Deux interviews imaginaires », p. 51.

mier est une analyse que fait Robert Mallet de l'attitude gidienne définitive :

Les conceptions gidiennes se distinguent profondément des systèmes habituels de libre pensée par l'absence de tout « absolutisme » de logique et par un indéfectible sentiment religieux, fait autant de respect instinctif pour le sacré que du souvenir d'une discipline longtemps influente. André Gide est un penseur libre beaucoup plus qu'un libre penseur. En face de ceux qui voudraient détruire en l'homme toute notion de transcendance, il se réserve le droit de croire que la religion peut être féconde à l'humanité. Cette Vertu par laquelle il souhaiterait remplacer Dieu risque même de passer aux yeux de certains pour un simple changement d'appelation qui n'affecte en rien le caractère chrétien de sa recherche. [43]

Le second est un texte où Gide soutient lui-même ce point de vue au sujet de lui-même et de son œuvre :

Il n'en reste pas moins que je suis demeuré religieux. Pourquoi le dissimuler ? ..... Je ne peux d'ailleurs faire autrement que d'être religieux. Ce qui m'a éloigné du christianisme c'est ce que trop de chrétiens en ont fait. ..... Je veux dire, éloigné des dogmes que l'homme a bâtis sur le christianisme. Je me sens très près du christianisme fondamental, c'est évident. .... Pour moi, le Christ est la figure la plus authentiquement admirable. [44]

Il précise plus loin que l'esprit chrétien existe en dehors du christianisme historique et même avant celui-ci. C'est ainsi qu'il peut prétendre viser à une vie chrétienne sans accepter l'enseignement de l'Eglise, même sans croire en Dieu. Gide espère maintenir ainsi une dialectique précaire, une position mi-chrétienne, mi-athée, en se servant du mot Dieu comme il lui plaît. L'ambiguïté de cette position est évidente, mais elle ne lui déplaît pas.

Il reste à voir si cette attitude n'indique pas un côté religieux plus profond que Gide ne l'avouait. Dans une des nombreuses conversations entre lui et Robert Mallet, il dit s'intéresser beaucoup à la psychologie religieuse, étant plus un psychologue et un moraliste qu'un métaphysicien. (C'est d'ailleurs évident dans son œuvre.) Mallet lui répondit qu'étudier la psychologie religieuse, « c'est prouver qu'on accorde à la métaphysique une sorte de priorité. »

43. Gide-Claudel, *Correspondance,* p. 40.
44. Cité dans Mallet, *op. cit.,* pp. 43, 45.

Gide répliqua, ainsi qu'il aurait pu le faire vers 1900, « Ce n'est pas Dieu qui me préoccupe mais l'idée que chacun s'en fait. » Et Mallet de clore le débat : « C'est tout de même Dieu qui est au bout de l'idée. » [45] Il se peut que ce dernier point de vue soit valable, et on sait que pour certains, du moins, Gide reste religieux parce qu'il croit à l'Idéal et qu'il utilise l'idée de Dieu. Par exemple, le critique Braak écrit :

> Nous nous refusons de croire que l'hétérodoxie de Gide est à base d'irréligion. Nous croyons au contraire que la religion est pour lui ce qu'elle est pour beaucoup de nos contemporains : le besoin instinctif par lequel l'homme est amené à prendre conscience de son meilleur lui-même. Celui-là seul est religieux, au sens philosophique du mot, qui cherche, qui pense, qui aime la vérité, qui concilie l'amour de l'idéal avec l'amour de l'humanité. Cette religion ne s'accomode d'aucun dogme. [46]

Religieux, il se peut, et nous espérons avoir montré que le romancier donne beaucoup d'importance aux côtés spirituels et idéalistes de l'homme. Mais à notre avis l'idée de Dieu dans l'esprit d'un individu ne suffit pas à prouver qu'il croit en Dieu, la foi étant une démarche psychique fort différente de la spéculation intellectuelle et de l'aspiration à la vertu. Notre attitude est justifiée, nous semble-t-il, par la réponse que fit l'écrivain lorsque Claude Mauriac lui dit que le tout était de croire ou de ne pas croire :

> Je suis d'accord et je sais bien quelle est ma réponse : je ne crois pas ; je n'ai aucune raison de croire ; c'est pour moi une certitude. ..... J'ai la certitude qu'il n'y a rien de plus incohérent que l'idée que nous nous faisons de Dieu, que Dieu n'existe pas, ni l'éternité. Tout en moi se refuse à la foi. [47]

Même lorsque Gide, étant à bout de forces, semble postuler Dieu, tout comme il postule le Diable, pour exprimer un conflit interne qu'il ne pourrait comprendre autrement, cette supposition reste problématique et ne prouve pas qu'il croie inconsciemment à la Divinité.

Toujours est-il que Gide n'est pas croyant dans le sens orthodoxe et qu'il doit s'expliquer là-dessus lorsqu'on le groupe avec les autres chrétiens. Nous avons déjà examiné

45. *Ibid.*, p. 49.
46. Braak, *op. cit.*, p. 192.
47. Claude Mauriac, *op. cit.*, pp. 131, 188-89.

ses nombreuses déclarations anticléricales et athées. On pourrait renchérir sur elles à loisir. Lorsqu'un ami lui fit observer : « Ce qu'ils appellent Dieu, libre à vous de le nommer Vertu ; question de mots... L'idée de Dieu, le besoin de Dieu vous tourmente, » il se hâta de déclarer qu'il s'agissait d'une méprise, que son Homme-Dieu n'était pas le Dieu des chrétiens. [48] On voit ainsi que l'auteur regimbe contre l'effort que font certains pour le ranger tant bien que mal parmi les croyants, les angoissés, ceux que poursuit Dieu.

La position définitive de l'écrivain est à la fois logique et ambiguë. C'est l'aboutissement logique de sa révolte contre la théologie catholique, et de son désir d'une éthique humaniste, personnelle et exigeante. En même temps elle est ambiguë parce qu'elle consiste en un dialogue continu entre des valeurs contrastantes : Dieu et l'homme, croyance et incroyance, affirmation et doute, spiritualité et matérialisme, raison et sentiment. Jusqu'à la fin de sa vie l'écrivain reconnaissait la grande valeur du dialogue et de la dialectique et tâchait de ne pas s'emmurer dans un seul système, une doctrine unique quelconque. Préférant une attitude ambivalente, il a évité de limiter le champ de la vérité par un choix définitif, d'où son côté prothéen. Ses contradictions continuelles servent à souligner le caractère élusif de la Vérité, sur le plan philosophique aussi bien que sur le plan humain. En religion comme en éthique et en politique, Gide finit par témoigner non pas pour une vérité particulière mais pour la recherche pénible de la Vérité. Il est lui-même un des insoumis dont il parle qui, rejetant les doctrines et les morales toutes faites, vont à la recherche de quelque chose de meilleur qui puisse aider les hommes.

Le récit *Thésée* est la meilleure illustration romanesque de l'attitude gidienne dans cette dernière période de sa carrière. Tous les éléments de l'humanisme que prêche l'écrivain y sont introduits. C'est une apothéose de l'homme qui se dresse en révolte contre les dieux. « Les premières et les plus importantes victoires que devait remporter l'homme, c'est sur les dieux. » [49] L'homme doit apprendre à maîtriser l'univers pour s'élever : « La foudre de Zeus, je vous le dis, un temps viendra que l'homme saura s'en emparer. »

48. *Journal 1942-49*, p. 281.
49. André GIDE. *Thésée*. Paris : Gallimard, c. 1946, p. 16.

Thésée, contempteur des dieux et de la morale orthodoxe, explorateur et fondateur d'une Cité nouvelle, est le vrai héros du mythe. Il est de ces « insoumis » qui, en se révoltant contre les traditions, apportent à l'humanité un espoir nouveau. Il sait que la croyance aux dieux n'est souvent que de la terreur et que par conséquent les héros — ceux qui n'ont pas peur — semblent des blasphémateurs. Dans son œuvre il a été encouragé par l'exemple d'autres hommes révoltés. Parmi ceux-là, les mortels qui ont remporté des victoires sur les dieux, sont Dédale et Icare, le fabricant et l'idéaliste. Dédale est le porte-parole de Gide qui se révolte contre la domination insensée des hommes par les dieux ; Icare représente la croyance profonde chez Gide à un autre Dieu, réalisé par la vertu, la somme de tout ce qui est élevé dans l'humanité. Dédale prétend « par la science rendre l'homme semblable à Dieu. » Icare, malgré son échec, représente une victoire spirituelle. Il croit au progrès et il estime que ce progrès humain, c'est Dieu. Il n'accepte pas la possibilité de la dualité universelle.

> Dieu n'est qu'épars.... Vers quoi tendre, sinon vers Dieu. .... Tout autant que Dieu m'a formé, Dieu n'est-il pas créé par l'homme ? .... Je ne sais point où Dieu commence, et moins encore où il finit. Même j'exprimerai mieux ma pensée si je dis qu'il n'en finit jamais de commencer. ... Il n'est qu'un terminus unique : c'est Dieu. [50]

Icare exprime ainsi un point de vue qui a été celui de Gide surtout à l'époque des *Nourritures terrestres* et des *Nouvelles Nourritures* mais dont il a gardé plusieurs éléments. Icare est tourmenté par la difficulté d'atteindre ce Dieu qui est néanmoins en nous et partout. Pasiphaë reprend ce point de vue quasi panthéiste en disant, « Revenons au divin. Il faut toujours y revenir. Vous-même... ô Thésée, comment ne pas vous sentir habité par un dieu ? » [51]

Œdipe reparaît dans ce mythe, ayant « tenu tête au sphinx, dressé l'homme en face de l'énigme et osé l'opposer aux Dieux. » Mais à la différence du premier Œdipe gidien, celui-ci finit par croire à la déchéance de l'homme et à la

50. *Ibid.*, pp. 58, 68-71.
51. *Ibid.*, p. 47.

nécessité d'un pouvoir divin qui le sauve, même quand ce serait par la souffrance. Thésée s'oppose au vieil Œdipe et dit que l'homme, jouant avec les cartes qu'il a, doit s'élever lui-même sans le secours du transcendant. Il oppose à l'idéal mystique du christianisme l'idéal pratique et humain du héros païen. Ne s'inquiétant pas même du problème de Dieu, à la différence d'Icare, il mise uniquement sur l'humanité. S'il y a une parole finale de Gide, c'est bien celle-là.

Il est utile de résumer brièvement l'évolution de la pensée religieuse gidienne pour que le lecteur puisse voir d'un seul coup la courbe de son odysée spirituelle. Né dans une lignée de calvinistes stricts et fervents pour qui la religion avait une importance énorme, le jeune André Gide ne manqua pas de suivre l'exemple de son entourage en donnant à Dieu une grande place dans sa vie intérieure. Dans l'atmosphère de sainteté austère où il vivait fréquemment soit à Uzès, soit en Normandie, le jeune calviniste avait vite fait de faire de la religion une chose toute personnelle et intérieure. Nourri de la Bible, ayant acquis l'habitude protestante d'examens de conscience rigoureux, il développa en lui-même une spiritualité profonde et une conscience suraiguë. En outre, ses élans religieux adolescents se confondaient avec son amour spirituel pour sa cousine et créaient dans son esprit la notion d'une véritable vocation religieuse.

Cette ferveur chrétienne était pourtant l'avant-coureur d'un bouleversement physique, moral, et spirituel, qui plongea le jeune calviniste dans un paganisme forcené. Sa révolte morale et théologique fut d'autant plus profonde que la foi avait auparavant possédé si complètement son âme. Si des facteurs physiques inspirèrent en partie cette révolte et en firent une protestation égoïste contre la morale chrétienne, elle provint aussi d'un long débat semi-conscient dans l'esprit du jeune homme sur la validité des croyances théologiques. Cependant, même après cette émancipation, le moulage protestant ne cessa pas de se faire sentir chez lui. Tout en prêchant un immoralisme païen et en proclamant la supériorité des valeurs esthétiques, le jeune écrivain reconnaissait qu'une éthique désintéressée était nécessaire à l'homme et que la spiritualité, aussi bien que la révolte, avait des mérites.

Les années suivantes virent un va-et-vient continuel

dans la pensée de Gide. Optant tantôt pour une éthique exigeante, tantôt pour la révolte contre les morales chrétiennes ; tantôt reconnaissant la nécessité de Dieu, tantôt niant son importance et même son existence, Gide s'éloignait des valeurs religieuses et de la croyance au transcendant. Un rapprochement passager de l'autel catholique, inspiré par son admiration pour Claudel et par son besoin de confession et de soutien, n'interrompit pas d'une façon définitive son éloignement des croyances chrétiennes. Pendant la guerre, au cours d'une dernière période de ferveur religieuse, son effort pour croire échoua, montrant que la foi en la Divinité était morte en lui. Le reste de sa vie était consacré à la tâche de suppléer au Dieu disparu par la croyance à l'avenir de l'homme et de remplacer la morale religieuse par un idéal moral laïque, plus élevé parce que gratuit, fondé sur l'abnégation et l'amour. Pariant pour l'humanité, seule dans un monde naturel absurde et incompréhensible, sans Dieu préalable, il misait sur la spiritualité humaine et sur la victoire de Prométhée sur Zeus. C'était un déni de Dieu mais non pas de ce qui était divin. Il se référait à un sentiment personnel des valeurs humaines et s'appuyait sur une intuition intellectuelle de la relativité de la vérité et de l'impuissance de l'homme à savoir et à juger d'une façon absolue. Il voulait seulement qu'on se passât de mythologies et de croyances théologiques — ces béquilles qui retardent le progrès de l'esprit humain au lieu de le hâter. Dans *Ainsi soit-il,* l'écrivain résuma lui-même brièvement son évolution :

> Je prenais au sérieux maints « problèmes » qui me font sourire ou rire aujourd'hui... ceux que j'imaginais de manière toute gratuite entre l'homme et la divinité. Il me paraît qu'il n'y a là le plus souvent qu'invention pure et que le mieux est de passer outre... [52]

Quelques critiques ne consentent pas à croire que l'humanisme athée de Gide ait été définitif. Ils se basent sur certaines paroles équivoques de l'écrivain, dont le lecteur a déjà vu quelques-unes, et sur le dernier mot qu'il prononçât : « C'est toujours la lutte entre ce qui est raisonnable et ce qui ne l'est pas. » [53] Ainsi François Mauriac affirme qu'il est confiant que Gide s'est converti à l'article de la

52. *Ainsi soit-il,* p. 35.
53. Cité dans Mallet, *op. cit.,* p. 128.

mort, c'est-à-dire qu'il a reconnu l'existence de Dieu et son rôle dans notre vie et peut-être a cru enfin à l'immortalité. Roger Martin du Gard a protesté à plusieurs reprises contre cette interprétation orthodoxe d'une parole qui lui semble anodine. S'appuyant sur de nombreuses déclarations de son ami, il prétend que Gide ne se serait pas contredit ainsi sur la question religieuse. Qu'on doive accepter l'interprétation de Mauriac ou celle de Martin du Gard est une question personnelle que chaque lecteur doit décider lui-même. Toutefois on peut mentionner le fait que Gide se méfiait extrêmement des conversions de chevet, et on peut citer la déclaration qu'il fit dans *Ainsi soit-il* : « ... Ce Dieu qui m'attend, dites-vous, et auquel je me refuse de croire. Dans un instant, la partie sera jouée, sans retour possible. C'en sera fait, et pour l'éternité. Eh ! C'en est fait depuis longtemps déjà... » [54] Gide semble croire, tout comme Sartre, que le sens de sa vie se trouvera dans la courbe entière de sa pensée et de son œuvre, dans cette essence exprimée quotidiennement, que rien ne peut changer, fût-ce un désaveu solennel.

L'exemple de cette évolution religieuse nous semble d'une importance inestimable. Il faut d'abord reconnaître le rôle que joue la pensée gidienne dans la tradition intellectuelle française. Nous suggérons quatre points de rencontre entre l'auteur de *L'Immoraliste* et certains mouvements intellectuels en France. En premier lieu, il continue la tradition de Montaigne et de Descartes : l'analyse impitoyable de notre moi, de notre croyance, de notre savoir. Comme Montaigne, Gide veut faire comprendre aux Français de son époque la relativité de la vérité et l'importance suprême de l'homme, qui est le seul juge de ce qui lui convient. Comme Descartes, Gide a compris que rien n'est vrai avant d'être prouvé tel et qu'il ne faut rien accepter d'irrationnel. Par sa parenté profonde avec ces deux penseurs français, Gide se situe dans une tradition vivante. Deuxièmement, par son humanisme, Gide renouvelle pour le vingtième siècle le message des philosophes du dix-huitième siècle : la notion du progrès humain (encore qu'il semble moins facile de nos jours), la solitude de l'homme dans un univers où nous sommes en proie au mal et à l'irrationnel et où il faut construire de nos propres mains notre vertu. Troisiè-

54. *Ainsi soit-il*, p. 150.

mement, il reprend le message des écrivains du dix-neuvième siècle, tant agnostiques comme Auguste Comte que chrétiens comme Lamennais et Lamartine, qui voyaient que la religion de l'homme moderne devait aider à créer un nouvel état démocratique fondé sur l'égalité et la justice. Gide renouvelle également la croyance de Renan à la vertu, au beau, et à la vérité qui nous acheminent vers Dieu. En quatrième lieu, Gide annonce la venue d'une génération où l'on reconnaît l'absurde qui caractérise la condition humaine et où on se propose d'élever sur ce même absurde une éthique humaniste extrêmement généreuse et exigeante. Selon l'expression de Pierre de Boisdeffre, « Cet athéisme existentiel place Gide parmi les témoins de cet humanisme athée que cherche encore le vingtième siècle. » [55] Gide est ainsi le porte-parole moderne de plusieurs éléments les plus essentiels de la tradition française, et il a été le prophète d'une génération nouvelle. Il se place en quelque sorte à un carrefour intellectuel de la France. Lui-même indiqua la position qu'il occupait en affirmant que la littérature française est un dialogue « non point entre une droite et une gauche politique, mais, bien plus profond et vital, entre la tradition séculaire, la soumission aux autorités reconnues, et la libre pensée, l'esprit de doute, d'examen. » L'Eglise, précise-t-il, « triomphe toujours, mais en reculant et réédifiant chaque fois ses positions fort en deça de ses lignes premières. » [56]

L'exemple de Gide vaut aussi, comme celui de Montaigne, de Descartes, de Diderot, et de Vigny, pour montrer l'origine laïque d'une grande partie de la pensée religieuse en France. Peu adonnés aux spéculations métaphysiques abstraites, les Français n'estiment pas qu'il faille être théologien ou savant pour décider des questions de croyance personnelle. Si Pascal et Descartes étaient en effet savants, c'était plus en mathématiques qu'en théologie. Tous ces écrivains aussi bien que Rabelais, Rousseau, Stendhal, Valéry, et encore d'autres ont revendiqué le droit individuel de juger l'Eglise et de faire leur propre credo. Gide fait de même, et quoiqu'il ne construise pas de système philo-

55. Pierre de BOISDEFFRE. *Histoire vivante de la Littérature d'aujourd'hui, 1939-59*. [Paris] : Le Livre contemporain, [1959], p. 202.

56. André Gide. « Souvenirs littéraires et problèmes actuels », *Arche*, nos 18-19 (août-septembre 1946), p. 12.

sophique ni de profession de foi, il présente un ensemble de réflexions solides et utiles sur le problème religieux. Les jugements gidiens sont fondés sur la raison et le sentiment de l'individu. Autant que Pascal il fait appel aux raisons du cœur. C'est peut-être parce qu'il est avant tout artiste. Tout comme Camus, et malgré son côté rationaliste, il insiste sur le droit de l'être humain de sentir la vérité et de l'annoncer « contre tous les préjugés, » sans le secours des constructions solides de la philosophie. Tout artiste sait que la vérité humaine n'est pas une science exacte qui se fait au moyen de méthodes et de raisonnements.

Nous estimons que l'évolution de Gide est intéressante à étudier en raison de la sincérité de sa pensée et du mouvement lent et enchevêtré vers un credo humaniste. Cette évolution fait foi de la difficulté de la recherche de la vérité. Pour les dogmatiques et les croyants, le pèlerinage spirituel de Gide peut représenter un échec. Pour ceux qui apprécient l'effort de l'individu pour connaître *sa* vérité, Gide est un témoin important. C'est ce qu'a affirmé Jean-Paul Sartre au lendemain de la mort de Gide. Il est utile de citer longuement ce jugement sartrien :

> Le problème de Dieu est un problème humain qui concerne le rapport des hommes entre eux, c'est un problème total auquel chacun apporte solution par sa vie entière... Ce que Gide nous offre de plus précieux, c'est sa décision de vivre jusqu'au bout l'agonie et la mort de Dieu. Il eût pu, comme tant d'autres, parier sur les concepts, décider à vingt ans de sa foi ou de son athéisme, et s'y tenir toute sa vie. Au lieu de cela, il a voulu *éprouver* son rapport à la religion, et la dialectique vivante qui l'a conduit à son athéisme final est un acheminement qui peut se refaire après lui mais non pas se fixer par des concepts et par des notions.

Sartre explique ensuite comment les hésitations de Gide, ses volte-face, ses coquetteries, et ses contradictions ont plus de poids que n'importe quelle démonstration logique qui eût prouvé telle ou telle chose. Il continue (révélant incidemment son propre parti-pris) :

> Gide est un exemple irremplaçable parce qu'il a choisi ... de *devenir sa vérité*. Décidé abstraitement à vingt ans, son athéisme eût été faux ; lentement conquis, couronnement d'une quête d'un demi-siècle, cet athéisme devient sa vérité concrète... [57]

57. Jean-Paul Sartre. « Gide vivant », *Les Temps modernes*, VI (mars 1951), pp. 1537-41.

Pierre de Boisdeffre semble partager ce point de vue lorsqu'il écrit, « Son athéisme, lentement conquis contre lui-même et contre les influences les plus fortes... n'a pas été décidé à priori mais lentement découvert. »[58] Selon Sartre, donc, Gide fournit lui-même une démonstration de cet effort qu'il voulait enseigner au lecteur pour se passer de Dieu et pour tisser l'étoffe de l'éthique personnelle. Malgré les faiblesses, l'aveuglement, les mensonges inconscients qu'on relève dans son développement, sa vie offre un exemple de ce courage et de cette lucidité qu'il prêchait. Et cet exemple est d'autant plus rare que Gide est un être enclin au sentiment religieux et au respect pour la religion. Il est manifestement impossible, bien sûr, d'approuver toujours la conduite de l'écrivain, même lorsqu'il croyait bien agir, et nous ne cherchons pas à le disculper au sujet de certaines actions douteuses. Mais la plupart du temps il semble avoir été fort sincère et dans ses actions et dans sa pensée ; aussi peut-on étudier sérieusement et avec grand profit son développement spirituel et intellectuel.

En tâchant de déterminer l'importance de l'évolution religieuse gidienne, le critique se heurte contre certaines particularités qui semblent diminuer la valeur de ce témoignage. En premier lieu, on pourrait reprocher à l'auteur non seulement son ignorance de la théologie systématique mais aussi son ignorance de la critique biblique, qui est un élément important de la théologie protestante de nos jours. Nous avons vu qu'il nie la valeur de l'exégèse biblique, croyant sans utilité la lumière qu'elle peut jeter sur telle parole évangélique (à moins qu'elle n'aille décidément dans son propre sens). Il refuse également d'avoir recours à la comparaison de textes ou à l'étude de la théologie juive de l'époque de Jésus. De là viennent des erreurs dans l'interprétation de Saint-Paul. C'est que dans ce sens Gide est plus foncièrement protestant que les calvinistes eux-mêmes : au début il croit aux rapports directs entre l'homme et Dieu au moyen de la parole écrite de l'Evangile tel quel ; ensuite il revendique le droit de l'individu de rejeter les Ecritures ou tout au moins le Dieu biblique, lorsque cela lui plaît. Cette attitude est au fond plutôt suffisante, ou peut sembler telle. Quand Gide interprète l'épître aux Romains selon la

58. BOISDEFFRE, *op. cit.*, p. 202.

psychologie moderne et sa propre psychologie, il montre une indifférence déconcertante envers le vrai enseignement de Saint-Paul qui prêchait non l'esprit humain mais le mystère du Christ ressuscité. Il est toutefois malaisé de déterminer la signification exacte de cette attitude. Est-ce un reflet d'une compréhension, pareille à celle d'un Kierkegaard, que les détails de la manifestation historique de Jésus-Christ sont sans importance, puisque c'est la réalité spirituelle de Dieu incarné, saisie dans un rapport existentiel, qui compte ? Ou est-ce plutôt un indice subtil du doute latent dans son âme, même au moment de ses crises mystiques ? Il se peut qu'elle indique qu'il cherche tout d'abord dans le Nouveau Testament une éthique au lieu d'une foi. Certaines déclarations de l'auteur et, à vrai dire, presque tous ses commentaires sur l'Evangile, semblent soutenir cette dernière interprétation. René-Marill Albérès résume cette position, qui n'est guère chrétienne, lorsqu'il écrit, « Jamais il ne se pose le problème métaphysique ; il lui paraît vain de supputer abstraitement l'existence de Dieu... La seule question qu'il pose est celle d'un moraliste : la Foi est-elle la voie qui mène le plus loin ? » [59] Si le mot « jamais » n'est peut-être pas exact, ce critique exprime néanmoins la tendance générale de l'attitude gidienne, surtout pendant les dernières années de sa vie.

En deuxième lieu, à cause des problèmes sexuels qui ont eu sans doute une certaine influence sur son développement, l'évolution religieuse de Gide peut paraître un cas neurasthénique plutôt qu'un témoignage intellectuel valable. On a écrit, « Il ne s'inquiétait du problème de Dieu que dans la mesure où celui-ci était inscrit dans sa chair. Il ne se résignait pas à être coupable. » [60] Nous estimons pourtant que tout en se manifestant dans des circonstances particulières, son développement religieux mérite d'être étudié, car il a été le résultat de réflexions intellectuelles honnêtes aussi bien que de protestations qui peuvent paraître enfantines. D'ailleurs, dans l'étude des croyances humaines peut-être ne faut-il pas juger la croyance finale uniquement selon le mérite de ses origines.

Une troisième façon dont Gide s'écarte des normes

59. ALBÉRÈS, *L'Odyssée d'André Gide*, p. 214.
60. PIERRE-QUINT, *op. cit.*, p. 25.

françaises, réduisant en apparence la portée de son œuvre, est son protestantisme. La question de la part calviniste dans sa vie et dans son œuvre a fait couler beaucoup d'encre. Certains commentateurs exagèrent l'empreinte protestante dans son esprit. Ils vont jusqu'à attribuer tous ses malheurs et ses contradictions intimes à l'influence funeste de la formation calviniste, et ils la rendent responsable de son recul devant l'autel. Le professeur Marchand condamne avec acharnement l'évolution religieuse de Gide et en particulier son côté calviniste :

> Son évolution religieuse et ses interminables débats qu'elle provoque... sont le signe d'un incommensurable orgueil. Il a l'impression d'être privilégié, marqué par Dieu et le destin. ..... Il est fier de lui, comme il est fier de sa religion, même quand il l'abandonne. Même aux pires moments de son hostilité à l'égard du protestantisme, il a toujours tendance à dire, « Nous les protestants ». [61]

Il est incontestable que l'influence protestante a été très forte chez Gide, qu'elle a pu déterminer certains traits de son esprit et le faire hésiter au porche de l'Eglise. Mais elle n'a pas été entièrement pernicieuse, et les critiques qui la dénoncent à outrance révèlent leur propre parti-pris. S'opposant à ceux-ci, Paul Archambault écrit, « Un Gide catholique eût-il échappé beaucoup plus aisément aux pièges que lui tendaient à la fois sa sensibilité et sa sensualité ? » [62] Et Du Bos d'affirmer, « N'importe quelle éducation religieuse aurait produit les mêmes effets dans son âme. » [63] Il faut, bien sûr, reconnaître que Gide naquit protestant dans un pays catholique et qu'une partie importante de son développement subséquent a été une réaction contre l'Eglise réformée. Au surplus on ne peut nier que son évangélisme, avec l'importance qu'il donne au Christ, à l'individualisme, et à l'interprétation tendancieuse des textes sacrés, révèle une forte influence protestante. Nous ne considérons pas toutefois que cet élément protestant limite la valeur de son témoignage. On a vu suffisamment quels liens étroits lient l'esprit gidien à la tradition française, et le nombre étonnant d'amis catholiques qu'il avait. C'est ce qui permet à François Mauriac d'écrire :

61. MARCHAND, *op. cit.*, p. 153.
62. ARCHAMBAULT, *op. cit.*, p. 330.
63. DU BOS, *Journal*, II, p. 377.

Le dialogue qu'il a longtemps mené avec les chrétiens, avec Claudel, avec Du Bos, se poursuivait au dedans de nous. Je lui sais gré, quant a moi, de m'avoir montré ... le choix qui, dès le départ, s'impose à un jeune être : jouissance de soi-même ou dépassement de soi-même. [64]

Quelle qu'ait été son origine, le développement spirituel de Gide montre un homme en quête de la vérité, qui ne croyait pas à la religion révélée et qui a été assez hardi pour rejeter les mythologies religieuses.

En dernier lieu, peut-on prétendre que l'évolution religieuse de Gide est d'une importance restreinte parce que c'est un artiste et qu'il a souvent demandé qu'on étudie son œuvre uniquement du point de vue esthétique ? Dans notre premier chapitre nous avons suggéré que cette attitude de l'auteur envers son œuvre n'est pas la seule qui soit valable. Même dans ses ouvrages d'imagination, les questions morales et philosophiques qu'il pose ont une valeur indépendante de la valeur esthétique. Henri Massis a écrit, « Tout appliquée qu'elle soit à ne pas le résoudre, on peut dire que c'est le problème du bien et du mal et la notion du péché qui est l'obsession de son œuvre. » [65] En outre on doit considérer le grand nombre d'essais et d'articles où Gide discute des problèmes religieux, sans oublier, bien entendu, l'importance insolite du *Journal.* L'influence de ces écrits a été grande. A l'époque actuelle, donc (et nous citons Pierre-Quint), « On ne peut juger son œuvre comme celle d'un Balzac, d'un Flaubert, d'un Proust. Ce qui nous intéresse en lui, c'est son action directe et immédiate sur les hommes, sa position de moraliste. » [66] Henri Massis prétendait avec ironie que la postérité n'irait guère à Gide pour des conseils philosophiques. Cela est fort probable parce que Gide n'érige pas un système de pensée originale. Mais son évolution entière représente une expérience unique qui a sans aucun doute une valeur de parabole, selon l'expression de Claudel.

Il est évident qu'entre l'attitude religieuse du jeune homme et celle du lauréat Nobel il existe un décalage remarquable. Sa pensée s'est développée d'une façon complexe,

64. Cité dans Albert Guérard. *André Gide.* Cambridge : Harvard University Press, 1951, p. 231.
65. Massis, *D'André Gide à Marcel Proust,* p. 69.
66. Pierre-Quint, *op. cit.,* p. 289.

chaque étape découlant de la précédente selon les rouages mystérieux de la pensée et des sentiments de l'écrivain. Le lecteur a vu toutefois des éléments de sa pensée définitive qui datent en vérité de sa jeunesse. On peut donc suggérer qu'en même temps qu'il y a eu une évolution de sa pensée, il existe aussi une continuité importante entre certaines idées d'André Walter ou de Nathanaël et des idées du vieillard. Cette continuité nous permet de voir l'aspect logique de son développement religieux. A l'époque d'André Walter, même à celle des *Nourritures terrestres,* le mot d'ordre de Gide était « chercher Dieu. » André Walter le cherchait au moyen de l'ascétisme et de l'angoisse ; Nathanaël, au moyen de l'hédonisme ; et le vieux Gide conseille de chercher Dieu dans la vertu. Mais le but est le même, de sorte que Massis a pu appeler l'auteur d'*Œdipe* « un réformateur enfin, un apôtre et proprement le fondateur d'une religion nouvelle, car le dernier cri de ce nietzschéen, écœuré de Dieu... c'est encore ' Il faut chercher Dieu. ' » [67] On se souvient qu'André Walter, Philoctète, Alissa, même Michel voulaient se dépasser pour obtenir quelque chose de meilleur ; c'est précisément ce que fait Thésée. Pareillement, pendant sa jeunesse Gide cherchait à approfondir les rapports de l'individu avec Dieu, et dans ses années de maturité il ne cesse de prêcher la réalisation de la Divinité par l'individu. Si l'auteur rejette le transcendant peu après son adolescence, il continue néanmoins à viser à la vie éthique et spirituelle et à la création de Dieu. Il y a ainsi des constantes dans la pensée religieuse gidienne, des préoccupations qui ne disparaissent jamais et qui fournissent à ceux qui veulent explorer le labyrinthe de sa pensée une aide précieuse. A la veille de sa mort l'écrivain put dire, « Les rapports de l'homme avec Dieu m'ont de tout temps paru beaucoup plus importants et intéressants que les rapports des hommes entre eux. » [68]

Il est également évident que, quel qu'ait été l'aboutissement de l'évolution religieuse de Gide, sa vie et son œuvre appartiennent à la culture chrétienne. Tous les critiques ont signalé sa dette artistique au christianisme. Sans celui-ci, il n'aurait pas pu édifier son œuvre qui est tantôt une réaction à la tradition judéo-chrétienne, tantôt une glorifi-

67. MASSIS, *Jugements II,* p. 34.
68. *Ainsi soit-il,* pp. 40-41.

cation de celle-ci. René Schwob le considère comme une protestation contre sa formation religieuse : « L'effort pour se passer de Dieu, pour en dépasser les commandements... telle est la charnière où son œuvre se joint à sa vie. » [69] A la différence d'autres libres penseurs du vingtième siècle, il prend son point de départ dans le christianisme et reste souvent très près de cette religion. Ainsi que l'exprime Mlle Brée, « Les personnages gidiens pensent naturellement en termes chrétiens, jugent les choses selon des valeurs chrétiennes. » [70] Et lorsque Gide élabore son éthique humaniste, il se sert consciemment des valeurs prêchées par le Christ (et souvent par l'Eglise elle-même), de sorte que sa morale, tout comme celle de Camus, ressemble à ne s'y méprendre à l'enseignement chrétien. Au lieu de lutter contre cette influence ou de s'y soustraire, Gide l'accueille, l'utilise, et lui reste redevable. Quand son œuvre fut mis sur l'Index, un journal romain accusa l'écrivain de renier le Christ en prétendant l'aimer, de pervertir l'Evangile, et de blasphémer. C'est que, selon l'expression de Justin O'Brien, « He develops a new ethic and a new logic while using forms belonging to the very logic and ethics he is destroying. » [71]

Dans cette étude de l'évolution religieuse d'André Gide nous avons tâché de déterminer les origines de sa pensée et de suivre le développement de celle-ci jusqu'à sa conclusion. Nous espérons avoir présenté au lecteur les difficultés principales dans l'analyse de sa pensée aussi bien que les traits saillants de celle-ci, et s'il a été impossible de résoudre toutes les questions, nous espérons du moins avoir éclairci le problème et suggéré des réponses possibles. En examinant cette pensée complexe, enchevêtrée, et intensément personnelle, il est dangereux de parler d'un attitude définitive et d'un système philosophique. Nous avons essayé plutôt de relever les idées et les attitudes qui dominent dans son esprit à telle ou telle époque. Ce n'est qu'en embrassant toute son évolution qu'on peut avoir une idée satisfaisante de la pensée religieuse de cet homme qui a passé de l'extase religieuse la plus passionnée jusqu'à l'incrédulité, sans jamais cesser de s'intéresser à la religion chrétienne, et qui, selon la parole de Mauriac, était « imbibé de Dieu. »

69. Schwob, *op. cit.*, p. 174.
70. Brée, *op. cit.*, p. 21.
71. O'Brien, *op. cit.*, pp. 309-10.

BIBLIOGRAPHIE

I

Ouvrages d'André Gide

1. — *Ouvrages en volume*

L'Affaire Redureau, suivie de Faits-divers. 3me éd. [Paris] : Gallimard, 1930.
Ainsi soit-il ou Les Jeux sont faits. [Paris] : Gallimard, c. 1952.
Amyntas : Mopsus ; Feuilles de Route ; De Biskra à Touggourt ; Le Renoncement au Voyage. Nouvelle éd. Paris : Gallimard, [1925].
Les Cahiers et les Poésies d'André Walter. 14me éd. Paris : Gallimard, c. 1952.
Catalogue de livres et de manuscrits provenant de la bibliothèque d'André Gide. Préface d'André Gide. Paris : E. Champion, 1925.
Les Caves du Vatican. 22me éd. Paris : Gallimard, 1922.
Corydon. Ed. augm. [Paris] : Gallimard, [1938].
De l'Importance du Public. Paris : Petite collection de l'Ermitage, 1903.
De l'Influence en Littérature. Paris : Petite collection de l'Ermitage, 1900.
Divers. [Paris] : Gallimard, [1931].
Dostoïevsky. Paris : Plon Nourrit, c. 1923.
L'Ecole des Femmes ; Robert ; Geneviève. [Paris] : Gallimard, [1947].
El Hadj. [Paris] : Gallimard, [1932].
Et nunc manet in te. Neuchâtel et Paris : Ides et Calendes, 1947.
Les Faux-Monnayeurs. Paris : Gallimard, c. 1925.
Feuillets d'automne. Paris : Mercure de France, 1949.
L'Immoraliste. Paris : Mercure de France, 1921.
Incidences. Paris : Gallimard, c. 1924.
Interviews imaginaires. New York : Jacques Schiffrin, 1943.
Jeunesse. Neuchâtel : Ides et Calendes, c. 1945.
Journal, 1889-1939. Paris : Gallimard, Bibliothèque de la Pléiade, 1948.
Journal, 1939-1942. 19me éd. [Paris] : Gallimard. c. 1946.
Journal, 1942-1949. 69me éd. [Paris] : Gallimard, c. 1950.
Journal des Faux-Monnayeurs. Paris : Gallimard, c. 1948.
Littérature engagée. Textes réunis et présentés par Yvonne Davet. [Paris] : Gallimard, c. 1950.
Morceaux choisis. Paris : Gallimard, 1921.
Les Nourritures terrestres et les Nouvelles Nourritures. Paris : Gallimard, c. 1921 et 1935.

Nouveaux Prétextes. Paris : Mercure de France, 1911.
Œuvres complètes. 15 v. Paris : Nouvelle Revue française, 1932-39.
Oscar Wilde. Paris : Mercure de France, [1948].
Paludes. 20me éd. Paris : Gallimard, 1926.
Paul Valéry. Paris : Domat, 1947.
La Porte étroite. Paris : Mercure de France, 1956.
Prétextes. Nouvelle éd. Paris : Mercure de France, 1947.
Le Retour. Neuchâtel et Paris : Ides et Calendes, [1946].
Le Retour de l'Enfant prodigue, précédé de cinq autres traités. 82me éd. Paris : Gallimard, c. 1948.
Retour de l'U.R.S.S. et *Retouches à mon Retour de l'U.R.S.S.* [Paris] : Gallimard, [1950].
Le Roi Candaule. Paris : Ed. de la Revue Blanche, 1901.
Romans, Récits, et Soties. Introduction par Maurice Nadeau ; notice et bibliographies par Yvonne Davet et Jean-Jacques Thierry. [Paris] : Gallimard, Bibliothèque de la Pléiade, 1958.
Si le grain ne meurt. Paris : Gallimard, c. 1955 .
Souvenirs de la Cour d'Assises. Paris : Gallimard, 1924.
La Symphonie pastorale. Paris : Gallimard, c. 1925.
Thésée. Paris : Gallimard, 1946.
Théâtre. [Paris] : Gallimard, [1948].
Le Traité du Narcisse et *La Tentative amoureuse*. [Lausanne] : Mermod, [1946].

2. — *Préfaces et traductions*

Beyle, Marie Henri (Stendhal). *Armance ou Quelques Scènes d'un Salon de Paris*. Préface d'André Gide. Paris : E. Champion, 1925.
— *Lamiel*. Précédé d'« En relisant *Lamiel* » par André Gide. Paris : Ed. du Livre français, [1947].
Goethe, Johann W. von. « Second Faust : fragment », traduit par André Gide, *Nouvelle Revue française*, XXXVIII (mars 1932), 532-38.
Jammes, Francis. *Clara d'Ellebeuse*. Préface d'André Gide. Lausanne : Mermod, 1947.
Montaigne, Michel Eyquem de. *Les Pages immortelles de Montaigne*. Choisies et expliquées par André Gide. Paris : Corréa, [1948].
Pouchkine, Alexandre. « Le Marchand de Cercueils », traduit par André Gide et Jacques Schiffrin, *Nouvelle Revue française*, XLIV (janv. 1935), 71-80.
Saint-Exupéry, Antoine de. *Vol de Nuit*. Préface d'André Gide. [Paris] : Gallimard, c. 1931.
Shakespeare, William. *Hamlet*. Ed. bilingue. Traduction et introduction par André Gide. New York : Pantheon Books, [1945].

3. — *Articles*

« A propos de Tocqueville », *Nouvelle Revue française*, VL (nov. 1935), 788-90.
« Alfred Vallette », *Mercure de France*, CCLXIV (déc. 1935), 265-66.
« Appel », *Arche*, n° 1 (1944), 13-15.
« L'Avenir de l'Europe », *Revue de Genève*, VI (janv. 1923), 1-9.
« La Détresse de notre Afrique équatoriale », *Revue de Paris*, XXXIV 5, (15 oct. 1927), 721-32.
« Deux interviews imaginaires », *Arche*, III, n° 11 (nov. 1945), 46-56.
« Le Dialogue français », *Cornhill* (winter 1946), 200-01.
« Eugène Dabit », *Nouvelle Revue française*, XLVII (oct. 1936), 581-90.

« Feuillets », *Nouvelle Revue française,* XXXI (déc. 1928), 801-08 ; XL (mai 1933), 720-27 ; LIV (déc. 1940), 76-86 ; LIV (fév. 1941), 342-51.
« Feuillets retrouvés », *Nouvelle Revue française,* VL (nov. 1935), 715-30.
« Francis Jammes », *Nouvelle Revue française,* LI (déc. 1938), 881-82.
« Goethe », *Nouvelle Revue française,* XXXVIII (mars 1932), 368-77.
« Le Groupement littéraire qu'abritait le *Mercure de France* », *Mercure de France,* CCXCVIII, n° 999-1000 (numéro du 1er juillet 1940 - 1er déc. 1946), 168-70.
« Jacques Rivière », *Nouvelle Revue française,* XXIV (avril 1925), 497-502.
« Jef Last », *Nouvelle Revue française,* L (avril 1938), 647-50.
« Jeunesse », *Nouvelle Revue française,* XXXVII (sept. 1938), 369-83.
« Joseph Conrad », *Nouvelle Revue française,* XXIII (déc. 1924), 659-662.
« Les Juifs, Céline et Maritain », *Nouvelle Revue française,* L (avril 1938), 630-36.
« Lettre à Lucien Combelle », *Nouvelle Revue française,* XLVII (nov. 1936), 918.
« Lettre ouverte à Albert Thibaudet », *Nouvelle Revue française,* VL (juillet 1935), 142.
« Lettre sur les faits-divers », *Nouvelle Revue française,* XXXVII (nov. 1926), 610-11.
« Le Lieutenant de Vaisseau Pierre Dupouey, avec des lettres d'Henri Ghéon », *Le Correspondant,* CCLXXV (1919), 820-34.
« Note », *Nouvelle Revue française,* XLVI (fév. 1936), 301-02.
« Notes de voyage : Tunis et Sahara », *Mercure de France,* XXI (fév. 1897), 225-46.
« Pages de Journal », *Arche,* n° 2 (mars 1944), 4-23 ; n° 3 (avril-mai 1944), 10-39 ; n° 4 (juin-juillet 1944), 37-56.
« Pages retrouvées », *Nouvelle Revue française,* XXXII (avril 1929), 493-503 ; L (mai 1938), 705-26.
« Paul Valéry », *Arche,* n° 10 (oct. 1945), 4-17.
« Pour chanter deux mois d'un meilleur été », *Mercure de France,* XXIV (oct. 1897), 65-66.
« Préface à la traduction allemande des *Nourritures terrestres* », *Nouvelle Revue française,* XXXIV (mars 1930), 320-22.
« Préface à une réédition d'*André Walter* », *Nouvelle Revue française,* XXXIV (mars 1930), 319-21.
« Préface pour une seconde édition de *Paludes* », *Mercure de France,* XVI (nov. 1895), 199-204.
« Une protestation », *Mercure de France,* XXI (fév. 1897), 428.
« Les Quatre éléments », *Nouvelle Revue française,* XLVI (mars 1936), 464-65.
« Quelques mots sur Emmanuel Signoret », *Mercure de France,* LXXII (16 mars 1908), 243-47.
« Rabou et *Le Député d'Arcis* », *Mercure de France,* CCLXII (15 sept. 1935), 663-64.
« Les Rapports intellectuels entre la France et l'Allemagne », *Nouvelle Revue française,* XVII (nov. 1921) 513-21.
« Rencontre à Sorrente », *Arche.* n° 6 (nov. 1944), 133-35.
« Réponse à une enquête », *Arche,* n° 6 (nov. 1944), 129-32.
« Une Réponse d'André Gide », *Nouvelle Revue française,* XLIV (juin 1935), 957.
« Robert ou l'Intérêt général », *Arche,* n° 5 (sept. 1944), 14-47 ; n° 6 (nov. 1944), 21-51 ; n° 7 (déc. 1944-fév. 1945), 36-65 ; n° 8 (août 1945), 20-50.
« Seconde lettre sur les faits-divers », *Nouvelle Revue française,* XXVIII (fév. 1927), 238-41.
« Un serviteur de la France nouvelle, Pierre Vienot », *France libre,* VIII, n° 46 (15 août 1944), 231.

« Souvenirs littéraires et problèmes actuels », *Arche*, n° 18-19 (août-sept. 1946), 3-19.
« Suivant Montaigne », *Nouvelle Revue française*, XXXII (juin 1929), 745-66
« Un Sujet d'enquête », *Nouvelle Revue française*, XLVI (avril 1936), 620-22.
« Sur une traduction de Pouchkine », *Nouvelle Revue française*, XLIV (avril 1935), 629-32.
« Tombeau de Jean Giraudoux », *Arche*, n° 2 (mars 1944), 105-07.
« Les Villages des tribus Massas », *Illustration*, LXXXV (5 mars 1927), 236-37.

4. — *Correspondance*

GIDE, André. « Quelques lettres à Maurice Beaubourg », *Nouvelle Nouvelle Revue française*, I (avril 1953), 756-67.
— « Lettres à Christian Beck », *Mercure de France*, CCCVI, n° 1031 (juillet 1949), 385-402 ; CCCVI, n° 1032 (août 1949), 616-37.
— et Paul CLAUDEL. *Correspondance*. Préface et notes par Robert Mallet. [Paris] : Gallimard, c. 1949.
— et Charles DU BOS. *Lettres*. Paris : Corréa, 1950.
— et Francis JAMMES. *Correspondance 1893-1938*. Introduction et notes par Robert Mallet. [Paris] : Gallimard, [1948].
— « Lettres à Jacques de Lacretelle », *Biblio*, XXVII, n° 6 (juillet 1959), 4.
— « Lettres à François Mauriac », *Table Ronde*, n° 61 (janv. 1953), 91-106.
— Lettre à Lucien Maury dans Pär Lagerkvist. *Barabbas*. Translated by Alain Blair. New York : Random House, c. 1951.
— « Lettres à Adrienne Monnier », *Mercure de France*, CCCXXVI, n° 1109 (janv. 1956), 104-07.
— Lettres à Proust dans Marcel Proust. *Lettres à André Gide*. Neuchâtel et Paris : Ides et Calendes, c. 1949.
— und Rainer Maria Rilke. *Briefwechsel, 1909-1926*. Ubertragung von Wolfgang A. Peters. Stuttgart : Deutsche Verlags-Anstalt, 1957.
— et Rainer Maria RILKE et Emile VERHAEREN. *Correspondance inédite*. Présentée par Carlo Bronne. [Paris] : Messein, 1955.
— et Paul VALÉRY. *Correspondance, 1890-1942*. Préface et notes par Robert Mallet. Paris : Gallimard, c. 1955.
— « Lettres », *Nouvelle Revue française*, XXX (juin 1928), 721-735 (à Paulhan, Mauriac, Rouveyre) ; XXXI (juillet 1928), 41-50 (au père Poucel, le pasteur Farrari, Gosse) ; XXXI (août 1928), 227-41 (à Rouveyre) ; XXXI (sept. 1928), 305-15 (à Rathenau, Lalou, Thérive) ; XXXI (oct. 1928), 516-23 (à Rouveyre) ; XXXI (nov. 1928), 609-13 (à Proust) ; XXXII (janv. 1929), 57-65 (à R. Schwob, Porché) ; XXXIII (nov. 1929), 759-66 (à Du Bos, Massis, et d'autres) ; XXXIV (fév. 1930), 194-97 (à M. Belgion).

II

ETUDES LITTÉRAIRES ET PHILOSOPHIQUES

1. — *Ouvrages en volume sur Gide*

ALBÉRÈS, René-Marill. *L'Odyssée d'André Gide*. Paris : La Nouvelle Edition, [1951].

ALIBERT, F.-P., Henri BERNSTEIN, *et al. André Gide*. Paris : Editions du Capitole, [1928].
AMES, Van Meter. *André Gide*. Norfolk, Conn. : New Directions Books, [1947].
André Gide et notre Temps. Paris : Gallimard, [1935].
ARCHAMBAULT, Paul. *Humanité d'André Gide*. [Paris] : Bloud et Gay, 1946.
BEIGBEDER, M. *André Gide*. Paris et Bruxelles : Editions universelles, [1954].
BRAAK, Sybrandi. *André Gide et l'Ame moderne*. Amtersdam : H. J. Paris, [1923].
BRÉE, Germaine. *André Gide, l'insaisissable Protée*. Paris : Belles-lettres, 1953.
Cahier André Gide. Bruxelles et Boulogne-sur-Seine : Prétexte, 1953.
COCTEAU, Jean. *Gide vivant*. Paris : Amiot-Dumont, [1952].
DAVET, Yvonne. *Autour des Nourritures terrestres*. [Paris] : Gallimard, [1948].
DELAY, Jean. *La Jeunesse d'André Gide*. 2 v. [Paris] : Gallimard, [1956].
DELMAT-MARSELET, M. *André Gide l'enchaîné*. [Bordeaux] : Picquot, [1955].
DERAIS, François, et Henri RAMBAUD. *L'envers du Journal de Gide*. Paris : Le Nouveau Portique, [1952].
DRAIN, Henri. *Nietzsche et Gide*. Paris : Ed. de la Madeleine, [1932].
DU BOS, Charles. *Le Dialogue avec André Gide*. Paris : Corréa, 1947.
FAYER, Mischa Harry. *Gide, Freedom, and Dostoievsky*. [Burlington, Vt. : Lane Press, 1946.]
FERNANDEZ, Ramon. *André Gide*. Paris : Corréa, 1931.
GABORY, Georges. *André Gide*. Paris : Ed. de la Nouvelle Revue critique, 1924.
GOUIRAN, Emile. *André Gide*. Paris : J. Crès, 1934.
GUÉRARD, Albert. *André Gide*. Cambridge : Harvard University Press, 1951.
HERBART, Pierre. *A' la Recherche d'André Gide*. [Paris] : Gallimard, [1952].
HYTIER, Jean. *André Gide*. [Paris] : Charlot, [1946].
KAAS-ALBARDA, Maria. *André Gide et son Journal*. Arnhem : Van Loghum Slaterus, 1942.
LAFILLE,, Pierre, *André Gide romancier*. Paris : Hachette, [1954].
LALOU, René. *André Gide*. Strasbourg : J. Heissler, [c. 1928].
LAMBERT, Jean. *Gide familier*. Paris : Julliard, c. 1958.
LANG, Bluma Renée. *André Gide et la Pensée allemande*. Paris : Egloff, [1949].
— *Rilke, Gide, et Valéry*. Boulogne-sur-Seine : Prétexte, [1953].
LEPOUTRE, Raymond. *André Gide*. Paris : Richard-Masse, 1946.
LÉVY, Jacques. *Les Faux-Monnayeurs d'André Gide et l'Expérience religieuse*. Grenoble : Cahiers de l'Alpe, 1954.
LIME, Maurice. *Gide tel que je l'ai connu*. Paris : Julliard [1952].
MALLET, Robert. *Une Mort ambiguë*. Paris : Gallimard, c. 1955.
MANN, Klaus. *André Gide and the Crisis of Modern Thought*. [New-York] : Creative Age Press, [1943].
MARCH, Harold. *Gide and the Hound of Heaven*. Philadelphia : University of Pennsylvania Press, 1952.
MARCHAND, Max. *Le Complexe pédagogique et didactique d'André Gide*. Oran : Fouque, 1954.
— *Du Marquis de Sade à André Gide*. [Oran : Fouque, 1956].
— *L'Irremplaçable Mari ou la Vie conjugale d'André Gide*. Oran : Fouque, 1956.
MARTIN DU GARD, Roger. *Notes sur André Gide*, 1913-1951. [Paris] : Gallimard, [1952].
MARTINET, Edouard. *André Gide, l'Amour et la Divinité*. Paris : Attinger, 1931.

MASSIS, Henri. *D'André Gide à Marcel Proust*. [Lyon] : Lardanchet, 1948.
MAURIAC, Claude. *Conversations avec André Gide*. Paris : Albin Michel, [1951].
MAURRAS, Charles. *Réponse à André Gide*. [Paris] : Ed. de la seule France, 1948.
Mc CLAREN, James Clark. *The Theatre of André Gide : The Evolution of a Moral Philosopher*. Baltimore : Johns Hopkins Press, 1953.
MONDOR, Henri. *Les premiers Temps d'une Amitié : André Gide et Paul Valéry*. *Monaco :* Editions du Rocher, [1947].
NAVILLE, Arnold. *Bibliographie des Ecrits d'André Gide*. Préface de Maurice Bedel. Paris : H. Matarasso, 1949..
NAVILLE, Claude. *André Gide et le Communisme*. Préface de Pierre Naville. Paris : Librairie du Travail, [1936].
NOBÉCOURT René. *Les Nourritures normandes d'André Gide*. Préface de Thierry Maulnier. Paris : Editions Médicis, [1949].
O'BRIEN, Justin. *Index détaillé des quinze volumes des Œuvres complètes d'André Gide*. Asnières-sur-Seine : Prétexte, c. 1954.
— *Les Nourritures terrestres d'André Gide et les Bucoliques de Virgile*. Traduit par Elisabeth Van Rysselberghe. Boulogne-sur-Seine : Prétexte, [1953].
— *Portrait of André Gide*. New York : Knopf, 1953.
PAINTER, Georges D. *André Gide*. London : A. Barker, [1951].
PELL, Elsie. *André Gide : l'Evolution de sa Pensée religieuse*. Grenoble : Saint-Bruno, 1936.
PIERRE-QUINT, Léon. *André Gide*. Nouvelle éd. Paris : Stock, Delamain et Boutelleau, 1952.
PLANCHE, Henri. *Le Problème de Gide*. [Paris] : Téqui, [1952].
ROUVEYRE, André. *Le Reclus et le Retors : Gourmont et Gide*. Paris : Crès, 1927.
SACHS, Maurice. *André Gide*. Paris : Denoël et Steele, [1936].
SCHILDT, Göran. *Gide et l'Homme*. Traduit par Marguerite Gay et Gerd de Mautort. Paris : Mercure de France, 1949.
SCHLUMBERGER, Jean. *Madeleine et André Gide*. Paris : Gallimard, [1956].
SCHWOB, René. *Le Vrai Drame d'André Gide*. Paris : Grasset, [c. 1932].
SOUDAY, Paul. *André Gide*. Paris : S. Kra, [1927].
YANG, Tchang Lomine. *L'Attitude d'André Gide*. Lyon : Bosc et Riou, 1930.

2. — *Etudes littéraires sur Gide et d'autres*

ALBÉRÈS, René-Marill. *L'Avenure intellectuelle du XXe siècle*. Paris : La Nouvelle Edition, 1950.
BÉRAUD, Henri. *La Croisade des longues Figures. Paris :* Editions du Siècle, 1924.
BOISDEFFRE, Pierre de. *Histoire vivante de la Littérature d'aujourd'hui*. [Paris] : Le Livre contemporain, [1959].
CALVET, J. *Le Renouveau catholique dans la Littérature contemporaine*. Paris : Lanore, c. 1927.
HATZFELD, Helmut. *Trends and Styles in Twentieth-Century French Literature*. Washington : Catholic University Press, 1957.
KNIGHT, Everett W. *Literature Considered as Philosophy*. London : Routledge and Kegan Paul, 1957.
MASSIS, Henri. *Jugements II*. Paris : Plon-Nourrit. 1924.
MAURIAC, François. *Dieu et Mammon* [Paris] : Ed. du Capitole. 1929.
MOELLER, Charles. *Littérature du XXe siècle et christianisme*. 3 v. Paris : Casterman, 1954-57.

3. — *Etudes philosophiques, historiques, etc.*

BALZAC, Honoré de. *Louis Lambert ; Séraphîta.* Paris : Albin Michel, s. d.
BAUDELAIRE, Charles. *Œuvres complètes.* Paris : Gallimard, Bibliothèque de la Pléiade, c. 1954.
BOUYER, Louis. *Du Protestantisme à l'Eglise.* Paris : Editions du Cerf, 1954.
DU BOS, Charles. *Journal.* 8 v. Paris : Corréa, c. 1946, 1948, 1950 ; Colomb, 1954-59.
DUHAMEL, Georges. *Journal de Salavin.* Paris : Fayard et Cie, [1929].
ETCHEVERRY, Auguste. *Le Conflit actuel des Humanismes.* Paris : Presses universitaires de France, 1955.
FOURNIER, Alain et Jacques RIVIÈRE. *Correspondance.* 1905-1914. 4 v. Paris : Gallimard, [1926-28].
JAMES, William. *The Varieties of Religious Experience.* New York : Longmans, Green & Co., 1915.
LATREILLE, André, et André SIEGFRIED. *Les Forces religieuses et la Vie politique.* Paris : Armand Colin, 1951.
POLAND, Burdette C. *French Protestantism and the French Revolution.* Princeton : Princeton University Press, 1957.
RIVIÈRE, Jacques. *A la Trace de Dieu.* Paris : Gallimard, c. 1925.

4. — *Articles et comptes-rendus*

ALDEN, Douglas W. « The Journals of André Gide », *Romanic Review,* XXXIX, no. 1 (Feb. 1948), 80-82.
« André Gide Sells Out », *Living Age,* CCCXV (June 20, 1925), 645-46.
ANISSIMOV, I. and Z. Lvovsky. « Gide Goes Communist », *Living Age,* CCCXLIV (March 1933), 71-74.
ARLAND, Marcel. « André Gide, Saint or Demon ? » *Living Age,* CCCXL (April 1931), 173-79.
ARNAUD, Michel. « *Dostoïevsky d'André Gide* », *Nouvelle Revue française,* XXI (août 1923), 151-59.
AUDRY, Colette. « *Et nunc manet in te* », *Les Temps modernes,* VII (nov. 1951), 953-55.
BALDENSPERGER, Fernand. « André Gide antigoethéen », *Revue de littérature comparée,* XIII (oct. 1933), 651-75.
BARRAULT, Jean-Louis. « Tel que je l'ai vu... » *Figaro littéraire,* VI, n° 253 (24 fév. 1951), 5.
BENDA, Julien. « De Gide, de Mauriac, et de Barrès », *Nouvelle Revue française,* XXXIX (oct. 1932), 617-22.
BERL, Emmanuel. « Le *Dostoïevsky* d'André Gide », *Europe nouvelle,* VI (28 juillet 1923), 957-58.
BERTAUX, Félix « *Si le grain ne meurt* par André Gide », *Nouvelle Revue française,* XXVIII (fév. 1927), 258-63.
BISSON, L.A. « Valéry and Virgil », *Modern Language Review,* LIII, no. 4 (oct. 1958), 501-11.
BRÉE, Germaine. « Form and Content in Gide », *French Review,* XXX, no. 6 (May 1957), 423-28.
BRUNET, Gabriel. « A Propos d'André Gide », *Quo Vadis,* VII, n°s 71-73 (juillet-sept. 1954), 20-29.
BURKE, Kenneth. « Thomas Mann and André Gide », *Bookman,* LXXI (June 1930), 257-64.
CANU, Jean. « André Gide et la Normandie », *PMLA,* LXV, no. 2, (March 1950), 27-45.
CHAFFIOL-DEBILLEMONT, F. « Dans le sillage de l'*Immoraliste* », *Mercure de France,* CCCXIX (oct. 1953), 281-93.
CHAPELAN, Maurice. « Entendu à St-Germain-des-Prés », *Figaro littéraire,* VI, n° 253 (24 février 1951), 7.

COLEY, William B. « Gide and Fielding », *Comparative Literature*, XI, no. 1 (Winter 1959), 1-15.
CONRAD, Joseph. « Lettres à Gide », *Nouvelle Revue française*, XXIII (déc. 1924), 751-54.
COWLEY, Malcolm. « André Gide in Wartime », *New Republic*, CX (June 5, 1944), 766-68.
— « Retreat from Moscow », *New Republic*, XC (March 17, 1937), 172.
CRÉMIEUX, Benjamin. « *Œdipe* d'André Gide », *Nouvelle Revue française*, XXXVIII (avril 1932), 765-67.
CRUICKSHANK, John. « Note on Gide's *Symphonie pastorale* », *Modern Language Review*, XLIX (Oct. 1954), 475-78.
DAUDET, Léon. « André Gide », *Nouvelle Revue française*, XXXVII (nov. 1931), 828-29.
DELAY, Jean. « La mère d'André Gide », *Revue de Paris*, LXI (avril 1956), 38-51.
DORT, Bernard. « *Œdipe* par André Gide », *Les Temps modernes*, VI (juin 1951), 2293-95.
DU BOS, Charles, « Sur le *Numquid et tu... ?* d'André Gide », *Nouvelle Revue française*, XXVIII (juin 1927), 756-69.
DUMONT-WILDEN, L. « André Gide », *Mercure de France*, LXXXII (déc. 1909), 578-93.
DURAN, Lucien. « André Gide et l'U.R.S.S. », *Mercure de France*, CCXLVI (15 août 1933), 93-106.
DURRY, Marie-Jeanne. « Perséphone », *Europe nouvelle*, XVII, n° 867 (22 sept. 1934), 945-46.
ESTOURELLES, Paul d'. « *Hamlet* in French : André Gide's Translation », *Theatre Arts*, XXXIX (Nov. 1945), 665-66.
ETIEMBLE, René. « Le Style du *Thésée* d'André Gide », *Les Temps modernes*, II, n° 18 (mars 1947), 1032-38.
EUBÉ, Charles. « New Aspects of André Gide », *Books Abroad*, XXII, no. 2 (1948), 133-35.
FAGUET, Emile. « Auguste Comte », *Revue des Deux Mondes*, 1er août 1895.
FERNANDEZ, Ramon. « Lettre ouverte à André Gide », *Nouvelle Revue française*, XLII (avril 1934), 703-08.
— « Note sur l'évolution d'André Gide », *Nouvelle Revue française*, XLI (juillet 1933), 129-35.
FOWLIE, Wallace. « Who Was André Gide ? », *Sewanee Review*, LX (Oct. 1952), 605-23 .
GHÉON, Henri. « André Gide », *Mercure de France*, XXII (mai 1897), 237-62.
— « Sur le cas Mozart », *Nouvelle Revue française*, XXXIX (oct. 1932), 627-34.
GOSSE, Edmond. « Writings of Gide », *Contemporary Review*, XCVI (Sept. 1909), 342-50.
GRIMAULT, Marguerite. « L'Univers coloré d'André Gide », *Revue d'Esthétique*, XI, 1er et 2me fasc. (janv.-juin 1958), 164-75.
HARVEY, L.E., « Utopia of Blindness in Gide's *Symphonie pastorale* », *Modern Philology*, LV (Feb. 1958), 188-97.
HELL, Henri. « Gide et Camus », *La Table Ronde*, n° 146 (fév. 1960), 22-25.
HERTZ, Henri. « *Les Faux-Monnayeurs* par André Gide », *Nouvelle Revue française*, XXVI (mars 1926), 345-51.
HIGHET, Gilbert. « La Nature a horreur du Gide », *Harper's*, CCVII, no. 1240 (Sept. 1953), 94-96.
— « Reinterpretation of the Myths », *Virginia Quarterly Review*, XXV, no. 1 (Jan. 1949),, 99-115.
HOLDHEIM, William W., « The Dual Structure of the *Prométhée mal enchaînée* », *Modern Language Notes*, LXXIV, no. 8 (Dec. 1959), 714-20.

— « Gide's *Paludes* : the Humor of Falsity », *French Review*, XXXII, no. 5 (April 1959), 401-09.
— « The Young Gide's Reaction to Nietzsche », *PMLA*, LXXII, no. 3 (June 1957), 534-44.
H[UXLEY], A. « André Gide », *Athenaeum*, no. 4717 (Sept. 24, 1920), 422.
JAMMES, Francis. « Lettres à Arthur Fontaine », *Revue de Paris*, LXVI (nov. 1959), 47-56.
JASINKI, Beatrice. « Gide et Viélé-Griffin : Documents inédits », *Modern Philology*, LV (Nov. 1957), 103-23.
JEANSON, Francis. « Gide contre Gide », *Les Temps modernes*, IV, n° 37 (Oct. 1948), 656-83.
KLOSSOWSKI,, Pierre. « En marge de la *Correspondance* de Claudel et de Gide », *Les Temps modernes*, V, n° 56 (Juin 1950), 2152-74.
— « Gide, Du Bos, et le démon », *Les Temps modernes*, VI (sept. 1950), 564-74.
LALOU, René. « *Amyntas*, par André Gide », *Nouvelle Revue française*, XXVI (mai 1926), 616-17.
LANUX, Pierre de. « Chez André Gide, Villa Montmorency », *Nouvelle Nouvelle Revue française*, IV (août 1959), 350-53.
LANG, Bluma Renée. « André Gide's *Theseus* and *The Stranger* by Albert Camus », *Books Abroad*, XXI, no. 4 (1947), 383-86.
— « Gide et Nietzsche », *Romanic Review*, XXXIV, no. 2 (April 1943), 139-49.
— « Gide, the Humanist », *Books Abroad*, XXIV, no. 2 (1950), 116-22.
LE DANTEC, Y.-G., « Le Mouvement poétique », *Revue des Deux Mondes*, s. VIII, n° 22 (15 août 1934), 939-40.
« Liberalism, Libel, and André Gide », *Partisan Review*, XVIII, no. 3 (May 1951), 365-68.
LIÈVRE, Pierre. « *Œdipe* », *Mercure de France*, CCXXXV (avril 1932), 158-60.
LOUGHNAN, E. L. « Thirteenth Apostle : A Study of André Gide », *Sewanee Review*, XXXIX (July 1931), 293-308.
LOUYS, Pierre. « Quelques lettres à A.G. », *Nouvelle Revue française*, XXXIII (déc. 1929), 782-99.
LYNES, Carlos J. Jr. « André Gide and the Problem of Form in the Novel », *Southern Review*, VII, no. 1 (1941), 161-73 .
— « North Africa in André Gide's Writings », *PMLA*, LVII (Sept. 1942), 851-66.
MALLET, Robert. « Dernières conversations rue Vaneau », *Figaro littéraire*, VI, n° 253 (24 fév. 1951), 1.
MALRAUX, André. « *Les Nouvelles nourritures*, par André Gide », *Nouvelle Revue française*, XLV (déc. 1935), 935-37.
MARCEL, Gabriel. « *Les Nouvelles Nourritures* », *Europe nouvelle*, XIX (18 janv. 1936), 70-71.
— « *Retour de l'U.R.S.S.* », *Europe nouvelle*, XIX (21 nov. 1936), 1166-67.
MARITAIN, Jacques. « Réponse à André Gide », *Nouvelle Revue française*, L (juin 1938), 1020-22.
MARKOV-TOTEVY, Georges. « André Gide et James Joyce », *Mercure de France*, CCCXXXVIII, n° 1158 (fév. 1960), 272-90..
MASSIS, Henri. « De Claudel à Chesterton », *La Table ronde*, n° 143 (nov. 1959), 31-57.
MAURIAC, Claude. « André Gide », *La Table Ronde*, n° 52 (avril 1952), 139-50.
MICHAUD, Régis. « André Gide's Journey », *Books Abroad*, X, no. 1 (Winter 1936), 9-11.
MOUTON, Jean. « Charles Du Bos et André Gide », *Cahiers du Sud*, XXXVI, n° 297 (1949), 195-97.
NADEAU, Maurice. « A Propos des rapports Gide - Du Bos », *Mercure de France*, CCCX (oct. 1950), 301-05.

— « La Sincérité d'André Gide », *Mercure de France*, CXIII (nov. 1951), 502-08.
— « Sur André Gide », *Mercure de France*, CVI (août 1949), 693-96.
NOTH, E. E. « André Gide », *Books Abroad*, XXV, no. 2 (1951), 105-08.
O'BRIEN, Justin. « Additions to the Gide Bibliography », *Romanic Review*, XLIII, no. 1 (Feb. 1952), 34-53.
— « Diary of a Quasi-libertine », *Saturday Review of Literature*, XXX (July 5, 1947), 9-10.
— « *Lettres à André Gide* par Marcel Proust », *Romanic Review*, XLIV, no. 2 (April 1953), 157-58.
— « On Rereading the Modern Classics », *Nation*, CLV (Nov. 28, 1942), 570-80.
— « The Perennial Youth of André Gide », *Saturday Review* XXXIV (March 31, 1951), 9-12.
— « Rapprochement : André Gide et Lautréamont », *Romanic Review*, XXVIII, no. 1 (Feb. 1937), 54-58.
« *Oedipe* » *Europe Nouvelle*, XV (27 fév. 1932), 272.
PÉNARD, Jean. « Aspects d'une amitié : Roger Martin du Gard et André Gide », *Revue des Sciences Humaines*, n. s. fasc. 93 (janv.-mars 1950), 77-98.
PERROS, Georges. « André Gide : *Journal* 1939-1949 ; *Souvenirs* », *Nouvelle Revue française*, IV (nov. 1954), 907-09.
PERSE, Saint-John. « André Gide : 1909 », *Sewanee Review*, LX (Oct. 1952), 593-606
PEYRE, Henri. « André Gide et les problèmes d'influence en littérature », *Modern Language Notes*, LVII, no. 7 (Nov. 1942), 558-67.
— « Gide's Pure Novel », *Saturday Review*, XXXIV (March 31, 1951), 12-13.
PICHOT, Claude. « André Gide, Jacques Crépet, et Baudelaire », *Mercure de France*, CCCXIX (nov. 1953), 547-49.
POLTI, Georges. « La Séparation de l'Eglise et l'Etat, ou le sujet de *Saül* », *Mercure de France*, LII (déc. 1904), 738-42.
POUILLON, Jean et Roger STÉPHANE. « Dialogue sur *Les Caves* », *Les Temps modernes*, VI (fév. 1951), 1528-29.
PRITCHETT, V.S. « André Gide », *New Statesman and Nation*, XLI (Feb. 24, 1951), 214.
— « *Les Faux-Monnayeurs, Oedipe, et Thésée* », *New Statesman and Nation*, XL (Aug. 26, 1950), 231-32.
— « *Le Journal* de Gide », *New Statesman and Nation*, XLI (June 23, 1951), 711-12.
QUENNELL, Peter. « *Et nunc manet in te* », *New Statesman and Nation*, XLIII (Dec. 29, 1951), 760.
RAVAGE, M.E. « What Good Is Revolution ? » *Nation*, CXLIV (Feb. 20, 1937), 210-11.
REDMAN, B.R. « Dual Souls of André Gide », *Saturday Review of Literature*, XI (Aug. 4, 1934), 31.
RÉJA, Marcel. « La Révolte des hannetons », *Mercure de France*, CCII (mars 1928), 324-40.
RHODES, S.A. « André Gide and His Catholic Critics », *Sewanee Review*, XXXVIII, no. 4 (Oct.-Dec. 1930), 484-90.
— « Influence of Walt Whitman on André Gide », *Romanic Review*, XXXI (April 1940), 156-71.
— « Marcel Schwob and André Gide, A Literary Affinity », *Romanic Review*, XXII, no. 1 (Jan.-March 1931), 28-37.
RIVIÈRE, Jacques. « Lettres à Gide », *Nouvelle Revue française*, XXIV (avril 1925), 758-80.
ROGERS, William S. « André Gide », *Canadian Forum*, XXVIII (Oct. 1948), 158-60.

Rolo C.J. and. J. de Séguey. « André Gide », *Atlantic Monthly*, CLXXIX (Feb. 1947), 115-19.
Rosenfield, Paul. « Mystery of Persephone », *New Republic*, LXXXII (April 3, 1935), 213-14.
Roudiez, Léon. « L'Envers du *Journal* de Gide », *Romanic Review*, XLIII, no. 2 (April 1952), 147-49.
— « *L'Etranger, La Chute*, and the Aesthetic Legacy of Gide », *French Review*, XXXII, no. 4 (Feb. 1959), 300-10.
Rougemont, Denis de. « Au sujet du *Journal* d'André Gide », *Nouvelle Revue française*, LIV (janv. 1940), 24-32.
Rousseaux, André. « Le Secret d'André Gide », *France illustration*, VII (oct. 13, 1951), 398.
Roy, Jean-H. « *Le Procès*, d'après Kafka par A. Gide et J.-L. Barrault », *Les Temps modernes*, III, n° 29 (fév. 1948), 1534-36.
Saint-Clair, M. « Notes d'un lecteur », *Nouvelle Revue française*, XXXVII (déc. 1931), 934-40.
Sartre, Jean-Paul. « Gide vivant », *Les Temps modernes*, VI (mars 1951), 1537-41.
Schloezer, Boris de. « *Chopin*, par André Gide », *Nouvelle Revue française*, XXXVIII (fév. 1932), 315-16.
Schlumberger, J. « Ainsi soit-il ou Les Jeux sont faits : André Gide en face de la mort », *Figaro littéraire*, VI, n° 253 (24 fév. 1951) 1, 5.
— « *André Gide*, par Ramon Fernandez », *Nouvelle Revue française*, XXXVII (sep, 1931), 481-83.
— « Gide rue Visconti », *Nouvelle Revue française*, XLIV (mars 1935), 482-84.
— « Un Témoignage sincère sur André Gide », *Figaro littéraire*, VI, n° 295 (15 déc. 1951), 1, 4.
Schwartz, Delmore, « The Fabulous Example of André Gide », *Partisan Review*, XVIII, no. 4 (July-Aug. 1951), 458-66.
Stéphane, Roger. « Trois et un livre sur Gide », *Les Temps modernes*, VIII, n° 85 (nov. 1952), 885-87.
Sypher, Wylie. « Gide's Cubist Novel », *Kenyon Review*, XI, no. 2 (1949), 291-309.
« Témoignages sur André Gide », *Figaro littéraire*, VI, n° 253 (24 fév. 1951), 5, 7.
Temple, R.Z. « Aldous Huxley et la littérature française », *Revue de littérature comparée*, XIX (janv. 1939), 65-110.
Thibaudet, Albert. « André Gide », *Revue de Paris*, XXXIV (août 1927), 743-75.
— « Candide », *Nouvelle Revue française*, XLV (juillet 1935), 93-98.
— « La Cellule sur le théâtre », *Nouvelle Revue française*, XLIV (avril 1935), 599-605.
— « Conversions et conclusions », *Nouvelle Revue française*, XLII (juin 1934), 997-1003.
— « De la critique gidienne », *Nouvelle Revue française*, XL (mars 1933), 507-13.
— « Si le grain ne meurt », *London Mercury*, XV (Jan. 1927), 302-04.
Thiébaut, Marcel. « Les Choix d'André Gide », *Revue de Paris*, LIV (juin 1952), 135-47.
— « Gide vu par un médecin », *Revue de Paris*, LXV (fév. 1958), 141-54.
Trochon H. « Une Etude estonienne sur l'art d'André Gide : Gide et les romantiques allemands », *Revue de Littérature comparée*, X (1930), 769-72.
Troy, William. « Conversion of André Gide », *Nation*, CXXXIX (Oct. 17, 1934), 444-47).
Turnell, Martin. « André Gide », *Commonweal*, LIV (May 4, 1951), 79-81.

VACQUIER, Tatiana. « Dostoevsky and Gide: A Comparison », *Sewanee Review,* XXXVII (Oct. 1929), 478-89.
VIALLANEIX, Paul. « Nés en 1925 », *Les Temps modernes,* III, nº 32 (mai 1948), 2046-48.
WARD, Barbara. « André Gide on Soviet Russia », *Contemporary Review,* CLIII (May, 1938), 578-84.
WEST, Rebecca. « Letter from Abroad », *Bookman,* LXX (Dec., 1929), 433-49.
YANG, Tchang Lomine. « Sur André Gide », *Mercure de France,* CCLIX (avril 1935), 203-07.

TABLES DES MATIERES

ACHEVÉ D'IMPRIMER LE 26 JUILLET 1962 SUR LES PRESSES DE L'IMPRIMERIE HABAUZIT A AUBENAS (ARDÈCHE)